A STORY OF LALA'S PROMOTION

李可·著

杜拉拉
升职记

陕西师范大学出版社

图书在版编目（CIP）数据

杜拉拉升职记/李可著. —西安:陕西师范大学出版社,2007.9
ISBN 978-7-5613-3912-1

Ⅰ. 杜… Ⅱ. 李… Ⅲ. 长篇小说—中国—当代 Ⅳ. I247.5

中国版本图书馆 CIP 数据核字(2007)第 127000 号

图书代号：SK7N0788

杜拉拉升职记

著 者：李 可
责任编辑：周 宏
特约编辑：蔡明菲
封面设计：熊 琼
版式设计：利 锐
出版发行：陕西师范大学出版社
　　　　　（西安市陕西师大 120 信箱 邮编:710062）
印 刷：北京京都六环印刷厂
开 本：787×1092 1/16
印 张：17
版 次：2008 年 1 月第 2 版
印 次：2008 年 1 月第 5 次印刷
ISBN 978-7-5613-3912-1
定 价：26.00 元

关于《杜拉拉升职记》

郝 健

智联招聘网高级人力资源专家，资深职业咨询发展顾问

1. 一本由读者热捧上畅销榜的书

将近岁末，各大主流媒体纷纷刊登了对当当新鲜热辣出炉的"2007年度图书畅销排行榜"的热评，在这场图书盛宴的大盘点中，《杜拉拉升职记》赫然在榜。

细心者会发现，从9月上架至今，这本书就一直在畅销榜上，至12月底，当天气越来越冷时，在当当每日更新的"24小时小说畅销榜"上，它不声不响地攀上了第一名。

只要看看当当网上读者对《杜拉拉升职记》热火朝天的评价，让旁观者也跃跃欲试想加入发言，就不难感受到市场对这本书的热捧。没有名人的推荐，比起其他一路大肆宣传的书籍，大众较少听到《杜拉拉升职记》的宣传声音，也许读者的口口相传，是这本书火起来的重要原因吧。有一个有趣的插曲，在再版时，出版社接受读者的建议，重新设计了这本书的封面。

如同发生在身边的故事，每个人都可能有的经历，实用生动的职场法则，共同画下了那条由共鸣而认同追捧的畅销轨迹。

2. 争议——比比尔·盖茨的故事"更值得参考"

书的腰封上照例有个时兴的噱头，声称杜拉拉的故事"比比尔·盖茨的更值得参考"，引来争议纷纷。

比尔·盖茨那样的成功，除了努力和本事，还需要罕见的运气，对大部分人而言，恐怕可遇不可求。相形之下，杜拉拉式的成功，倒是八〇后、七十年代生人实现成数更高的目标。

基于可行性和实用性的考虑，便有了"更值得参考"一说。

3. 外企工具书般的小说，适合哪些人群阅读？

作为小说，消遣之外，这本书的另一个功能是外企工具书。

现代人压力大，人们阅读不外乎或为纯粹的放松，或为实用。希望有份好收入好环境的工作是大部分想进外企者的目的，期望在职场中有一个好发展的，看看《杜拉拉升职记》还是很值得的。

有人把《杜拉拉升职记》归入女性读物，有的人认为它适合做 HR 的看，其实书中大量的职场知识和原则，适用于各行各业，**并不限于女性或者 HR**。书中有一节提到，拉拉辛勤工作却不招老板待见，苦思后她采取了不断报告工作进程的方法，使老板注意到了她的工作量和工作难度，从而意识到了她的重要，既不顶撞气头上的老板，又为自己争取了公平。此等实用心法并不限于外企中人借鉴吧？

和周围不同年龄段的朋友谈论过，有一点要为这本书叫好，就是它适合不同阅历的人阅读。其受众分布在 **20 至 40 岁的人群**，这点让人很受鼓励。

职场菜鸟不妨看看其中的一些知识类的东西，如用于有效设定工作目标的 **SMART 原则**；用于全面评判员工表现的 360 度反馈；用于规范操作流程、避免人与人之间矛盾的 SOP。它们就像是数学中的公式和概念，你记住了，就可以解题了。

有几年工作经验的人，则可以在书中更深入地了解职场中各方面的关系、立场和处理这些关系的技巧。比如不越级的江湖规矩，比如花费的原则：第一，要有预算且符合政策；第二，看投入产出比，比如对他人的认可要及时。另外，如何处理与上司、下属和平级的关系，也是出彩之处。

再老到一些的人，怎么用这本书呢？保留手下的重要员工，避免官僚，该决定时果敢决定、提供支持，充满变数时谨慎站好立场，提防功高压主的危害，对重大事件权衡利弊做出妥协，书中都有精彩描写。当业绩出色的销售总监 TONY 林不按规定给手下重要员工破格加薪，总裁何好德最后做出让步予以默许，便是一个典型的妥协案例。过了而立，奔四而去，上有老下有小，正当人的一生最脆弱也最值钱的时候，让自己贵得值当无疑会提高安全系数。

4. 一次轻松诙谐的阅读旅程

在不经意间，外企的文化价值观被灌输给受者。

关于"不撒谎"，书中提到新上任的总裁齐浩天，发现引诱他做预算外决定的都是些本土员工，他生气了。他是典型的西方人的那一套："我不撒谎，我相信你也不撒谎，假如你撒谎，只要被我发现一次，你就是个不值得信任的人。"这对于"老外是否真傻"是一个很好的答案。

关于"性骚扰"以及"结婚"，海伦曾提到，办公室的玻璃墙设计是为了预防性骚扰，并介绍总监李斯特对此的定义是："谈恋爱就是两个都愿意，性骚扰就是一个愿意另一个不愿意。"又说员工手册中明文规定"直线上下级之间不可以有婚姻关系，否则其中一个要调开"。可见，外企并非对私事完全不问，它有它的道德底线和江湖规矩。

此外，关于"you deserve it"和"官僚"等，书中的讲解包你看了一遍就轻松理解并牢牢记住。

拉拉的顶头上司美国总监李斯特，在她遇到困难需要帮助的时候说："授权你全权解决，你的决定我全力支持！"在拉拉需要他给一个决定的时候，他又不肯表态，做思考状。拉拉气急之下对王伟说，官僚的定义，就是"该做决定时思考，遇到困难时授权"。官僚无国界，更不拘国营或者外资，绝对适用于各类企业。

在解释"you deserve it"这个外企中的常用句式时，书中提到，"中国人表达褒义的时候，就说'名至实归'，表达贬义的时候，则说'罪有应得'，俗称'活该'；在英语里就不分了，都说个'you deserve it'！大意就是因为你干了什么，然后你因此得到了相应的结果，重在强调因果关系，都算是'你应得的'"。幽默的中英文对照，使人忍俊不禁，又过目不忘，强于最优教材。

5. 爱情故事

在杜拉拉二十四五岁的时候，她的爱情被作者一笔带过，有趣的是，书中也顺带给读者复习了一下"SWOT分析法则"，竭力劝说拉拉同意分手的男友，给拉拉进行了一番她在感情问题上的优势、劣势，以及她面临的威胁与机会的分析，让人发笑之余又感受了一把现实生活的无奈和压力。

被施以大量笔墨的是拉拉30岁的爱情。无疑的，这是一份典型的办公室恋情。作者笔下，都市生活中充斥着现代和一些永远传统的东西，伴随外企般飞快的节奏，让读者体会30岁爱情的不易。

王伟因前女友岱西哀怨的压力，不忍之下与之发生关系后，现任女友杜拉拉恰好打电话给他。在王伟的观念中，他真诚地认为这最后一次与岱西的性关系，乃是出于西方式的"绅士风度"，为了不伤害岱西而发生的；而在岱西"东方而经典"的感受中，王伟刚和她发生过关系就接听另一个女人的电话，令她深深地仇恨，"人一旦觉得自己受了侮辱，就容易变得疯狂"。从此，欲说还休的温存中就埋伏下了危险和阴谋。

王伟离开DB后，悄然出售在上海的房产，消失了。拉拉几经寻找未果，"她终于恐惧地想到，王伟是觉得没有意思了，是自己的矫情让他觉得没有意思了。"再三地折腾，让人冷了心肠。写实主义的描写，展示了中产阶级后现代情感生活中的疲惫与温存。

6. 丰富的信息量，值得一读再读

书中自有黄金屋，果然不假。翻过一遍《杜拉拉升职记》的人，不妨再细心读一遍，也许可收获寻宝般的快感。

如书中介绍了典型的外企在华各层级薪酬情况，在小说的不同章节，陆陆续续地依次提到了：

◇助理级别的年薪（见第1节，月薪4千；见第3节，年加薪幅度8%，年入12个月底薪及3个月奖金）；

◇普通主管级别的年薪（见第3节，年薪8.5万）；

◇普通经理级别的年薪（见第36节，年薪23万）；

◇高级经理级别的年薪（见第51节，年薪50万）；

◇重要总监级别的年薪（见第38节，年薪100万）。

7.《杜拉拉升职记》的精华

在书的末尾，杜拉拉给李都的邮件中，提到了为什么要辛苦为职场中人，就是为了"自由自在地活"，明确喊出了典型的中产阶级口号——"财务自由"，杜拉拉在此邮件中总结了：

1）．什么样的工作算好工作

首先是要选择一个好的行业，所谓好的行业，是其产品附加值高的行业；

然后是好行业中一家好公司，它应该是具备持续赢利能力的牛B的公司；

在这样的公司里，要找到一个好的方向，即实现利润的最关键环节，比如销售或研发；

得跟一个好老板，好老板的其中一个指标就是老板本人得"强"，如果跟了弱势的老板，你的前程很容易就跟着被耽搁了。

2）．如何才能够资格获得一份好工作

邮件中从如何对待上级、下级以及内外部客户和本岗工作等四个纬度，系统地阐述了获取好工作的资格是怎样的。

教科书上没有的来自实践的职场心血总结，奉献真理般赤裸的实在和经典，不单初入职场者，就是工作了十几年的老鸟，亦可反复玩味。

8. 期待

"典型的中产阶级的代表"杜拉拉，姿色中上，没有特殊背景，受过良好教育，靠个人奋斗获取成功，一本《杜拉拉升职记》演绎了一个普通人的成功故事，拨动了更多普通人期盼财富自由的共鸣心弦。

让我们一起期待《杜拉拉升职记》的续集吧。

自 序
[PROLOGUE]

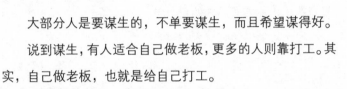

大部分人是要谋生的，不单要谋生，而且希望谋得好。

说到谋生，有人适合自己做老板，更多的人则靠打工。其实，自己做老板，也就是给自己打工。

打工的人要搞定很多关系，比如搞定上司，搞定下属，搞定同级，搞定内外部客户——HR的说法就是：了解组织架构并具影响力，建立内外部关系以达成绩效。

可能你干了很多活上司却不待见你，没准你有个本事不大脾气不小的下属，也许你的平级争风吃醋不怀好意，或者你的客户拽得像二五八万——你要很好的完成任务，就要设法摆平他们。

人的一生中，又可能遇到很多机遇，它们也许会赤裸裸的在你面前卖弄风情，又或者是不显山不露水的在某个角落等着你识别——抓住机会、识别机会，甚至，创造机会，首先是你的任务，然后才是组织的任务。

人的精力和资源都是有限的，应该了解并掌握正确有效的手式，因为正确的原则可以让你少走很多弯路，专业就是力量。

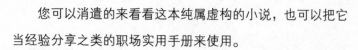

您可以消遣的来看看这本纯属虚构的小说，也可以把它当经验分享之类的职场实用手册来使用。

小说的主人公杜拉拉是典型的中产阶级的代表，她没有背景，受过较好的教育，走正规路子，靠个人奋斗获取成功。对于大部分人来说，她的故事比比尔·盖茨的更值得参考，因为她的所作所为有更大的可行性。

怎么样的书才算一本好书？

以我个人来说，我经历过书本年代、电视年代和网络年代。书本年代，我贪婪的阅读到手的每一本有点意思的书；电视年代，每周六晚上8点到11点，我雷打不动的收看各种故事片；而到了充斥信息的网络时代，最不缺乏的就是信息了，人们受到的是信息甄别与筛选的困扰。

书应该提供怎样的帮助呢？我以为，好书应该做到集中的提供逻辑的、生动的、有效的信息。所谓逻辑、生动而有效，光是经验分享还不够，这些经验是要容易理解和记忆的，实用的，并且是有意思的，还要周到而通用，能上升到常识甚至原则的境界，以便于人们达观的遵从及现实的获益。

我希望拉拉的故事，就是这样一本好书。

现在时髦说感谢CCTV，我实在搭不上CCTV，我想我感谢赐予我经历的生活，感谢亲爱的家人和朋友，还有，建议我写这本小说的王总。

然后，我感谢每一位读者，没有你们，我会寂寞的。

Contents 目录

杜拉拉升职记
A Story of Lala's
Promotion

CONTENTS
目录

DB 人物表

乔治·盖茨	DB 全球 CEO。
罗斯	DB 美国总部地产总监
"萝卜"	亚太总裁。
何好德	中国总裁，向亚太总裁"萝卜"报告。
齐浩天	中国总裁，何好德的接任者。
柯必得	副总裁，分管财务，向亚太财务付总裁报告。绰号"老葛"。
罗 杰	副总裁，分管销售，向何好德报告。绰号"十万"。
王 伟	大客户部总监，分管销售，向中国总裁报告。
TONY 林	商业客户部销售总监，分管销售，向中国总裁报告。
约翰常	市场部总监，向中国总裁报告，后向销售 VP 罗杰报告。
李斯特	人力资源总监，分管 HR 及行政，向中国总裁报告。拉拉升经理后向其报告
曲络绎	人力资源总裁，向中国总裁报告，李斯特的接任者。
邱杰克	大客户部南大区销售经理，向王伟报告。
岱 西	大客户部东区小区经理，向东大区经理报告；后升为东大区经理，向王伟报告。

吕贝卡	总裁助理，向何好德报告。
约兰达	副总裁助理，向罗杰报告。
伊萨贝拉	总监助理，向王伟报告。
玫瑰	助理行政经理，后提升为行政经理，向李斯特报告，后离开。
王蔷	北京办行政主管，向玫瑰报告，后离开。
李文华	招聘经理，向李斯特报告，后离开。
童家明	招聘经理，向李斯特报告，李文华的接任者。
杰生	招聘专员，向李文华报告，后离开。
王宏	薪酬经理，向李斯特报告。
雷恩	薪酬专员，向王宏报告。
周亮	北京办人事行政主管，向拉拉报告。
帕米拉	上海办人事行政主管，向拉拉报告，后离开。
周酒意	上海办人事行政主管，向拉拉报告，帕米拉接任者。
海伦	广州办人事行政助理，向拉拉报告。
麦琪	上海办人事行政助理，向周酒意报告。
桑得拉	北京办人事行政助理，向周亮报告。

引子：三个月的民企生涯

杜拉拉，南方女子，姿色中上。

大学毕业那年，拉拉二十出头，先在国营单位工作了一年，就辞职跑到珠三角，进了一家做汽车配件的民营企业，任职业务员。

公司的效益不错，老板胡阿发被当地镇政府树为农民企业家的旗帜。其实阿发最恨人家管他叫农民企业家，偏偏媒体和有关部门不知趣，但凡和乡镇企业或者农民企业家扯得上的，就要把他这面旗帜迎风招展一番。

江湖传说胡阿发和读书人有仇。他不管需要不需要，收罗了一堆大学生到他厂子里，报酬还算付得不错，厂里的工作和生活条件也颇说得过去。但是，人家来了不多久，他就要开始在精神上折磨人家，特别要是碰上个名牌大学毕业又模样体面的，这种折磨更是要加倍了。看在报酬不错的份上，不少人选择了忍着。

拉拉所在的业务部设在广州，但胡老板让她先到各车间去轮岗一圈，以便了解生产流程，日后对做业务有帮助，拉拉心里不愿意，还是装出一副积极向上的样子到了设在花都的厂子里。不到十天，阿发的秘书请病假，阿发就点拉拉暂且去填空。

有一次，拉拉陪阿发出去办事，阿发在宝马上问她："会背《陋室铭》吗？"

其实这是阿发想卖弄，拉拉不明就里，还暗自高兴自己能很完整地背《陋室铭》，呆头呆脑地背将起来："山不在高，有仙则明；水不在深，有龙则灵……"

阿发忍着气，等她背完，问她："这《陋室铭》共有多少个字？"

拉拉没数过，直接说："不知道。"

阿发说:"81个字。"其实阿发也没有点过《陋室铭》中到底有多少个字,只是他估计拉拉断然不确定字数,他总得说点啥她不知道的东西好镇她一把。

拉拉心说:我知道《陋室铭》说啥的不就得了,管它有多少个字呢!虽然嘴上没有说出来,脸上全写着呢。

阿发龙颜不悦。

但是拉拉干活还是舍得下力气,对公司的活计忠心耿耿地傻干,老板阿发见了心中欢喜。

他觉得要赏脸,就把拉拉叫到办公桌前,说起自己的创业史,唾沫星子都要喷到站在办公桌对面的拉拉脸上了,口又臭,足足喷了两个小时也不见停,从米粉肉与经济增长的关系,一直说到自己拉板车的故事:"拉拉啊,你知道我以前是怎么做销售的吗?白天我去单位找管事的人,人家不理我,晚上,我就骑个自行车到他家里。我天天去,人家家里有什么事情,我都知道,他一有需要我就马上去帮忙。我那时候年轻,什么苦没有吃过?为了运货,我自己去拉板车,板车你知道吗?胡总自己拉。"

拉拉觉得自己挺聪明,找个由头从大写字台的正面转到侧面,好避开口臭的袭击。一气站了两钟头,拉拉少不得两脚轮流倒班支撑身体重心,因为缺乏锻炼,到后来竟累得脸都涨红了。阿发看了,忽然拉过她的小手,用自己熊掌样的手使劲往台子底下拽。

拉拉有生以来第一次遇见这号事,连连提醒阿发:"胡总,叫人看见了不好!"

阿发一面眼观六路耳听八方,一面并不放手说:"你太可爱了,我被你感动了。"

拉拉觉得阿发"感动"二字用得不通,她还算有点临危不惧的小胆识,赔笑道:"我有男朋友,胡总。"

阿发不理她那个茬说:"拉拉,你并不漂亮,你知道吗?"

拉拉赶紧自我检讨说:"是的是的,我皮肤太黑,也太瘦。"

阿发努着肥胖的下巴说:"就是!"

拉拉劝说道:"所以呀,您放开我的手呀。"

阿发委屈地说:"拉拉,你把胡总当成随便的人了么?要知道,多少女的要勾引胡总,胡总都不理她们呢!不信,你看这个!"

他松开了拉拉的手,从写字台下抄出一根黑棒子表白道:"你看,拉拉!上周还有个美女到我办公室来,好端端的就往胡总身上靠过来!嘴里说啥天热让我请她吃雪糕。胡总当场就抓起这电棒问她:'雪糕和冰棒都没有,电棒要不要吃?'把她吓跑了!胡总可不是随便的人啦。"

拉拉只求他先松开手,他一松手,她几乎想大呼救命或者马上跑出去,但是拉拉舍不得那份薪水。都说EQ在斗争中成长得最快,她果然急中生智,假装委屈道:"胡总,您事先也没有和我透一点意思,人家根本没有思想准备,您这不是欺负我嘛!"她一面说,一面使劲忍着恶心。

阿发看她撒娇扮嗲十分受用,高兴地说:"你明天就回广州业务部上班去吧,给你一个空间好好想想,别整天坐在我办公室门口了。"

傍晚下班,阿发送她回广州。有司机在车上,拉拉就放心享用了宝马的服务。

阿发在车上坐得端端正正,小声和拉拉说,他以后会在中国大酒店长包一间房,给拉拉享用。

拉拉大学实习的时候在一家有钱的国营单位,见识过五星酒店的派头。听阿发说要在中酒给她包一间房,她虽然肯定不会去,小脑袋里还是不禁神往了一下。

阿发又和拉拉说:"你知道蓝妮吧?她现在自己办公司办得很好,她原来就是胡总的员工,上海一个名牌大学毕业的,这人和你一样聪明,胡总培养过不少人啦。"

拉拉不知道蓝妮是谁,她也不关心这个。宝马在中酒附近把她放下,她暂时化险为夷,迷迷登登地回住处去了,一路上只感觉自己两只脚的长度好像不一样,走起路来高一脚低一脚的。

第二天,拉拉开始在业务部上班。业务部经理是北大毕业的,挺好一人儿,说话做事处处露着才子气,但又有别于常见的牛B哄哄的北大才子,他为人谨慎,甚至有点软弱。拉拉后来想,大约是叫胡阿发给折磨成那样的。

业务部其余的几位同事,都是些25岁至30岁不等的年轻人,个个聪明

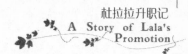
活跃。和他们在一起,拉拉感觉自己仿佛回到了大学时代,精神一放松,气色就红润起来。

这么过了两个月,阿发一直没有动静,拉拉不仅没有再看到他,甚至没有接触到和他有关的文字,比如《陋室铭》之类的。

拉拉天真乐观地猜想并希望:胡总有钱,他自己不是都说骚扰他的女人多吗,保不准他遇到中意的,就不使电棒,和人家吃冰棒去了。

这天拉拉出了个长差,兴冲冲地回到业务部,一进门就发现阿发正在和自己的经理谈话。阿发一眼看到拉拉,温厚地打个招呼道:"拉拉回来了。"一副憨态可掬的模样。

拉拉很高兴,觉得大约可以双赢了,不由得活泼地说:"胡总,两个月没有见到您了,您气色很好呢。"

阿发只是憨厚地笑,招呼拉拉坐。

拉拉的经理出去接个电话,拉拉坐下看一份传真,忽然感觉阿发拿脚在摩挲她的脚背。正是夏天,拉拉没有穿袜子,光脚穿着凉鞋。她浑身一激灵,活像有只又湿又冷的肥老鼠爬过她的脚背,一夜回到旧社会的感觉霎时扫去她满脸阳光。

拉拉把脚抽回来,假笑道:"胡总,不好意思,我乱伸脚,碰到您了。"

阿发凑近她一点,说:"说得好。你真的不是很漂亮,但是又真的很聪明。你刚才这话就说得得体呀。"

拉拉又开小差了,魂不守舍地想:"得体"这样的词可是很书面的,阿发用在这里不算错。

这时候拉拉的经理走了进来,她赶紧告退。

经理叫住她说:"拉拉,胡总的秘书身体不好,不能来上班了,你也许要顶替一阵那个位置。"

拉拉脑袋"嗡"的一大,恍惚间看到阿发笑着点了点他的大头。拉拉连假笑都没有顾得上做,就夺路逃跑了。

离开业务部,就得去花都这样的乡下地方,拉拉不干,她不要去花都做乡下人。当然,更要命的是,人家胡总暂时没有打算和别的他"中意"的女的好。

拉拉明白了,要想不付出,又保住这份她还算喜欢的工作,只是自己一厢情愿的想法。她在纸上划了半天,企图找出个两全的法子。

过了两天,阿发打电话到业务部,催促拉拉立马去花都厂子上班。

经理放下电话和拉拉说:"拉拉,抓紧吧,胡总的口气不太高兴了。他今天下午会来这儿。"

拉拉干脆说不舒服,要去看医生。经理也不多事,由她去了。

拉拉有个朋友在同一幢写字楼里一个小办事处上班,她跑到人家那里散心。这个小办事处就两个女孩子守着,平时她们倒也悠闲自在,拉拉对比自己的处境,不由得叹了口气。两女孩问起缘故,拉拉一五一十地说了。

其中一个叫夏红的女孩,颇有模仿天分,便说:"拉拉,那阿发兄是从化人,他要说起从化的乡下白话就是这个样的——冰棒没有,电棒要吃吗?"

她站在地毯上,煞有介事地模仿着阿发农民企业家的派头,一口从化乡下白话惟妙惟肖,把拉拉两人逗得直笑到死去活来。

两人逗夏红道:"你在这里说得好,敢不敢去说给阿发听呀?"

夏红一拍胸脯说:"怎么不敢! 我不说给他听,还浪费了我的天分呢。浪费天分可是罪过!"

拉拉猛然想起经理说过,阿发下午会来业务部,没准这会儿人已经到了。

夏红豪迈地说:"把电话号码给我,我打过去。"

她要打之前,又问拉拉:"哎,你们公司的电话有没有来电显示的?"

拉拉担保说:"放心,没有。"

夏红果真把电话打过去,一个男人接了问她找谁,她捏着嗓子说找胡总,那人没有问她是哪里,便给她去请胡总。

胡总马上来了,夏红本想捏起嗓子开讲,却猛地把电话给撂下了。

原来阿发到底是个老总,有老总的气势,夏红虽然豪迈,还是怯场了。

拉拉们又扫兴又好笑,夏红觉得很惭愧,休息了一会儿,决定再来一次。

接通电话后,她又捏起嗓子找胡总,人家还是不问她是哪里就给她请胡总去了。胡总来了,夏红再接再厉又猛地把电话给扔了,并惊吓得浑身发抖手脚冰凉。

拉拉们笑得不行,几乎要瘫到地毯上去。然而夏红非常有恒心,她说失败是成功的妈妈。

夏红给自己冲了杯牛奶，补充体力后说："第三次，不成功便成仁！"

拉拉怀疑，阿发是否会第三次来接电话。但是，胡总还真就第三次来接电话了。

夏红不等他说喂，就捏着嗓子，高亢尖利而疯狂的急速嚷着："想吃啥？冰棒没有，电棒要吗？"然后她"哐"地摔掉电话，软瘫到沙发上了。

拉拉们大笑不止，一面给女英雄捶肩抚背，夸奖她刚才不忘使用从化乡下白话，而且说得非常正宗。

笑过，拉拉问夏红："阿发说了什么没有？"

夏红惊魂未定地回忆说："他什么都没来得及说。"

拉拉说："那你怎么确定接电话的是阿发呢？没准是开始接电话那个人来告诉你胡总已经走了。"

夏红才想到，这也有可能，不禁一阵沮丧。

拉拉笑了几场，决定马上辞职。她对夏红的见义勇为竭力认可了一番，夏红还是不开心。

拉拉过意不去，便说自己过半个小时就回业务部去打探，看刚才是否是阿发自己接了这个关于电棒和冰棒的电话。

拉拉回到业务部，阿发已经走了。经理用怀疑的眼神研究着拉拉，然后告诉她："今天有几个奇怪的电话找胡总，胡总接了后很不高兴，马上就走了。"

拉拉哼哼着说："老子也很不高兴，老子也要马上就走。"

经理笑着说："女孩子家家，什么老子老子的。"

确认阿发接到夏红的电话后，拉拉高高兴兴地交了辞职信，向夏红她们报喜去了。

拉拉在民营企业的职业生涯就这样短命地结束了。她觉得，这个传说里没有正义，也没有侮辱，只有选择。

夏红关切地问她，接下来想找啥样的工作？

拉拉想了想，向往地说："我想进真正的外企，富高科技含量的 500 强跨国企业。那我就可以有一份不错的收入了，又不需要背《陋室铭》，更不会有性骚扰，而且老板肯定很忙，没有兴趣让我伺候他吹牛两小时，就算老板吹牛吧，一定也吹得非常有魅力。"

01. 忠诚源于满足

大学毕业的第四年,历经民营企业和港台企业的洗礼后,拉拉终于如愿以偿地进了通讯行业的著名美资 500 强企业 DB,任职华南大区销售助理,月薪四千。

这个岗位有点像区域销售团队的管家婆,负责区域销售数据的管理,协助大区经理监控费用,协调销售团队日常行政事务如会议安排等。

工作内容琐碎,又需要良好的独立判断,哪些事情得报告,哪些事情不要去烦大区经理,遇事该和哪个部门的人沟通,都得门儿清。

要干好这个职位,需要一个手脚麻利的勤快人,责任心得强,脑子要清楚,沟通技巧要好——总之呢,要求不算低,待遇不算高。岗位能提供的好处是稳定,所谓稳定,有两层解释:一层是变化不大的意思;另一层,是没出息没前途的意思。

因为这个职位不但琐碎,从工作的内容上看,没有高附加值(value-added)的部分,而且从职业发展阶梯来讲,几乎是没有继续上升的空间了,任职者天天面对的又是野心勃勃且收入不菲的销售类员工,如果不是个胸无大志的人,在这个岗位上难免痛苦。

拉拉其时很吻合岗位要求,因为她不但聪明能干有责任心,而且,当时她只求在 500 强企业里谋个稳定的职位——大学毕业后头三年不如意的工作环境,让她有点心累了。

DB 广州办的前台海伦,人们第一眼就能发现她是个出众的美女,也随即能感受到她与生俱来的广州式的亲切、乐观和不思上进。

海伦是工人的女儿,在巷子里长大,工人阶级的无私和乐观对她产生了根本的影响,乐于助人的评语伴随了她整个学生时期,而她的易于满足和没有根据的乐观更是达到了出神入化的境界,为她赢得了一个当之无愧的绰号——"没心没肺",简称"老没"。

海伦从小不爱读书,到二十岁胡乱混了个酒店管理的大专文凭,算是学

了点英文,生得又漂亮,便进了DB当前台。

别的小姑娘当前台,只是为了有个进大公司的跳板,干上一两年,就要想办法在公司里另谋个助理之类的职位了,就海伦,一干三年,没啥进一步的打算,白白浪费了聪明的脑子和勤快乐观的性情。

前途这类词语,对海伦来说太晦涩书面,她觉得在DB当前台就挺好,比到香格里拉大酒店当前台强,起码上班不用站着,还不用倒班。

海伦还有个本事,据说只要她愿意,有个陌生人从她面前过,15分钟后她连人家外婆家的门是朝南还是朝北都能搞明白。后来拉拉告诉她,这叫"有亲和力",可以在年终总结中作为自己的优点写进去的。

拉拉上班的第一天,走进设计低调而牛B的接待处,一报姓名,海伦一面热情地说"欢迎、稍坐",一面通知里面的人出来接拉拉,又忙着自我介绍,搞得拉拉心里暖洋洋的。

拉拉看到墙上挂着的一幅合影,一个美国总统派头的老外正和某位重要的中央领导握手微笑着。

海伦见拉拉在看照片,就主动介绍说:"那是我们的CEO,乔治·盖茨。"

拉拉心里对CEO的派头很满意,觉得自己也跟着体面起来。

海伦卖弄道:"乔治在一九××年来过中国,来的时候坐我们公司自己的飞机,飞行航线都是特别申请的。DB有好几架飞机,都是大飞机哦,不是小飞机。CEO来中国,坐的车都是001号的。"

拉拉觉得她在吹牛,001号都是当地政府的车,怎么能给一个公司的CEO坐呢?CEO又不是政府要员,代表不了美国,只不过代表DB罢了。

海伦看出拉拉不信自己的话,便翻出一本精美的杂志递给拉拉:"这是DB中国的内部杂志:《CHALLENGE》(《挑战》),这期有CEO来华访问的实录。"

海伦被训练出来的前台接待式的身体语言,并不能掩饰她一刻不停的天性,拉拉觉得她的叽叽呱呱有点好玩儿,两人很快就混得N熟了。

拉拉在新员工入职培训(orientation)中,听到"我们是排名第二十X位的幸福500强跨国企业,是全球通讯行业的领头企业"介绍的时候,一股自豪感涌上她的心头,她不由得把背脊挺得更直了一点——忠诚教育的第一步十分成功,这不仅源于洗脑者的需要,也源于被洗脑者的需要。这和婚姻没有什么两样,人们越满意自己的配偶,越为自己的配偶骄傲和自豪,就越愿意忠诚自己的配偶。

02. 单相思与性骚扰的区别

拉拉注意到,DB所有经理办公室沿走道的这一面,都是用大块的玻璃来做间隔墙。

拉拉问海伦:"这么设计是为了美观吗?"

海伦说:"不是,是为了预防性骚扰(sexual harassment)。"

拉拉好奇地问:"发生过性骚扰吗?"

海伦摇头说:"没有听说过。"

拉拉追问说:"那万一有呢?"

海伦干脆地说:"炒呀!公司有规定的。"

拉拉本着严密的专业精神澄清道:"怎么样算性骚扰?人家要说是谈恋爱呢?"

海伦说:"听我的经理玫瑰说,我们的总监李斯特给过定义,谈恋爱和性骚扰有明显区别,谈恋爱就是两个都愿意,性骚扰就是一个愿意另一个不愿意。"

拉拉一听就笑了:"单相思也是一个愿意另一个不愿意。"

海伦傻眼了,骨碌碌转着龙眼核一样的大黑眼珠答不上来。

拉拉凑近她,玩笑道:"要不我给补充一下吧,下次你给新员工介绍的时候就不会受到人家挑战啦。单相思可以发展为性骚扰,前提是单相思的一方采取了行动,从而给另一方造成困扰甚至危害;人家要是只是放在自己心里里想想,就没问题——你可别告诉你们总监说我补充他的定义哦。"

海伦佩服地点点头,心里奇怪这个拉拉干吗来做销售助理,她应该弄个主管当当,因为她说话像主管水平,助理们可不像她这样发表与总结或者定义有关的言论。

拉拉看看玻璃墙心想:性骚扰是能预防,只是单身的经理要在公司谈个恋爱恐怕也被这玻璃墙搞得不方便了。

杜拉拉升职记

A Story of Lala's Promotion

杜拉拉，南方女子，姿色中上。

大学毕业的第四年，历经民营企业和港台企业的洗礼后，拉拉终于如愿以偿地进了通讯行业的著名美资500强企业DB，任职华南大区销售助理，月薪四千。

海伦像是猜到了她的心思，主动说："公司对谈恋爱没有相关限制，不过员工之间要结婚的话就有规定了，直线上、下级之间不可以有婚姻关系，否则其中一个要调开——一般说来，夫妻双方中会有一方主动离开公司。员工之间结婚的非常少见，尤其是经理级别以上的员工，到现在为止我还没见过哪位经理在公司谈恋爱呢。"

拉拉说："结婚的事情明确规定了吗?"

海伦说："当然，员工手册上写着的，新员工入职的时候不都让在员工手册上面签字、确认了解并保证遵守吗? 回头你好好研究研究就知道啦。"

拉拉听说员工手册上还有这内容，当下就回去仔细通读了一遍，发现这手册还真能回答很多问题。

拉拉上班第一周，在几样文件上签了名，除了劳动合同外，还有诸如意外险受益人指定书、员工手册、商业行为准则等。

商业行为准则，就是公司用正式的书面形式，告诉员工什么可以做、什么不可以做，如果非做会受到什么样的处罚等，公司通过这套准则让员工明白，这里的企业文化认为，什么是道德的什么是不道德的。

根据公司为员工购买的意外险条款，拉拉如果出了意外，她的受益人可获得相当于拉拉月薪六十倍的赔款，最高不超过人民币二百万——根据这一条，拉拉知道自己在公司里是赤贫阶级，她的月薪是 4000 元，赔款额度因此是 24 万，200 万和 24 万的差距拉拉不用除法就看得明白，而这 200 万显然还只是属于公司里某一个比较高级的级别而已。

正所谓不比不知道，一比吓一跳。本来准备来过安稳日子的拉拉，在签这份保险利益授权书的时候，马上被激发起了升官发财的欲望，就是人们常说的职业发展的愿望。

拉拉已经从海伦那里得知，在公司，主管级别以下的非销售类员工，年终奖是三个月，就是一年有十五个月的收入;到了经理级别，额外再有两个月的经理奖金，就是一年有 17 个月的收入。至于经理以上级别的奖金规则，海伦就不知道了。

除了奖金以外，还有各种福利上的等级区别，比如年假，普通员工享受带薪年假 15 天，经理级别员工除此以外，另有若干天经理假。

又比如手机费，一线销售经理(小区经理)的手机费报销上限是每月500元，二线销售经理(大区经理)的手机费就没有上限了，只要他们的手机产生话费了，即可实报实销。

拉拉惊讶地问海伦："那他们爱报多少就报多少？"

海伦没心没肺地说："是呀，爱报多少就报多少。"

拉拉怀疑地说："那要是他们使劲打私人电话怎么办？"

海伦嘻嘻笑道："那他们就使劲打私人电话好了。我的经理玫瑰说啦，这叫变相的福利。不过时间长了你就知道了，二线经理哪里有精力打那么多私人电话哦——反正，肯定是官当得越大，福利就越好啦。不过，当官也很辛苦的。"

拉拉想想也对，都做到二线经理了，没事打那么多私人电话干吗？对比过往服务过的港台企业，要么是手机话费的报销额度较低，要么要求员工报销时要提交话费清单。

拉拉暗自思忖，这也许就是外企和港台企业的一个不同吧，它会在一定范围内给你自由和信任，让员工舒服点。至少，拉拉觉得DB又有钱又有风度，虽然自己还没有享受到"爱报多少就报多少"的福利，内心里已经自豪地暗爽起来。

拉拉忽然想到什么，请教海伦："海伦，DB在中国有多少女总监和女大区经理呢？"

海伦拿出电话分机表点了点数字说："总监一共有二十四位，其中女总监有六位；销售部有三条业务线，其中商业客户部分为五个大区，有五位大区经理，大客户部分和公众客户部都分为三个大区，各有三位大区经理——所以共有十一位大区经理，其中女大区经理有三位。"

拉拉心里马上默默计算出，女性在管理团队中的比例大约是四分之一不到。

海伦想起前面提到大区经理会不会胡乱打私人电话的话题，就说："拉拉，做大区经理的，都要显得身体好精力好，所以呀，他们就算真有点时间，男大区经理会赶紧去跑步打球，女大区经理上美容院还来不及，保证不会有兴趣去讲无聊的私人电话啦。不然哪能做到大区经理。"

拉拉笑着点头赞同。

海伦本着将八卦进行到底的精神，向拉拉介绍了公司员工的阶级划分戏称，拉拉给总结了一下：

经理以下级别叫"小资"，就是"穷人"的意思，一般情况下利用公共交通上下班，不然就会影响还房贷；

经理级别算"中产阶级"，阶级特征是他们买第一个房子不需要靠贷款，典型的一线经理私家车是"宝来"，公司提供的交通补贴能涵盖部分用车费用，二线经理则开"帕萨特"，公司提供的交通补贴基本能涵盖用车导致的日常费用；

总监级别是"高产阶级"，"高产"们有不止一处房产，房子得是在好地段的优质房产或者"别墅"，可以自愿选择享受公司提供的商务车，或者拿相当于公司商务车型的价格的补贴额度自己买车，和车相关的费用完全由公司负担；

VP 和 president 是"富人"，家里有管家和门房，公司给配着专门的司机，出差坐头等舱。

拉拉想，自己不能一直做销售助理，否则只有当"小资"了。

03. 老板心中谁更重要

光阴荏苒，不知不觉拉拉在 DB 已经工作了两年多。

大学时天天骑着自行车在女生宿舍楼下等她的研究生男友，幸运地被公司派到国外后就不想回来了，可拉拉不想出国，志不同自然道也难合。

长拉拉六岁的研究生男友启发她，爱情不是用来考验的，是用来珍惜的，与其远隔万里，不如早早结束。

他又设身处地替拉拉着想道："对女孩而言，青春苦短，守着一份变数太多的爱情才是最大的危害。"

这话拉拉果然听得进去，于是分手表决一致通过。

决定结束总是比决定开始更难，尤其当结束意味着对过去七年的抹去，即使出于惯性，也让人对未来茫然，拉拉感到痛苦，研究生男友引导说："凡事都有两面，从乐观的一面看，你从此获得了自由，有了更佳选择的可能。"

自由，谁不向往呀，诗人裴多菲说得好：生命诚可贵，爱情价更高，若为自

由故，二者皆可抛！

当你从十八岁开始，便和一个不单长你六岁、而且勤于思考的男人恋爱，有时候精神上是很压抑的。拉拉想想从此思想彻底自由了，痛苦当真有所缓解。

研究生男友又建议说："拉拉你在日历上每天做个标记，等你划过三个月，就解脱啦。"

当痛苦有了一个时限，当事人就有了一个熬出头的指望，每过一天，你都知道你正在离痛苦更远，熬三个月而已嘛，于是拉拉果真觉得这个痛苦不是那么令人望而生畏了。

研究生男友成功运用"SWOT 分析"（指对优势、劣势、机会和威胁的分析）说服拉拉，再贡献上第三条计策道："多参加集体活动，能加速良性进程。"

这下拉拉不干了，她反对道："参加集体活动要花钱的，不如在家看电视看书。"

作为 DB 的"小资"，也就是"穷人"，"自由"了的拉拉把自己积攒了五年的 12 万元，用于支付了一个价值 32 万元、面积 80 平米的小单元的首期，从此结束了租房而居的生活。拉拉每天坐公共汽车上下班，精打细算，每年拿出收入的三分之二，用于偿还为期五年的房贷。

这时候，DB 广州办行政主管的职位空缺，需要找个 replacement（替补）。HR 的人找到拉拉，问她是否愿意考虑这个职位。

他们看中她，是因为她的能干和责任心已经是被证实的了；她在广州办工作了两年，对这个办事处的人和事也熟悉；另外，这个职位需要一个英语比较好的人，而拉拉的英文在 DB 广州办即便不数一也要数二了。

拉拉还不懂权衡在核心业务部门任职和在支持部门任职的区别，她还不知道要紧挨着核心业务这棵大树来发展，才不会被边缘化并能最快地发展。拉拉只想到一个主管的级别总是比一个助理的级别来得高的，而且，不是每一个区域销售助理都能有机会转行做另一个职能部门的主管的。

当时拉拉做了两年销售助理，经过两次 8% 的加薪，年薪达到七万（一年十二个月底薪，外加三个月年终奖金），要是做行政主管，马上就能达到年薪八万五，这笔账拉拉很容易就算出来。

于是，拉拉成了广州美女海伦的主管。

她自己报告给 DB 中国总部的助理行政经理，名为"玫瑰"的上海美女。

玫瑰长得很娇嫩，声音嗲得要滴水。拉拉的声音也嗲，但是嗲不过玫瑰。拉拉本来有着中上姿色，怎奈上司、下属都姿色上乘，搞得她华光顿失。

拉拉一上任，广州办要做一个小装修，她便按照公司甄选供应商的标准操作流程，找了三家供应商来报价。经过两周的对比和谈判，她挑出其中最满意的方案报给玫瑰。

谁知玫瑰不由分说地从上海指定了一个供应商来做，拉拉奉命和这家供应商接洽。

装修就是个考验细节的活，结果拉拉发现对方的方案总是有这样、那样的错误。比如，实地有一个大柱子，拉拉一看供应商在图上标的位置，就知道画图的人没有到实地认真丈量，真要按他的图纸去预订家具，到时候那个位置的家具根本就摆放不下，还得重买。又比如他们出的图纸上，电源点的位置是离地 40 公分，但是配套家具的挡板却离地仅 30 公分，要是按图施工，电源就会被家具挡板挡住，必定导致日后使用者要插电源的时候，还得把办公桌先挪开，真这样，以后使用部门还不得把行政部骂死呀。

诸如此类的错误不断发生，几个回合下来，拉拉觉得很不得力。这天，拉拉又在机电图上发现，两个经理办公室共用的空调开关，是装在其中一个经理房的房间内部的。

拉拉质问供应商道："为什么不把空调开关装到两个房间外面的走道上呢？这样两位经理都可以很方便地去控制开关。如果装在其中一个房间里，另外那位经理要调节开关的时候，岂不是还得跑到别人的办公室里去操作吗？这多不方便！"

供应商狡辩说："很多公司都是把这样的共用开关放在其中一间房间里算数了，你事先又没有说开关一定要放到房间外面的走道上呀。"

拉拉听了很生气，到底谁是装修方面的专家呢！他拿了钱不就该把活干好吗？自己不尽本分，给他指出来，还屁话一堆！

海伦凑上去告诉拉拉，这家供应商之前在广州办做出的活计就很不好，各部门都不满意。她带拉拉去实地看了这家供应商以前的粗糙活计，鼓动拉

拉把这家供应商赶走。

拉拉不知深浅,当真把自己的感受和从海伦那里听来的信息直不笼统地告诉了玫瑰。

玫瑰勃然大怒,一顿臭骂,杂七夹八,不带一个脏字(跨国公司文化强调尊重每一位员工,不兴用骂人话骂人,谁要是用骂人话骂人,就是不融入公司文化),直骂得拉拉摸门不着。

结果拉拉只有把头在电话这边点得鸡啄米般,结论是:玫瑰选的供应商才是正道,拉拉自己应和指定供应商更多的沟通,以确保工程质量。

拉拉一一答应下来后,玫瑰和气地说:"拉拉,不好意思呀,你刚上任,就干涉你的工作了。"

拉拉赶紧说:"哪儿呀,我刚到这个岗位上,很多东西还不熟悉,您多提醒指点我,我才不会犯错。"

海伦鬼灵精一样,见拉拉打完电话脸色不好,在一旁假借打抱不平,火上浇油地说:"拉拉,用这家供应商,到时候工程质量有问题,还不是你来背责任嘛!"

拉拉如此郁闷了几回,总是不得要领,甚为烦恼。弄得玫瑰的电话一到,她就神经紧张唯恐要挨骂,不知道哪里又做错了。

现在的问题是,她不能正确地做出判断,到底哪些问题该请示,哪些问题该自己做决定;在公司政策许可范围内,到底哪些事情的处理只要符合政策就行,哪些又该特别按照玫瑰前辈的专业经验来处理。

有时候她请示多了,玫瑰就不耐烦起来:"拉拉,我很忙的,你是广州办的主管,你要有自己的决定嘛。"

拉拉于是自己去做决定,结果一报上去,玫瑰骂人的电话又到了。

拉拉能做的只有咬死一条:在没有搞清游戏规则之前,将温顺进行到底。

于是,每次吃了玫瑰的教训,拉拉都要当场及时做出类似"您老见教得是"的总结。

玫瑰反倒和气地说过几次:"拉拉,我知道你以前在台资公司做过,对上级总是特别服从。我们是美国公司,DB的文化很 open(开明)的,提倡直接沟通,你要是有不同意见,尽管提出来大家讨论,不必太小心翼翼啦。"

拉拉心说,我哪敢跟您直接沟通呀,那不是找抽嘛。

可只是一味地"您老见教得是"不能根本地解决问题。拉拉想,不直接沟通就不直接沟通,可她总得搞明白和玫瑰沟通的游戏规则吧。

玫瑰手下有三个行政主管的职位,其中上海办行政主管是个烂忠厚没用(或者假装烂忠厚没用)的主,拉拉是广州的主管,还有一个是北京的主管王蔷。

拉拉给北京办行政主管王蔷打电话,假借横向联络,试探她是如何与玫瑰工作的。

这王蔷也是个受压迫的,两个人因为有相同感受,所以不免嘀咕了半日。

但是拉拉放下电话一总结谈话内容,其实有价值的部分不多。她只搞清楚:玫瑰对王蔷也是那么个风格。

王蔷在 DB 工作了三年,不过报告给玫瑰的时间并不很长。据她说,拉拉的前任,就是和玫瑰处得不好,结果玫瑰说服李斯特同意,把人家给炒了。

王蔷对玫瑰显然不服气,她曾经把和玫瑰的不同意见写成 e—mail,汇报给玫瑰的上司、主管人力资源和行政的总监李斯特,但是李斯特又把王蔷的E-MAIL 转发回了玫瑰处理。

王蔷怂恿拉拉说:"单我一个人提,李斯特可能会认为我有问题,也可能会认为玫瑰有问题;要是你和我一起提,都说玫瑰有问题,老板就会想,总不会所有的行政主管都有问题吧?"

王蔷的逻辑推断,拉拉明白。

但是拉拉想,直接和李斯特沟通,就是越级申诉玫瑰了。越级可是外企最严重的行为之一。

拉拉工作了六年,见过的越级行为多半以失意告终。也许当时就那件事情本身而言,你能赢,但长远看,基本上你还是输了。

外企 HR 制度中的越级申诉制度,拉拉总以为更多的是起到预防告诫的作用,让那些做头的人,做到慎独。一旦有人当真踏上那条申诉通道,只是用自己的前途来维护了企业文化的开明形象。

申诉本身,得到公正结论的成数很高;被申诉的主管固然受到重创,而对申诉者而言,在未来,没有人愿意重用一个申诉过自己主管的人,很可能是他将要面对的结局。

拉拉觉得自己刚到任不久,还远远未到需要走越级申诉这步最后的棋

子,应该多方设法和玫瑰磨合。

另外,拉拉隐约觉得,本部门总监李斯特并无兴趣来为下属主持公正、评判是非,他更希望的是手下好好合作,别给他找麻烦——他把王蔷的MAIL转发给玫瑰处理,就表明了他的立场。

李斯特是美国人,年近六旬。

他在DB工作了二十几年,调来中国区并不很久。对他而言,安全地在中国任上熬到退休,是他最重大的战略目标,一切都要围绕"安全"二字。

他尽量避免做决定。遇到事情总是让手下的经理去找各相关部门,甚至不相干的部门也最好全扯上,挨个儿地问过总监们的意见,最后得出个集体的决定。

面对变化的时候,他总是能拖则拖,尽量等到把局势全面看清楚后,再决定which way to go(行动方向)。

拉拉刚升职的时候,到上海总部晋见过李斯特。他的领带打得整整齐齐,头发纹丝不乱,腰挺得直直的,虽然不年轻了,做派却像好莱坞的大牌明星。

他对谁都客客气气的,早上上班一进公司,先亲切地和前台say哈罗,然后一路哈罗到自己的办公室为止。

对于李斯特而言,行政经理玫瑰比行政主管王蔷、拉拉们更重要,假如玫瑰离职,至少两年内,王蔷或者杜拉拉都无法承担起玫瑰的职责,这才是硬道理。

DB是拉拉所经历过的最好的公司。所谓好,一是收入,二是环境,三是未来。其间的很多好处,不是钱就能涵盖了的,比如和你一起工作的同事都是些个素质高又专业的人,让你在工作中更有愉悦感和成就感,这就是一种无形的福利。

500强,全球也就500家,当年又有一多半尚未在华投资,在进入中国的500强里面,再刨掉其中的劳动力密集型企业,也就没有剩下多少可以选择了。

对于拉拉而言,这样一个年薪八万五的小主管的职位并不是那么容易获得的,玫瑰虽然不好,但只是一个好选择中的一个小遗憾,她可以设法避开玫瑰;而要是意气用事失去在DB的工作机会,以后就难保再能进入类似DB的好公司。

总之,拉拉找王蔷,只是企图找到一个游戏规则,并非奢想联手把玫瑰干掉,那可是一个麻烦的念头。

拉拉试图劝劝愤怒的王蔷。但是王蔷有着北京式的骄傲和自信,她对拉拉的劝告不太听得进去。

拉拉正想着和王蔷的谈话,海伦探头探脑过来了,她骨碌碌地转着大眼睛说:"玫瑰每个月都要看计费系统出来的通话清单,她很细心的,一看分机表,可能就会注意到你和王蔷通话很长时间。"

拉拉很不高兴海伦的鬼鬼祟祟,为什么她和王蔷刚一通话,海伦就知道了呢?

但是,拉拉也不得不承认,海伦没坏心,她的提醒是对的。

拉拉心想,以后再也不和王蔷进行这样危险的沟通了。

④. 和上司要保持一致

拉拉没有从王蔷那里获得解决之道,只得自己动脑筋想法子。

她指使海伦取得上海办行政报告的格式,经研究确认大致适合广州办使用后,她就直接采用上海办的格式取代了广州办原先的报告格式。

这一举措果然讨得玫瑰的欢心,由于拉拉使用了她惯用的格式,使得她在查阅数据的时候,方便了很多,也让她获得被追随的满足感。

对拉拉来说,玫瑰自然不会挑剔一套她本人推崇的格式,因此拉拉也就规避了因为报告格式不合玫瑰心意而挨骂的风险。

这是典型的双赢。

唯一不满的是海伦。海伦用惯了原来的格式,新格式花了她不少时间去适应,密密麻麻的表格搞得本来就不擅长数据的她晕头涨脑。海伦想,好端端的,为什么要改?不由得心里鄙夷拉拉擦鞋(广东方言,意指拍马屁)。

拉拉一眼瞧出海伦腹诽自己,把海伦拎到自己座位边,问她:"如果你是玫瑰,你是愿意几个办事处每个月的报告各有各的格式,还是更希望大家用

统一的格式呢?"

海伦不假思索地说:"那当然是统一的格式方便啦。"

拉拉说:"既然得统一,你是喜欢用你自己用熟了的格式呢,还是更愿意用你不熟悉的格式呢?"

海伦说:"肯定选自己用熟的格式啦。"

拉拉继续说道:"那不结了,玫瑰也会喜欢用自己熟悉的格式嘛。"

海伦无话可说了,憋了半天又不服气道:"我们原来的格式没有什么不好。现在这一换,要多花好多时间去熟悉表格。"

拉拉憋住笑摆出循循善诱诲人不倦的架势说:"那你就多努力,早日获得提升,当你更重要的时候,你的下级就会以你为主,和你建立一致性啦。谁叫现在经理是玫瑰不是你呢?"

海伦还要啰唆,拉拉让她拿出年初设立的本年度绩效考核目标,在行为方面,公司对全体员工的考核指标里有一条,叫作"建立一致性"。

拉拉让海伦给自己在这方面做个记录。拉拉说:"年终总结的时候,你就能以这个实例证明你在这方面的表现和贡献啦。"

海伦最怕这些个 paperwork(文字功课),她对公司的核心文化向来一知半解,每年做年终总结,海伦就央求要好的同事帮她写了胡乱交功课,主管和她回顾面谈的时候,她咬死一条,拼命点头就对了。

一经拉拉提醒,她觉得可不是吗,更换报告格式虽然麻烦点,换了就能搞明白啥叫"建立一致性",又能有个实例,海伦觉得还是合算了,赶紧把这一条实例记录下来。

这时候李斯特到了广州办一次,拉拉陪着他周围转了转,其间几次企图找机会试探他对玫瑰的看法。

李斯特能准确地记住每一位经理的名字,和所有的大老板一样,他有力地和人们握手,拍他们的肩膀,并且洪亮爽朗的大笑,和他说话打招呼的员工受他感染,都开心地笑着。拉拉暗自纳闷,这些大老板们一年也来不了南区几次,居然就能记住那么多经理的脸甚至名字,看来老板们,还都是天才。

拉拉陪着李斯特走到办公室的另一端,一位销售大区经理看到李斯特,连忙迎上来,李斯特看着这人有些眼熟,估计是某位重要的经理,却想不起来到底对方是谁,他迅速地微微一歪头在拉拉耳边低声问道:"Who's this guy? (这人是谁?)"

拉拉连忙低声说:"Jack Qiu, Key Account South RSM,(大客户部南大区销售经理,邱杰克)"

李斯特三步并做两步,大步流星地上前,伸出右手,有力地抓住邱杰克的手握着,左手同时拍着邱杰克的肩膀,用夏威夷阳光一样的热情说:"Hi, Jack! How are you doing?"

邱杰克同志看到 HR 总监这么记得自己,很是高兴,还没听到表扬,脸就笑得像朵怒放的大菊花,连连说:"I am fine, thank you!"

拉拉站在一旁看了,心里直乐,还不敢表露出来,只是笑眯眯地不出声,却打定主意:再也不问李斯特对玫瑰的看法了。

李斯特给了拉拉半个小时,单独和她聊了聊她上任后几个月的情况,拉拉说,玫瑰教给她很多东西,感到工作得非常充实。

李斯特频频点头说:"玫瑰的专业经验非常丰富。我很高兴你能在这个岗位上有满足感。"

拉拉找不到更好的办法,只得在和玫瑰建立一致性之外,认真研究了玫瑰主要控制的方面,找出规律后,拉拉就明白了哪些事情要向玫瑰请示并且一定要按玫瑰的意思去做,只要玫瑰的主意不会让自己犯错并成为替罪羊,她便决不多嘴,坚决执行;哪些事情是玫瑰不关心的没有价值的小事,拉拉就自己处理好而不去烦玫瑰;还有些事情是玫瑰要牢牢抓在手里的,但是拉拉可以提供自己的建议的,拉拉就积极提供些善意的信息,供玫瑰做决定时参考用。几个回合下来,拉拉就基本不再接到玫瑰那些令她惴惴不安的电话了。

05. 愤怒的王蔷

北京办要装修了。拉拉却听说王蔷住院了,她便打电话慰问。王蔷把病情告诉了拉拉,说是要做手术。

拉拉听了,觉得有点不太妥当,因为王蔷的这个手术虽然不算大,前后还

是需要休息十天左右的,而她的这个手术并不是个非马上做了不可的紧急手术。

拉拉觉得装修正是要用上行政主管的关键时刻,要是换了自己,会等装修完再安排这个手术,至少不会像王蔷这样对离开期间的工作也不做个安排,比如交待给哪一位同事处理紧急问题。

拉拉想,玫瑰本来和王蔷不和,焉有可能不抓住这个具体事例在李斯特面前批评王蔷?

果然没几天,拉拉看到李斯特发了个 mail 给北区的全体同事,指定了北区的行政事务暂时由另一位同事负责。拉拉听说李斯特之所以发这个 mail,是因为有部门抱怨不知道该找谁去处理一些急事。

没过几天,拉拉看到王蔷发了一个 mail 给大家,宣布她已经出院,请大家一切和北区行政事务相关的工作仍旧和她联系。

拉拉感到王蔷这个 mail 发得不妥,一是李斯特刚发了 mail 另行指定了专人负责,王蔷马上就给改回来了,众人必定觉得蹊跷,李斯特面子上不好看;二是要马上改回来,也该由李斯特或者玫瑰发 mail,而不是由王蔷自己来宣布。

拉拉感到李斯特之前发那个 mail,多半是对王蔷在关键时刻休病假又不事先安排好工作不悦。她问王蔷,玫瑰同意她做手术是否爽快。

王蔷不以为然地说:"我是在准备住院的前一天发了个 mail 通知玫瑰要休病假的。她后来打电话和我说,该等装修完成了再安排手术。我不理她——难道我如果要死了,她也说王蔷你等等再死,等装修完了再死吗?人家医院床位很紧张的,有了床位我就得赶紧去呀,难不成让人家给我 hold(保留)着呀?!"

拉拉听王蔷这样说,心里觉得不是个事儿,就不多言了。

北京办装修完成不久,上海办有个大项目,玫瑰自己忙得七荤八素,加上拉拉积极和她建立一致性,她就渐渐地不管拉拉了,让拉拉自己管好南区的事。拉拉顺心了很多,气色也好看起来。

王蔷仍是隔个两周就打电话找拉拉,发泄一下玫瑰给她的郁闷。

这天,王蔷又气呼呼地和拉拉说:"长江水灾,北区的同事都说要捐款,我就找玫瑰商量怎么组织这事,结果她特不耐烦地和我说她忙着呢,让我别烦她。你说她怎么这么没有人情味儿呀?!"

拉拉不好说什么，给灾区捐款当然总不是错事儿，而这不是正忙得不可开交的玫瑰的头等要事（priority）也是显然的。

拉拉感到王蔷的逻辑不够好，而且也比较自我：一是在最忙的时候去休了并非马上休不可的病假，且没有对其间的工作做好安排；二是在主管忙的时候拿对主管来说并不重要的事情烦她。

由于几次试图婉转的提醒，都没有好效果，拉拉也不敢和王蔷多说什么了。她不太想再接王蔷这类电话了，就吩咐海伦帮着挡驾。海伦骨碌碌地转着大黑眼睛说，知道知道。

过了两个月，总部 HR 一位和拉拉要好的同事来广州出差，忽然说起王蔷被炒了。

拉拉大吃一惊，虽然感到王蔷迟早要离开，但是事先没有听到任何风声。

拉拉忙问："什么时候的事情，为了什么？"

那位同事说："就昨天的事情，据说是因为王蔷在人际关系上有问题，北区很多同事都对她的行事风格有意见。"

这个原因，拉拉也猜到了一多半，她接着问道："有什么具体事例吗？"

对方压低嗓子说："王蔷去查 locate（常驻）在北京的××总监的汽油和手机话费使用情况，说话不对，把人惹火了，人家找李斯特发了一通脾气，李斯特很生气。"

在汽油和手机话费方面，公司本来就对总监级别毫无限制，这某某总监又是公司里当红的实力派，李斯特也要让他三分的。像这号人物，王蔷不知深浅去碰，被炒也算是 deserve it（自找）了。

王蔷虽然不够能干又有些自我，总算是有经验的大办事处行政主管，拉拉很不解她怎么会干这等傻事。

拉拉说："单凭这总监说王蔷不好，就可以让王蔷走路啦？"

那位同事诡秘地说："关键没有人出面帮王蔷说好话呀。要是这时候她的直接主管出来保她，她应该是能过关的，以后注意技巧就是了。可王蔷和玫瑰的关系，你也知道的。而且，北京办别的几个大头，也没有人有兴趣维护王蔷。"

拉拉问："昨天谁去北京和王蔷谈这事的？"

同事说："玫瑰自己去北京谈的。"

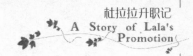

拉拉疑惑道："以什么理由呢？总不能说因为你查某总监的费用，所以炒你吧？控制北京办的办公费用是北京办行政主管的工作职责嘛。"

同事笑道："当然不能那么说。她的合同要到期了，只说因为公司业务战略的需要，以后不再设北京办行政主管这个职位，因此公司不和她续签合同了。"

"可是北京办那么大办事处，怎么能不再设这个职位呢？"拉拉不解地问道。

同事指点说："过两个月，再找个人来坐这个位置，就算王蔷有异议，就说战略又变回来了呗。其实，合同到期，公司不再续约，不需要什么理由，提前一个月通知当事人，就符合劳动法的要求了。说个业务战略的托辞，不过给当事人一个台阶下罢了。"

拉拉无话可说，心里忐忑不安。她打电话给玫瑰，问王蔷的事。

玫瑰好言宽慰说："我本来也想这两天告诉你这事的。这是王蔷自己没有处理好，能力不行，人际关系又差，走是迟早的事情。你不用担心，这事和你无关，你没有问题的。"

拉拉说："那王蔷接受了吗？"

玫瑰说："合同到期不续签，按劳动法，公司本来可以一分钱不赔的，我和李斯特说了，王蔷只是能力问题，责任心还是不错的，就赔偿她三个月的工资好了。李斯特也同意了。王蔷却说要再和李斯特谈谈。老板那么忙，哪里有时间和她谈呢？别把老板搞得不耐烦了，回头结果更不好。"

拉拉小心地嗯嗯着。

转天，王蔷打电话给拉拉，说她去查某总监费用，其实是玫瑰让查的，她不能不办。

王蔷说了很多，但是拉拉知道说什么都没有用了，尤其是对她杜拉拉说更没有用。

最后，王蔷咬牙道："李斯特不接我电话。那行，咱们走着瞧！"

拉拉听出王蔷字里行间的仇恨，她暗自心惊不敢答话。

王蔷离开公司后，轮到拉拉负责广州办的装修，她吸取王蔷的教训，尤其的勤勉小心。拉拉以前没做过这么大的装修项目，经验不足，见玫瑰半天没有给予系统指导的意思,她少不得小心翼翼地向玫瑰请教其中难题。

玫瑰不耐烦地打发她说:"那些事情太具体了,现在这么在电话里说,太花时间,也说不清楚。以后再说吧!"

不久,玫瑰就按计划接受了一个短期派遣,消消停停自顾自去了新加坡,这一走就是半年。

拉拉没有办法,对于她来说,不能以后再说,项目已经压在那里了。她只得自己没黑没夜地干,又时不时地找来供应商,命令他们教她。

辛苦了半年,结果是这个项目做得很不错。李斯特来广州看了一下,暗自惊讶,忽然发现之前太不留心这个广州办的主管了,没准她倒是个可造之材。

再说玫瑰完成在新加坡的短期派遣,回到上海和李斯特谈判要扶正。

玫瑰这两年还是做了不少事情的,立下了汗马功劳。正因为如此,李斯特之前给玫瑰争取了一个新加坡的半年派遣,已资鼓励。

玫瑰觉得自己本来就是顶着助理经理的头衔,却干着经理的工作。在海外这半年,越发见了世面,多添了海外工作经验。因此,她认定自己完全衬得起经理的头衔。

为了牢牢占据有利地形,也为了让李斯特明白自己的重要性,玫瑰平时把关键的工作都抓在自己手里,尽量不让手下沾上边,当然更别提教给他们其中的机关要害了。去新加坡之前,她有意不给拉拉指点,准备看拉拉出洋相,把战场搞得一塌糊涂,李斯特又找不到人来收拾,到时候李斯特就会明白离不开她玫瑰。

谁知道拉拉这王八蛋不知道撞了什么大运,居然顶过来了。即便如此,玫瑰还是认为,拉拉就是个傻乎乎、天生干活的命,只好拿来被人家利用,哪里上得了台面?

李斯特很踌躇,他虽然一直压制王蔷对玫瑰的申诉,并最终依了玫瑰让王蔷走路,心里却还是清楚玫瑰的 leadership(此处指领导风格)有问题,而且,他也看得明白玫瑰不肯发展辅导拉拉等人,因此他认为玫瑰并不够格做个正经理。

但是在上年度绩效总结的时候,当玫瑰提出希望被提升为正经理时,他并没有正面告诉玫瑰,她和一个正经理的差距在哪里,她需要改进什么。他滑头地找了一个温和的借口说,她的英文不够好。

结果,玫瑰在新加坡拼命强化了半年英文,这方面取得明显进步。她再回头谈判,李斯特就被动了。

他思来想去,折中的结果是给她争取到当年度的总裁奖,希望双方就此妥协。

玫瑰表面娇滴滴地道谢,心里直恨得牙根痒痒。

06. "预算与排期"

DB 中国的总裁 Howard Hermen,身为一个认真研究了解中国的美国人,他有一个不仅充分体现中国文化底蕴而且非常适合领导者使用的中文名字"何好德",这三个字又十分聪明巧妙地涵盖了他的英文姓名的发音,当初他一到中国任上,且不说他酷似克林顿的外形,单是这个中文名字就赢得了中国员工的满堂喝彩。

在他任上,DB 中国的业绩稳步成长。

中国市场的贡献引起了美国总部的极大兴趣,CEO 乔治·盖茨决定再度访华。

这对何好德的前途是至关重要的大事,如果 CEO 看好中国市场,必将推动董事会做出决定,加快 DB 在中国的投资进程,DB 中国将获得更丰富的资源,从而冲击更好的业绩。

何好德雄心勃勃地要在任上让 DB 成为中国市场的行业第一。

他发布了一系列命令,准备迎接 CEO 来华访问。

一时间,准备"接驾"成了各部门的头等要事,在"接驾"项目中,向来低调而相对不重要的行政部有了一个重要的任务,那就是在 CEO 来华前完成对 DB 中国总部所在地上海办的装修。

李斯特接到指令,就问玫瑰,这需要准备多少预算。

玫瑰说 450 万。

李斯特便报告何好德和分管财务的 VP,peter·K,中文名字叫做柯必得的说,大约需要准备 450 万。

何好德追问李斯特道："你们需要多长时间完成这个项目？"

李斯特把这个问题原封不动地转问玫瑰，玫瑰说："6个月。"

李斯特照着学给何好德说："6个月。"

何好德痛快地说："OK，就6个月。"

李斯特到广州办开会，忽然想起什么，做考问状，问拉拉："要是由你来做上海办这个装修项目，你会申请多少预算？"

拉拉沉思了下，用肯定的语气说："750万。"

李斯特大吃一惊忙问："根据呢？"

拉拉有板有眼地分析道："上海办目前的装修是5年前的设计风格，这次装修新的设计估计风格会变化不小，大部分间隔得重做，因此布线和天花板上的机电消防什么的都得重新做；上海办的家具大都已经使用8年，早过了折旧年限，而交换机系统已经使用10年，更是大大超过了供应商建议的使用年限，不动它还好，一动，系统就很可能出问题——这样，家具和交换机都需要更新；现在的面积是4500平方米，再签租约，一般是2～3年的租期，根据我的理解，DB在中国的业务呈明显上升趋势，考虑到未来2～3年的走势，比较可能的做法是在现有面积上，多加10%的面积，就是总面积会达到5000平方米左右。综合上面几条，每平方米的理论价格会达到1500元左右，总预算应在750万左右。"

李斯特听拉拉这么一分析细节，就冒了一身冷汗，心里暗自叫苦。

他稳了稳心神又追问："那你觉得完成这个项目需要多长时间？"

拉拉内行地说："按DB的操作流程，美国总部的地产部对此类项目会参与得很深，像上海办这么大的工程，单是获得亚太区的批准还无法立项，项目最后需要报到美国总部的地产部去审批的，加上中间还牵涉到很多部门的参与，比如法律事务部，采购部，IT部，财务部，使得用于协调的时间会非常长。正常情况下，美国总部的建议是用9个月完成整个装修项目，其中用于工程本身的时间应该是3个月左右，用于项目前期的分析和协调的时间大约是六个月。"

李斯特一面夸拉拉进步神速，一面决定一回上海就找玫瑰谈话。他知道拉拉的话十有八九是对的，不单是因为她的脸上写着一头诚实的黄牛的表情，而且，她的话明显朴素在理，有专业的力量。

李斯特心里明白，拉拉的专业水平，至少现阶段不会在玫瑰之上，这么重

大的装修项目,这么关键的要点,既然拉拉都能明白预算之大排期之长,玫瑰没有理由搞错。那么,难道玫瑰是故意的?她想要求什么?或者,她干脆不想干了?否则,解释不通。

李斯特想,看来,不给玫瑰她要的,事情就悬了。当下,他打定主意要满足玫瑰一把。

李斯特一回到上海,便迫不及待地召见玫瑰。

玫瑰刚踏进房间,李斯特就满面春风地说:"Hi, Rose! I have a good news for you(玫瑰,有个好消息)! Horward 刚批准了对你的 promote(提拔),你将由助理行政经理被提升为行政经理,这是公司对你的专业和贡献的认可,恭喜你呀!"

玫瑰喜出望外道:"啊呀,谢谢!"

李斯特又接着说:"You deserve it(你这是名至实归)! announcement(公告)已经准备好了,我今天就会向全体员工宣布。希望你和你的团队继续努力,再创佳绩。"

"一定!"玫瑰保证说。

李斯特又笑眯眯地说:"你的工资从本月起增加 30%。"

玫瑰连连道谢。

07. 管理层关心细节吗?

李斯特和玫瑰讨论了接下来的工作重点,当然主要是围绕准备接驾。李斯特要求玫瑰把项目进度表和预算明细表排出来给他。

李斯特的一贯风格是不过问玫瑰的工作细节的,只要玫瑰把结果告诉他就可以了,他是 HR 出身,对行政不熟悉,也没有兴趣去了解了,便采取信任手下的分管经理玫瑰的战略,也就是中国人说的用人不疑,没想到此番可能出了纰漏,弄不好就要伤了"安全",他不免打点起精神过问。

李斯特对玫瑰解释说,这次不同以往,何好德非常重视本次项目,要求把细节和 DB 中国的管理层讨论一遍。因此李斯特本人要和玫瑰一起先讨论一遍所有细节,然后再将结果提交给 DB 中国管理层。

玫瑰胸有成竹地说,那当然,她已经在做很多细节的准备,再推敲一周,就可以提交方案和李斯特一起讨论了。

李斯特说:"根据你目前已经做的细节准备,450 万预算,6 个月项目期,有没有问题?"

玫瑰言之凿凿地说:"没有大问题,我有把握。您知道,这两年广州办和北京办的装修,我们就是各用了 150 万,这两个办事处的面积都是 1500 平方米上下,所以,您可以看出,装修单价是每平方米 1000 元左右。这次上海办的项目,我的打算是尽量不动现有间隔,现有机电和强电大部分都可以利用,因此,400 万预算没有问题。广州办和北京办的装修都是历时 6 个月,上海办的资源更丰富,只会更快,不会更慢。"

听了玫瑰头头是道的分析,李斯特沉吟了一下说:"那太好了,你的方案要有项目明细,并附上各供应商的初步报价作为预算依据的一部分——我知道你经验很丰富,我们在提交方案的时候附上供应商的东西,是为了让管理层及早对各供应商的设计风格有个感受,也便于他们对设计方案尽快做出选择。"

玫瑰看出李斯特是担心她的预算没有依据或者方案有遗漏,才要求她把所有需要做的项目都开出清单,并且附上所有项目的相应报价,这样他就有底了。又怕引起她不满,便假借是为了方便管理层早做抉择才有此要求。

玫瑰心里清楚:管理层当然要看设计效果图,评估哪家供应商的设计方案中他们的意,可是管理层哪里有功夫来看预算的具体构成呢?哪个大老板有功夫来跟你讨论强电要多少钱,弱电要多少钱?做老大的只会说,他喜欢哪个设计方案,就按这个做!至于预算和工期,不都是事先都已经问过你们大概的范围了?你们拿方案的时候,自然该照着这两条的限制去拿方案的。断没有开头你们这些具体经办的部门说 450 万够了,回头你们又和老板说不够了要 800 万的道理。李斯特也不可以跟老大们说,是他的经理告诉他说需要 450 万,是他的经理说错了——那老大们岂不是要问他,你这个做总监的判断在哪里?

玫瑰心说:李斯特老大,您老真当我的大脑没有发育呢。

虽然心里想了很多,但玫瑰表面装没事人一样说:"没问题。已经有几家供应商在和我们谈了,等到管理层对设计方案有意向后,再请采购部来进一

步谈判价格,价格还能再往下走呢。"

这场谈话后,李斯特的心放下了一些。他打定主意,这个项目不再像以前一样做甩手掌柜了,他将要求玫瑰和自己讨论每一个细节,以便做到万无一失。

李斯特很后悔这次初步提交预算和项目期的时候,没有这么做,而是和以往一样,只是让玫瑰给他一个"结果",却没有过问得出"结果"的"细节和过程"。

一周后,玫瑰果然交给李斯特一个方案,450万,6个月完成项目。

玫瑰的方案是能够自成体系自圆其说的,李斯特听不出毛病来。他盯着幻灯片看了半天,转头问他点名要求来参加会议的IT经理:"你的意见呢?"

IT经理加入DB不久,没有什么具体意见。

李斯特看此情形只有倚重玫瑰了。他回想了一下在广州听到的拉拉的回答,忽然想起了交换机的事,就问:"玫瑰,我们的交换机用了几年了?"

玫瑰没有想到他问这么具体的问题,愣了一下,回答说:"十年。"

听到这个回答,李斯特又接着问道:"建议使用寿命多长?"

玫瑰只好据实回答说:"八年。不过,我们一直很重视这套系统的维护,目前运作良好,再坚持两三年是没有问题的。财务那里一直要求我们要尽量压缩预算,所以没有打算换这套系统。"

李斯特追问说:"当然要尽量控制预算。不过,装修的时候,要挪动这套系统吧? 系统有可能出问题吗?"

玫瑰坚持说:"我的方案中,机房不动位置,因此,交换机是不动地方的。"

李斯特用征询的目光看了看IT经理,但IT经理对交换机不太熟悉,说不出什么意见。李斯特只得作罢。他的疑虑玫瑰已经做了解答,可他心里总隐隐觉得有什么地方不对劲。

想了半天,他说:"玫瑰,我相信你的专业度,但事关重大,我只是想了解,万一系统出了问题,我们没有预算怎么办?"

玫瑰侃侃而谈道:"系统本身还具备扩容的能力,真有部分硬件出问题的话,比如某些卡板出了问题,现在空闲着的卡板可以接替有问题的卡板;退一步说,就算系统现有后备资源用尽了,再加一个机柜就没有问题了,那样,花费是有限的。况且,我们手上有和维护商签订的今年的维护合同,真出问题,他们要提供临时设备保证我们的日常运作的。"

李斯特顿了顿,蹦出一个问题道:"假如换一个新的系统,估计得要多少钱?"
玫瑰说:"得 50 多万吧。"

08. 专业质疑与先兆流产

预算报告到了美国,没有获得批准。地产部那里答复说,预算报告没有使用公司全球通用的格式,写得太简略,缺乏必要的数据分析,而且,没有按正常步骤来考虑这个项目中的各个环节的关联性。

美国地产部总监罗斯质疑说:"DB 中国一方面报请装修,另一方面,却尚未办妥租约的续签。假如续约的价格太高,则应该考虑换一个写字楼,而不是在没有谈好续约的前提下,贸然地决定对现有场地的装修方案。而且,有一个潜在风险,就是业主说不定根本不同意把物业继续租给 DB,或者,业主看到 DB 已经在装修上下了投资,就在租金上来个坐地起价,DB 将会陷入被动。"

罗斯进一步提出:关于为什么 DB 中国总部需要 4500 平方米办公面积,报告中没有数据支持。在未来三年内,这个办公室里,将会有多少员工在里面办公,为什么是这么多人,都没有在申请报告中提及。我们首先得搞明白我们为什么需要多大的一块面积,才能避免租的场地太大或者太小。

罗斯的 MAIL 发给李斯特的同时,也抄送给了何好德和柯必得,李斯特感到很尴尬。他思前想后,玫瑰手下的上海办行政主管是个烂忠厚没用的人,派不上用场,眼下只有马上把拉拉从广州暂调到上海参与项目。

李斯特和玫瑰谈话,告诉她,怕她忙不过来,建议调拉拉过来协助她。

玫瑰不动声色地连声道谢。

李斯特又亲自给拉拉打电话,他告诉拉拉,公司决定给她一个锻炼的机会,调她到总部协助玫瑰,她可以乘此机会,学习大项目的管理经验。

拉拉平时难得轮到和李斯特讲话,今番老板亲自给她打电话,让她受宠若惊,当下觉得李斯特所言极是,回家便匆匆打点行李,周末也不过了。

拉拉到上海的当天,玫瑰找李斯特谈话,说她怀孕了,并有严重先兆流产,需卧床休息三个月。她已三十有二,婚后一直怀孕困难,原以为后代无

望,不期竟然怀上了。

玫瑰一面说,一面眼里泪光婆娑。

李斯特望着那张医院开出的假条,头登时大了两号。

李斯特感到很为难,像DB这样专业的大公司,向来倡导生活工作的平衡,"Life work balance"(生活工作两平衡)的口号悬挂在办公室的墙上,他不可能让玫瑰冒着流产的危险来上班。

另一方面,DB在人头(headcount)的控制上,也是典型的大型欧美企业的做派,非常严格。玫瑰还在职,这个经理的位置并没有腾出来,他就没有名额来另外招一个经理。

而他本人对这类项目并不熟悉,他非常急需一个专业而敬业的行政经理来主管这个项目。

他当然也可以和何好德谈他的难处,请何好德特批一个人头给他。不过,李斯特在何好德那里并不讨喜,何好德上一年度给李斯特的打分就不高,年终奖金也评得很不怎么样。

何好德40出头的年纪,是公司里的少壮派,一心要在中国做出一番大事业;而李斯特的首要任务是安全退休,他的一切行动都以安全为基本原则,沉稳有余,害怕变化,而创新就更是基本谈不上了。

何好德对李斯特碰到问题不愿意做决定的做派,内心很不喜欢。碍于李斯特快要退休了,他不好多说什么,但是李斯特在工作中的要求,时常被他驳回。碰壁多了,李斯特就更加避免去向他要求额外的资源了。

李斯特盘算了半天,行政团队现在唯一有可能顶上来的,就只有拉拉了,而他对拉拉并没有信心:管理这样一个大项目,不仅要专业、敬业,项目负责人还需要和很多高级别的人打交道——他觉得拉拉还太嫩,无法有效和高级别员工沟通。李斯特以为拉拉见识过的世面是不好和玫瑰比的,她能不能在何好德和柯必得面前像样地把话说清楚,他都在心里打个问号。

他一方面希望玫瑰的身体情况能侥幸早日稳定下来,一方面也知道不能指望这个了。况且,他也意识到,玫瑰的怀孕,本身就是件可疑之事,只是他无法证实,一旦去核查,就等于大家撕破脸皮,一点回旋的余地都没有了,这不符合他安全退休的大战略。

玫瑰怀孕后，根据劳动法，女员工在孕期和哺乳期内受法律保护，也就是说只要她不犯大错，22个月内没法炒她，他也不好因为人家怀孕就降人家的职，他可是HR的头，要是他敢这么做，那以后但凡公司里有员工怀孕，孕妇的主管就可以要求把人家降职，他李斯特还怎么做这个HR？

李斯特想，假如去找何好德特批招一个经理，何好德必定问他：以后两个经理，多了一个出来怎么办？

权衡了半天，李斯特打定主意：少不得拼着给何好德质疑一番，挑战他对团队的控制能力罢了，一定要抓紧搞回一个行政经理，先把这个项目做好再说，否则马上就没法过关。

何好德正在新加坡开会，李斯特决定等他回到上海，再和他面谈。同时，李斯特指使猎头公司紧急搜寻市场上合适的行政经理人选，自己就先开始面试了。

他在面试的时候，总要问应聘者同一个问题：假如由你来准备这样级别的装修预算，每平方米的费用会准备多少？

结果几个大公司出身的人选都告诉他：1500元左右。

听得他心里直打鼓。

李斯特找来拉拉，亲切地问拉拉："广州办装修的时候，每平方米的单价是1000元，为什么你认为上海这次的单价会到1500元？"

拉拉说："广州办没有换交换机系统。家具也是用旧的。而且，在广州办，高级别的员工比例比上海总部低很多，就不需要像在上海办那样建那么多经理房，机电上因而能省下不少费用。"

李斯特说："上海可不可以也不换交换机系统？"

拉拉说："我找了维护商的工程师一起去机房查过，系统已经满负荷了，不能再扩容了。我们这次续约是保持现有面积，还是要扩大10％的面积？明年员工数会增加吗？了解了这一点，我们才能知道是否需要扩容。"

拉拉的这个问题问到了李斯特心上的痛，这正是美国地产部对他的批评：未来两三年内员工人数将会达到多少，相应的需要多大的办公面积，这两个信息都没有在报告中显示——还没有谈好租约的续签，就谈装修方案了。

李斯特说："假设是增加10％的人头，面积扩大10％，交换机的容量就不够了吗？能再想办法调整一下吗？"

拉拉想了一下说:"这增加的10%的员工是什么类的员工？假如主要是经理级别以下销售类人员,还好些,公司并不为他们设立固定的办公位置,而假如是别的function(职能部门),比如财务、市场、开发这些部门,就一定要给他们电话分机了——需要具体分析。"

李斯特越发意识到,他向来看轻的行政,其实有很多专业的内容。他感到这样太危险,不知道哪个环节就要遗漏什么。

先前,他还想过,找监理公司来,付点监理费,买个安全。随着对项目参与的加深,他越发意识到,项目的主管,还得非常熟悉DB的内部流程和组织架构,这个不是监理公司能做得到的,就算找来一个内行的新经理,急切间恐怕都上不了手。

041

09 1.5% 就够了

这时候,上海办行政主管忽然辞职了,他本来无足轻重,只是这个时候走,多少又加重了已经很吃力的行政部的负担。李斯特想,不管能不能找一个新的经理来,先要稳住拉拉。

他告诉拉拉说,玫瑰有孕身体不便,所以她的工作量会加重。公司决定给拉拉特别加薪5%,以示鼓励。他说相信拉拉会在这样的重任中"学到前所未有的有价值的东西,从而使得自己的职业竞争力上升到一个决定性的新台阶"。

拉拉天性是个勤快人,大学毕业分配到国营单位那会儿,她就成天找活干,惹得同科室那班习惯于看报喝茶的同事们一致讨厌她。毕业将近八年,她已经28岁了,这点上,仍旧一点进步都没有。

有活干,她就兴奋,她的注意力全放在怎么把活干好,至于干好了能够怎么样可以怎么样,她就几乎不想。就算偶尔想想,她的想象力也就局限于拿个不错的年终奖、年终考核拿个"exceed"(卓越)之类的。在职业生涯的规划上,她没有什么脑子,有点傻乎乎的。

比方眼下这个局势,做了两年主管的她目前的底薪约6500元,6500的

5％等于 325 元,这个微不足道的数字和项目需要付出的艰辛之间的差距,和为李斯特安全退休做的贡献之间的差距,和 DB 中国准备迎接 CEO 的任务之重大之间的差距,她没有盘算过。

拉拉和供应商谈判很在行,因为她的注意力在那上面。而关于自己的前程、收入等等,她没有想过要在什么时机和老板谈判,也没有想过自己的筹码有多重,更没有想过,作为一个主管级的员工,她可以干脆娇滴滴地说自己干不来一个经理的活,至少提一提自己没有把握干一个经理应该干的活。

拉拉以为,那 5％是一个光荣的象征,是组织上对她的信任,而且,像李斯特说的,她可以在项目中"学到东西"。

拉拉没想过,"学到东西"当然很重要,可"学到东西",不就是为了谋得更好的收入和更好的前途吗? 总之,她没有想过,假如一个人把这样一个项目干下来,公司应该给这个人什么。

要不是她级别太低,她在这方面的弱智,简直要让李斯特蔑视起来。李斯特看拉拉高高兴兴地全盘接受了他给她的安排,不由得在心里给拉拉下了个定义:拉拉的附加值,也就那 5％,她没有什么高级的思路,就是个干活的人。李斯特以为,对于这类员工,不需要给她更多了,给她太多,倒要超出了她的想象力。

拉拉这方面觉得自己受器重,高高兴兴地接受了指派。那边玫瑰已经开始休病假,连交接都没有做。

拉拉发现玫瑰是自己一手在跟这个项目,上海行政部别的人对此几乎一无所知。她便干脆找来几个主要的供应商,又扯上 IT 经理,黏着采购部的同事,成日忙得昏天黑地。拉拉自己每天都要加班到 11 点以后,基本上都是最后一个离开办公室的人。

何好德一回到上海就找李斯特谈话,美国总部那边地产部总监罗斯的那封 MAIL 使得他意识到李斯特在这件事上是失控了。

他听李斯特汇报了玫瑰的事情后,心下明白玫瑰的怀孕十分蹊跷,可是就算查明是假的又怎么样呢? 你不能指望一个假装怀孕的人来做好这个项目,揭发她没有实际意义,何况搞不好是真的怀孕。他更关心的是,安排一个可靠的人来领导这个项目,以便保证有一个焕然一新的体面的办公室迎接 CEO 乔治。

他问李斯特:"我们内部是否再没有可能的人选来管理这个项目?"

李斯特介绍说:"广州办的主管杜拉拉半年前刚完成了广州办的装修项目,做得不错。但是,她做主管才两年多,经验不足以担当此项目。"

何好德说:"假如招一个新的行政经理来,这个人对 DB 的内部流程和庞大的组织架构并不了解,工作能马上上手吗?"

李斯特不敢说 yes。

何好德迅速权衡了一下,说:"Anyway(不管怎样),招人吧。"

李斯特报告说:"在招到人之前,我想暂时由杜拉拉来负责这个项目,三个办事处的行政事务也向她报告。"

何好德说:"那么她实际上是全面 action(暂代)行政经理的职务了。"

李斯特说:"是。考虑到她的辛苦,我们额外特批了她一次加薪。"

何好德点点头说:"这个当然。"

以何好德的职位和他每天需要考虑很多更重大事务的脑子,他不可能去过问一个小小的主管的待遇,而他没有想到那个特批是可怜的 5%。

在李斯特加紧找人的过程中,拉拉以一个不错的价格迅速拿下了租约的续签,财务 VP 柯必得对此很满意,写了个 MAIL 给何好德和李斯特,表扬拉拉。

何好德之前并不知道这个事情是拉拉去跟进的,至此,才知道是拉拉把这事干得利索又漂亮。

李斯特对这事的感觉有点复杂。上海房地产价格高涨,写字楼生意走俏,他不够了解行情,之前又过于依赖玫瑰,疏忽了租约,给美国地产部的罗斯指出了明显的纰漏,他尴尬之余,也担心搞不定续约。拉拉搞定后,他松了口气,又觉得其实这件事也并不高深复杂,倒给个小小的行政主管一下搞定了。

李斯特有他的优点,比如他是个宽容的上司。拉拉一上来就抢了风头,她搞定了租约的续签后,不是由李斯特去报告大功告成,而是在自己直接发 MAIL 报告李斯特的同时,也抄送了财务 VP 柯必得,导致大家都看明白这是拉拉搞定的,不是李斯特搞定的——李斯特略感尴尬,却并没有怪罪拉拉,这倒要算拉拉的幸运了,换了别的上司,她干了活,没准还得被收拾。

关于预算,拉拉提交了清晰的费用分析,要求 750 万预算。DB 中国管理层在听取了她的演示后,理解了这个数字的合理性——但是,由于 750 万和 450 万的差距太大,何好德感到重新提交申请的时候,假如一下从 450 万跳到 750 万,会被亚太和美国总部质疑专业性和严肃性的。为此,最终定了个 500 万,主要是以需要增加 10% 的办公面积为由而涨了个价。

拉拉大伤脑筋。为了省下可能的钱,她想,得尽量把现有的东西翻新使用,为此她强令供应商做足翻修功夫,比如木料是比较贵的项目,她就让人家把现在的门框全拆下来,重新抛光上漆。供应商说很多门框原来已有碰伤,不好翻修。她灵机一动,让人家把所有的门框先刨出倒角,再上漆,就像新的一样了。可这样做十分费功夫,弄得供应商叫苦不迭。

另外,为了省下机电方面的费用,她想只有大量减少经理的房间,因为每个房间需要一部独立的空调机,而假如是在公用区域,同样功率的一部风机就能支持三个员工的办公区域。

按照 DB 全球采购规定,必须使用北电的交换机系统,拉拉一算,要是换新系统,费用就过 100 万了,可不是玫瑰说的 50 万。由于每一间经理室的分机点配置是三个点,而在公共办公区域每一个员工的分机点配置是一个点,要比经理室少用三分之二的资源。减少一定数量的经理室,就能减少分机点的数量要求,现有交换机容量就可能支持 10% 的人员扩充。

而要减少房间,就得让现在拥有自己独立办公室的部分经理在未来的新办公室里搬到外面的公共区域办公。这会触及很多人的面子和利益,摆明了是个得罪人的主意。李斯特一看拉拉的这个建议就头大,根本不肯考虑,只一味压拉拉想别的办法省钱,比如换个便宜点的装修商。

拉拉愁坏了,换装修商的档次,她就没法干这个项目了:一是因为 DB 内部的人员资源很少,她没有什么可以依靠的项目经验丰富的人员可供调遣,所以她很需要一个协调能力好手艺高的装修商;二是 DB 管理层的要求很高,没有好的装修商,单是领会并表现管理层对项目设计的要求都困难。

她思来想去还是要在翻新现有配置和减少房间数量上打主意。

10. 别搞不清楚谁是老大

何好德是个勤奋的总裁,晚上 9 点后下班对于他来说是常事。每次走之前,

他经常会不动声色地观察一下,哪些部门的哪些员工还在加班。他注意到拉拉天天都在加班。拉拉迅速拿下租约续签的事,让何好德对她有了初步的好感,在听取了拉拉做的项目计划的演示后,她的敬业和专业更引起了他的注意。

一天晚上,他下班之前,远远地望到拉拉又在加班,就大步走了过去,看到拉拉在桌子上摊着办公室的平面图和机电图,正拿把比例尺专心致志地在图上比划着,何好德走过来她也没发现。

何好德轻轻招呼了一声,拉拉才发现大老板站在面前,赶紧站了起来。何好德微笑着邀请她去他办公室谈一谈,拉拉受宠若惊地赶紧跟上高大的何好德。

何好德问她有什么困难,她就直接说了费用的难处,并乘机提出了想减少经理房的思路。

何好德问她和李斯特谈过这个想法没有,她说谈过,因为这个做法会影响到不少中级经理和一线经理,李斯特希望她想到别的更合适的办法。

听到这儿,何好德微笑着说:"没有更好的办法了,对不对?"

拉拉老实说:"是的,现在几家供应商都是市场上最一流的设计公司,很专业,经验丰富,我和他们反复讨论过了,看来没有更合适的办法。"

何好德估计到李斯特怕得罪人又不敢做决定,他迅速在心中权衡了一下,告诉拉拉:"我明天先和李斯特、柯必得沟通一下,马上在管理层例会上让各部门的头讨论你的提议。"

拉拉离开何好德的办公室前,何好德有力的握了握她的手说:"拉拉,如果我能做什么,让我知道。"

拉拉感到很温暖。

由于总裁何好德和财务 VP 柯必得的支持,拉拉的提议被管理层采纳了。李斯特见何好德对拉拉有好感,觉得这也不错,倘若日后再碰到大难题,不如干脆就鼓励拉拉多和何好德直接沟通,说不定更容易为本部门争取到资源,他自己也好少去遭遇何好德的挑战,还能落个发展下属的美名。

李斯特招行政经理并不顺利,另一方面他看到拉拉主管项目一路进展颇顺,拉拉虽然找他沟通得不多,却很听话,干活卖力也是有眼就能看见的,他交待个事情,她跟得很紧而且马上落实个结果给他,关于干活他没啥好挑剔她的。

他曾听人说何好德经过拉拉的位置几次都亲切地和拉拉说话,对那么多重要的经理倒没见何好德有这个功夫。他自己在和何好德谈装修项目的时候,何好德几次表示了对拉拉的关心,也证实了传言的可靠性。

李斯特又想到玫瑰身体好了回来上班的话,到时候如果有两个经理也不好办,还得他自己想办法摆平。他便下了决心和何好德说:"招人不顺利,拉拉把装修项目控制得挺好,不如就让她把项目管到底吧。"

何好德十分赞成,笑眯眯地连声道好,仿佛就等着李斯特开口说这句话了。

李斯特心说:这个建议可算对了他的心。他自己愿意用杜拉拉的,到时候,好则皆大欢喜,不好也不要怪别人了。

拉拉虽然获得何好德的支持,还是吃了不少苦头,比如那些失去自己独立的办公室的经理,有的就对她很没有好声气。有一个修养差些的,瞅个机会,拍着桌子问拉拉知道不知道什么叫看人摆菜碟?拉拉气结,只得耐心解释自己并没看人摆菜碟。

DB中国总监级别以上的有二十来位,都不是好伺候的,李斯特再三强调让她不要和各部门搞坏关系,拉拉少不得一一陪着小心。

照计划,装修工程分两期进行。整个办公室被分隔成两部分,第一期开始施工前,先得把所有人都挪到另一半地方挤着办公,腾出一半的地方动工。

拉拉事先和各部门开了沟通会,定下搬家的日子和规矩。到了搬家那天,有两个部门,却叫不动人。

偏生李斯特外出,拉拉火急火燎地打电话找他问计,李斯特却不缓不急地说:"拉拉,这正是锻炼你沟通和协调技巧的好机会,你要想办法取得各方面的平衡。既要按时搬家,又别把和各部门的关系搞坏了。"

李斯特等于什么都没有说,拉拉只得自己想法子。何好德到现场转了一圈,看在眼里,自己打电话给两个不作为的部门的头儿。不一会儿,两人都气喘吁吁地跑到搬家现场来。其中一个找到拉拉说:"拉拉,有困难你直接和我讲嘛,不需要请何好德给我打电话呀。"

拉拉忙得七荤八素,摸不着头脑说:"我没有和何好德说什么呀。"

那总监看拉拉着急,不像使坏的样子,才信了拉拉,吆喝手下几个经理组拉拉发现玫瑰是自己一手在跟这个项目，上海行政部别的人对此几乎一无所知，拉拉自己每天都要加班到11点以后，基本上都是最后一个离开办公室的人。

杜拉拉升职记

A Story of Lala's Promotion

织人打包。

另外一位是大客户部的销售总监王伟,他是个少年得志的主,难免傲慢。王伟接到何好德的电话赶到现场看了一看,和手下几个经理谈了几句后,他转身告诉拉拉说:"我们部门今天有重要活动,没有人手,行政部找人帮我们打包吧。"

拉拉恳切地说:"你们如果人手不够,我可以找搬家公司派人来协助你们打包,你们的人在每个箱子的贴纸上写上部门和姓名就行了。"

王伟无动于衷地坚持道:"由你们行政部派人指挥打包就行了,他们包好后,行政部帮着在贴纸上填填部门和姓名吧。"

拉拉心说:这儿几百号人呢,行政部就四个人,还得履行日常职责,我上哪里找人帮你指挥打包还代填贴纸呀,你这不是刁难我吗? 她心里这样想嘴上却不敢说出来,只好声好气地商量道:"行政部人手太少,怕来不及,能不能你们部门留几位同事下来,抓紧把包打了?"

王伟双手交叉抱在胸前,居高临下地摇着脑袋,不冷不热道:"我们有重要活动,没有人手,都来搬家,谁去做生意给公司赚钱? 要不我来打包,反正他们得去干活。"

他的几个经理和部门其他员工三五成群站着看热闹,别的部门的一些员工也停下活看着。

王伟是北京人,三十三的年纪,身材高大,英俊儒雅,而拉拉在女性里只是中等个头,不说两人级别上的悬殊,单是身高上的差距,王伟就给了拉拉很大的威慑。

拉拉感到血一下子冲上了面颊,喉咙口一阵阵地发干,她想:我今天若不制服这个部门,那谁都可以不听我的指挥了,我还怎么做这个项目呢?

想明白自己没退路后,拉拉横下一条心,强硬地对王伟说:"项目的工期太紧,半天我也要争的。不好意思,大卫(王伟的英文名),今天的搬家安排事先开会和各部门都协调好的,你们部门也是同意这个计划的,到下午 6 点,这一半的场地就得清场。时间一到,这边所有未打包的东西,都会被当成是各部门不要的东西清走。而且,电话和电脑网络也会卡断。为了不影响大家明天的办公,也避免有用的东西被当成垃圾清走,真的要请各部门抓紧打包好有用的东西。"

说完,她头也不回地转身走开。

王伟一时愣在原地,不知道怎么办好,在一堆等着看好戏的员工面前,他颇有些下不来台。

上海办的行政部助理麦琪一直站在拉拉身后,她很想帮腔,但是太多大佬了,轮不到她多嘴。平时行政部没少挨王伟的教训,今天见到拉拉把他顶得没话说,麦琪高兴坏了,得意洋洋地跟在拉拉后面屁颠屁颠地走了。一转弯她就迫不及待地和拉拉说:"拉拉你真行! 他们平时尽欺负我们行政,好像我们都是他们养活的! 我们是他们养活的吗? 我们是拿公司的钱!"

拉拉教训她说:"你少幸灾乐祸吧! 赶紧让搬家公司多找几个机灵点的过去帮王伟他们部门打包! 你不是真想让王伟自己给他们部门打包吧?"

麦琪�’嘴不高兴地说道:"不是他自己说他自己打包吗?"一面就赶紧去安排人手了。拉拉在她身后叮咛了句:"低调点。别搞不清楚谁是老大。"

麦琪说:"知道,他是老大。"

过一会儿,麦琪回来报告拉拉说:"王伟他们挺配合,打包得挺快的。"

拉拉这才放下心来。

等李斯特回来,拉拉把过程给他说了一遍,最后笑着补充说:"何好德是好心,给他们两位总监打了电话,我猜人家可能以为是我找何好德告了状。何好德这是帮了咱们倒忙,嘻嘻。"

李斯特也笑,心说:这拉拉 IQ 和 EQ 都还行嘛,原来还以为她就知道干活。他慢慢踱到王伟的办公室,招呼说:"王伟,听拉拉说今天你们很合作,打包挺顺利。"

王伟自知理亏,解嘲说:"瞧你们拉拉把我的办公室安排在正对着大门口,谁一进来,都先看到我,这是让我当男 reception(前台接待员)了。"

李斯特打趣道:"拉拉是看你相貌英俊,才够格当此殊荣。我们招 reception,对相貌是有要求的。我想占这个位置,拉拉还不答应呢。"

⑪. 老板们的不同特点

拉拉向来以为做下属就是要为上级主管分担责任,因此总是尽量地不去麻烦李斯特。

偶尔实在为难去找李斯特的时候,李斯特总是要她抓住机会锻炼自己,至于实际的支持,比如出头替她摆平某个部门的头,或者去争取某项资源,就甚少给予了。渐渐地,拉拉总结出规律,遇到困难还是得自己想办法,便更少找李斯特了。

不过,拉拉得承认:李斯特虽然不太帮她,却有个好处,叫做"充分授权"。以前玫瑰管她的时候,很细节琐碎的事情都要请示汇报过才可以动,搞得人做起事来缩手缩脚,拉拉时常为此郁闷。而到了李斯特这儿,一般就大的原则和他沟通过后,他便放手让下属自己去干了。拉拉得以充分发挥主观能动性,觉得很爽。

李斯特还有个好处,就是待人和气。拉拉有做得不妥当的,他一般只是通过就事论事地问她问题,来让她明白自己的失误,点到即止。比如拉拉忘记让人对公司的后门限制出入,李斯特看到了,就问拉拉:哪一类员工可以出入后门?拉拉便明白自己忘记让维护商对后门的门禁系统设置出入限制了。

李斯特的这种和气,让拉拉心情舒畅很多,不比玫瑰管她的时候,不知道什么事情会挨训,一接电话就神经紧张。

虽然李斯特教得不多也不主动,但是假若拉拉去请教专业性和知识性的东西,李斯特便会耐心开明地教给她。只要拉拉提出来,属于工作需要,又符合公司的政策,他就爽快地批准她参加各种各样的培训。这一点,和玫瑰明显不是一个境界的,拉拉心里明白,玫瑰总是不愿意把附加值高的地方教给她。

李斯特为人宽容达观,允许下属充分提出自己的看法,也较尊重下属的意见。他允许手下犯错,认为出错是成长中很正常的过程。拉拉做事认真,但是气量不够,对自己或者他人的过错常常无法宽容,这样不但自己辛苦,别人也辛苦,有时候,还容易把人际关系搞僵。李斯特这方面的言传身教使拉拉受益匪浅。

拉拉有时候碰到难处和李斯特商量,他很开明地指点拉拉说:"这个事情,如果有何好德的支持,就好办很多,你可以等他回来,找他沟通沟通看。"

拉拉本能地不愿意过多接触何好德,毕竟级别有天壤之别。况且拉拉是中国人,明白一个道理叫做:"伴君如伴虎"——虽然何好德眼下很欣赏拉拉,拉拉也生怕自己哪一天说话不对老板的观点,招老板反感。

何好德和拉拉讲话,一般会把思路阐明得深入浅出些,好教她不要听了

摸不着头脑。拉拉那方面,要找何好德谈话之前,也总得先想好:要占用老板多长时间,本次谈话的主题是什么,别讲太多,大老板很忙,也别讲得老板听不明白,以及谈话过程中老板可能会问哪些问题。

拉拉很用心,一段时间下来,摸清了大老板问话的常见规律。

比如你和他说你希望做一件事情。

他就会问:有预算吗(有钱吗)? 公司流程关于这类项目的花费有什么规定(符合政策吗)? 做这件事情的好处是什么(为什么要做)? 不做的坏处是什么(可以不做吗)?

等你回答完,其实你自己也就清楚老板赞成还是不赞成。

又比如,你去朝他要钱,或者要人。

他就会问:给了你钱或者人,产出是什么?

投入产出比高,他自然给你钱。这样,想去朝他提要求的人,自己都得先掂量掂量,能用什么和老板交换到资源。对产出没有信心的,趁早也别去要资源了。

何好德有一次和拉拉谈话,说起拉拉找他沟通,就叫"越级"。

拉拉赶紧表白,是李斯特鼓励她直接找何好德沟通的。

何好德哈哈笑了起来说:"没有关系,如果李斯特不介意,我也不介意。不过,不是每一个老板都不介意下属越级的,大部分老板不喜欢这个,你老板算是心胸宽想得开的。当然啦,有时候,他让手下来找我,做下属的有点为难。"

拉拉搞不明白何好德的话到底啥意思,不像在说李斯特好话,又不知道是不是在批评李斯特。拉拉不敢正面回答,只说自己明白不可以随意越级。

拉拉这期间暂代着全国行政的管理,上海办行政部三个女孩都甚为聪明乖巧,有的嘴上说话甜得要滴蜜,实际干活却一味偷懒。

拉拉心里对女孩们的作为明白透亮,怎奈威望和权力是联系在一起的,你又不是人家名正言顺的主管,左不过是个临时代理,怎好扯下脸皮说硬话。逼得急了,小姑娘就递病假条。

拉拉无奈,只好先抓重点,集中资源只求把装修做好,其他日常行政事务,少不得睁一只眼闭一只眼。

如此一来,员工们对上海行政部的抱怨就多了起来。

051

这日一早上班,就有人为快递收发的事告到李斯特那里。李斯特让人找拉拉。拉拉前一晚加班到凌晨三点,来晚了一些,待赶到李斯特办公室,就见李斯特不太高兴,拉拉赶紧解释了加班的事。

李斯特嗯嗯着听了拉拉解释,把关于快递收发的投诉和拉拉说了。

等拉拉答应下来,李斯特又说:"装修很忙,日常行政事务你还是要花精力管管。不然难免有不自觉的员工会借口太忙来搪塞本职,比如有的员工老说自己加班——其实,等下班后人都走光了,谁知道他是在加班干活还是在忙自己的,加班时间打私人电话、上网玩游戏的,我都见过不少。"

拉拉刚和李斯特说了自己前晚加班到凌晨所以今天上班晚了些,李斯特就提起有人加班是假、私活是真,让拉拉觉得李斯特是话中有话在影射自己。拉拉嘴里唯唯答应着退出来,心里像堵了块大石头,特别不是滋味儿,又怀疑是自己多心,思来想去,不得要领,只得提醒自己多管管行政部几个年轻女孩。

第一期工程进展顺利,看看接近尾声了。拉拉日夜忙碌,筹划着等第一期工程一结束,就要把所有员工都挪到完工的那一半场地去办公,以便第二期开工。

有了第一次搬家的经验,拉拉明白搬家的工作量很大,便和李斯特申请调海伦来上海一段时间,好帮忙准备第二次搬家,也可以在第二期工程中帮自己一把。

不料李斯特不客气地驳回说:搬家是靠搬家公司,又不是靠行政部搬;装修是靠装修公司,也不是靠行政部来做装修的活。

拉拉见李斯特用词甚为严厉,一时不敢回嘴。

晚上回到酒店,累得筋疲力尽,想到李斯特白天的态度,拉拉特别郁闷。干得半死,累得要命,捞不到句好,还受数落。拉拉觉得自己这会儿就像个可怜的受气包。

何好德到全国各地巡查市场去了,不在上海。就算在,她也明白不能找他说这事,毕竟自己的主管总监是李斯特,得罪了李斯特,自己就不用混了。

拉拉反省自己这几个月的所作所为,尽心尽力,遇到困难总是尽量自己搞定,几乎没让李斯特费心,自己就把项目操持得顺顺利利,李斯特对自己还有什么好挑剔的呢?

他这些天对自己的态度显然不待见,究竟是什么原因呢? 自己每次去找何好德,都是因为遇到比较大的难题需要请老板的示下,而且也都是先找李斯特汇报,他不愿意做决定又想回避去找何好德沟通,才老让自己直接去找何好德,不像是为了这方面的原因。

"现在,对于李斯特来说,我的作用应该是很重要的,要是我不干了,麻烦的不是他吗? 在项目进展到这样关键的时候,他怎么不笼络着我,反倒对我这种态度?"身为一心干活的傻牛,拉拉百思不得其解。

拉拉这段日子活越发的紧,时常要熬到晚上 10 点才顾得上吃饭。

下面的人不肯卖力,上面的又不领情,拉拉上下扛着,身边成天围着一堆供应商,有各式各样的问题需要解决,闹哄哄的叫人耳根不得清静。

拉拉忍着熬着,心里又苦涩又惆怅。

⑫. 话不投机

王伟发出最后一个 mail,合上手提,看看表已经晚上八点半了。他左右活动了几下僵硬的脖颈,走到过道上望了望办公室,人都走了,就拉拉还在埋头干活。

自从上次的搬家风波之后,王伟留心观察了一下,不得不承认拉拉特不容易,一个人要操持 N 多事情。

王伟感到一丝歉意,便留了心,想找个机会补偿一下。

他在瞬间拿定主意,走了过去。没等他开口,拉拉抬起头静静地看着他。

王伟说:"吃晚饭了吗?"

拉拉抿嘴微笑道:"No。"

王伟顺势道:"我请你吧。"

拉拉摇摇头说:"不啦,我还有活呢。谢谢。"

王伟没想到她会这么回答,平时他要是在办公室里说声请客,没有不马上相跟着的。他稍稍愣了一下,放得特别和蔼地说:"活是干不完的,饭总是要吃的。"

拉拉客气地说:"谢谢,可我的活儿真挺急。"

王伟索性走到她旁边的座位坐下说:"你今晚总得吃饭不是?"

拉拉笑道:"那当然,不然我要晕过去的。"

"我等你把你的急活儿干完,我也还有几个 mail 要写,不白等着你。除非你还为上回的事儿记仇。"王伟本来只是想着要补偿一下拉拉,结果她的拒绝,使得他忽然意识到,自己的邀请其实还有一个潜在的重要原因,就是他私心里很愿意和她一起吃这顿晚餐,他不由得体贴中又顺带使了个将军的小伎俩。

听王伟这样说,拉拉只得说:"不记仇。那您可得等上至少半小时呢,我怕饿着您。"

王伟拉近距离说:"这不都下班时间了吗,用不着用'您'来表示你实际上不肯原谅吧。"

拉拉被他逗乐了,说:"只要你肯原谅我,我就宽心了。"

王伟挥挥手说:"那就这么定了,你先忙吧。"

他起身走开,走了几步,又回头说:"你别着急,我的活儿也不少,你这边完事儿了叫我一声。"

王伟放下总监的架子主动表示友好,教拉拉连日不开的心里透进了一丝亮光,她感觉心里松快些。

拉拉抓紧干完手中的活,便准备打王伟的分机,一抬头,王伟正透过他办公室的大玻璃窗望向这边,见她抬头,他打了个询问的手势,拉拉伸手比划了个 OK,王伟点点头。

王伟交待说:"你到大堂正门等我,我去把车开过来。"

拉拉等王伟开了部黑色的奥迪 A6 过来,便走去开后车门。

王伟邀请道:"要不你上前边坐着,我好给你介绍介绍上海?"

拉拉迟疑了一下说:"上海我常来。"

王伟坚持说:"你那不是常来干活的嘛,又不是常来闲逛呀。"

拉拉笑着依他的邀请坐到前排副驾驶的座位上。

王伟松开领带,侧过脸来问拉拉:"想吃啥?"

拉拉信口说了个:"随便。"

王伟不同意:"不能说随便,得说点具体的。"

拉拉老老实实地说:"我光来干活了,不知道具体的哪里好吃呀。"

王伟说:"这样,我提供三个选择,你挑一个吧。'海之幸'无限量吃日本菜,'梅龙镇'吃上海菜,要不就'东北人'吃东北菜啦。"

拉拉说:"挺累的了,'东北人'太闹。"

"那就'海之幸'吧。"王伟替拉拉做了决定。

可拉拉却有了自己的主意,她说:"其实我想吃上海菜,我喜欢炒年糕。"

王伟不以为然地说:"上海菜有什么吃头,就去新乐路的'海之幸',他们有不错的青酒。"

拉拉觉得他有点好笑,心说,你刚才不是还让我在三样里挑一样吗,我现在挑了你又说没吃头,那你起先干吗还列出来让我挑呀?

王伟说服她道:"你到了那里就知道了,你会喜欢的。"

"海之幸"的用餐环境不错,拉拉挺喜欢那里的三文鱼刺身和青酒,美中不足就是两人话说不到一块儿去。

王伟一杯青酒落到胃里,放松地舒展一下身体,对拉拉说:"现在的女孩好多脾气都大。有一回,我请一女孩吃饭,吃饭的时候大家都高高兴兴的。吃完饭,我一问她住的地方,和我房子的方向正好相反,我要是开车送她回去,再自己回家,就得兜大半个上海,我那天特累,真不愿意开那么久车,那个地方打的也很方便,我就和她商量,能不能我帮她叫到车,她自己打的回家。结果,她脸拉得 N 长,'嘭'的一声甩上车门就走了。挺有气质一女孩,我本来对她印象还不错,那一下特莫名其妙,我就懒得再搭理她了。"

拉拉反问道:"你觉得她发脾气莫名其妙吗?"

王伟肯定地说:"当然莫名其妙啦。我那天不是太累,不想开那么远车嘛。"

拉拉质疑道:"既然那么累,你干吗还非那天和人家吃饭呀? 这不是两人期望值没同步嘛。"

王伟解释说:"事先约的,我也不能预见那天我会那么累呀。"

拉拉觉得那不是个理由,就说:"那你和人解释一下你是太累了才让她自己打的回去的不就得了。"

"我那不是很礼貌地和她商量,我帮她叫到车再走,还不行吗?"王伟有点委屈地说道。

拉拉说:"我倒觉得我能理解人家为什么发脾气。我不是跟你说了吗,期望值的问题。换了我是你,我就会解释明白为什么要让她自己打的回去。"

王伟不同意地摇摇头说:"不关期望值的事,大家压力都大。那要是喝了酒,还非得要我开车送回去?"

拉拉多心了,马上说:"哎,我不要你送呀,这里叫车不难。"

王伟说:"我又没有说你。"

拉拉忍着气说:"我自愿的。"

王伟没有注意到拉拉不高兴了,随口道:"这可是你自己说的,回头看看吧。"

这下拉拉更不高兴了,赌咒发誓说:"回头我要是让你送,我是小狗。"

王伟笑道:"那行,你可记住咯。"

拉拉心说:这 EQ 水平可不怎么样,这样的 EQ 都能混上个总监,我杜拉拉可真是混得不得意呀。

既然说不到一处,又觉得自己人生失意,拉拉就打定主意,集中精力享受美味,以多少弥补一下人生的失意。

她索性不大搭理王伟,自己又吃又喝的,王伟说啥,她就敷衍地说他说得对。郁闷得王伟直想质问她:我请你吃饭,怎么倒得罪你了?

两人吃了饭出来,拉拉飞快地拦到一部的士钻了进去,一边礼数周到地和王伟说:"谢谢您请我晚餐,今天晚上我很愉快。我先走啦,您一会儿开车慢点儿。明儿见。"

王伟没话说,因为拉拉又有礼貌,又不劳动他开车相送,他没有什么可抱怨的。

王伟自己开车回去的路上想想有点纳闷:这杜拉拉也不笨呀,干得这么辛苦,怎么到现在老大不小了,才混个主管当着,还是个特没出息的行政部的主管。

转念又想,她虽然有点刻薄的毛病,人倒有点意思,和上海女的很不一样,和北京女的也不一样,下次找机会再请她吃饭,看看她到底哪门哪派。

⑬. 受累又受气该怎么办

拉拉和王伟分手后,回到酒店就把自己泡在浴缸里,水龙头有点没关严,水珠往下拉着拉着,隔三秒钟就发出好听而单调的叮咚声圆润地坠入浴缸的水里,使得房间里显得越发的静谧。

水漫过拉拉美好的身段,她把头发湿漉漉地散着,头靠在浴缸一头一动不动地躺着,两眼盯着对面被热水的雾气弥漫了的镜子,陷入了沉思:自己和王伟的差别到底在哪里,王伟活得神气活现,自己却干得多拿得少还要做受气包。

拉拉小时候,老师教导大家说:劳动创造世界。因此她一直不惜力气热爱劳动,不论是脑力劳动还是体力劳动。

拉拉又向来以为,做下属的就要多为上司分担,少麻烦上司,尽量自己摆平各种困难,否则老板要你这个下属干什么用。

基于上述两点认识,拉拉总是很少麻烦李斯特,自己悄没声息地就把许多难题给处理了。

当然,她也学过:劳心者治人,劳力者治于人。

之前,她没有想过,她在 DB 正是属于人们常说的那种"典型的干活的人"——就是个廉价的"劳力者"。

浴缸里的水温慢慢凉下来,拉拉也渐渐地理出了一条思路:

就是因为自己和李斯特沟通不够,遇到事情都是自己默默干了,所以他根本没有意识到发生过多少问题,有多少工作量,难度有多大。于是,他就不认为承担这些职责的人是重要的。鉴于他不认为你是重要的,他就不会对你好,甚至可能对你不好。

而王伟干的是销售,销售工作有一个显著特点,就是工作指标特别容易量化。每个月卖得多了或是少了,给公司赚了多少钱,一眼就看得清清楚楚。他卖得好,所以,他是重要的,EQ 低一点也没关系。

拉拉找到李斯特不待见自己的原因后,忍着气,定下心来给自己规定了几条和李斯特工作的原则,试用之后,果然有效。

于是，拉拉的 BLOG 里就有了下面这段博文：

干了活还受气该怎么办？

1. 我把每一阶段的主要工作任务和安排都做成清晰简明的表格，发送给我的老板，告诉他如果有反对意见，在某某日期前让我知道，不然我就照计划走——这个过程主要就是让他对工作量有个概念。其中提出日期限定，是要逼他去看工作表（老板们很忙，你的 mail 他常常会视而不见，甚至有可能根本不看）；用简明的表格来表述，是为了便于老板阅读，使他不需要花很多时间就能快速看清楚报告的内容。

2. 我刚开始接管这个部门的时候，本着尽量不给老板找麻烦的原则，我会尽量不把难题交给他，很多困难都自己想办法协调解决。

但是这样做的结果，就是使老板轻视我，他根本不了解工作的难度。

后来我就改变了这个策略，遇到问题我还是自己想法解决，但是每当这个时候，我会先带着我的解决方案去找老板开会。

每次开会，我会尽量挑一个他比较清醒而不烦躁的时候，单独地只讨论某一方面的一个大的困难。

我让他了解困难的背景。等他听了头痛的时候，我再告诉他，我有两个方案，分析优劣给他听，他就很容易在两个中挑一个出来了。

这样，他对我工作中的困难的难度和出现的频率、我的专业，以及我积极主动解决问题的态度和技巧，就有了比较好的认识。

3. 每次大一点的项目实施过程中，我会主动地在重要阶段给老板一些信息，就算过程再顺利，我也会让他知道进程如何，把这当中的大事 brief（摘要）给他。最后出结果的时候，我会及时地通知他，免得他不放心，我从来不需要他来问我结果。

这样，他觉得把事情交给我，可以很放心，执行力绝对没有问题。

4. 在需要和别的部门的总监们，或者和 president（总裁）和 VP（副总裁）一起工作的时候，我特别注意清晰简洁而主动的沟通，尽量考虑周到。写 mail 或者说话，都非常小心，不出现有歧意的内容，基本上不出现总监们抱怨

我的情况,这样一来,我的老板就觉得我很牢靠,不会给他找麻烦。

就像拉拉自己在 blog 中写的那样,经过一段时间的磨合,拉拉和李斯特之间的信任建立起来了。李斯特开始大事小情都爱找拉拉商量。

拉拉在磨练中,飞快地成长,先前懵懵懂懂的职业发展意识清晰起来,她认识到了自己的力量,确定自己把这个项目拿下,是卓越的表现——而且,这个项目如果没有她,李斯特就是不行。所谓地球离了谁都照样转,可不见得都是对的。

因为了解了自己的价值,拉拉看明白了李斯特对自己的刻薄。她还未掌握讲价之道,但是明白碰到老李这号不自觉的老板,就只有自己捍卫自己的利益了,难为情也得开口,否则,就白被剥削了一场。

她硬着头皮来找李斯特,涨红了脸说:"老板,装修项目总算是顺利完成了,另外,我代理了这半年的全国行政,一切运作也都正常。工作结果证明,我是胜任行政经理这个岗位的。我想知道,是否会有进步的机会。"

李斯特没有料到老实的拉拉会来找他讲价。他一下感到背上有点不自在起来,不由得调整了一下自己的坐姿。

拉拉的问题他不愿意回答,他对这个事情拿不定主意。对于他来说,最好就是拉拉不提这方面的要求,然后维持现状,给他把行政这个家当好。拉拉一开口,他的头就大起来了,本能地决定先拒绝拉拉。

李斯特知道拉拉不愿意离开广州,虽然他对拉拉有点于心不忍,还是找个由头说:"你的 location(常驻地点)在广州,而行政经理这个职位是要设在上海的,所以,没有办法。拉拉,你知道,公司用人的原则是因岗设人,不是因人设岗。公司不可以因为你在广州,就把这个职位设到广州去,你能理解吧?"

李斯特这个理由很正当,拉拉回不出什么,但是心里却愤怒了:你调我来上海做项目的时候,怎么不考虑我的 location 是在广州,而不是在上海呢?

拉拉略顿了顿说:"李斯特,我不介意出差,我可以每个月到上海出差至少一周。过去这半年,我一直是来回出差,不单日常的全国行政管理一切正常,就连项目,我也做得很好;而且,我手中的资源,比起玫瑰在的时候,还少了两个人头——我顶起了玫瑰的职责,广州办并没有额外的人来顶我原先的职责,北京的王蔷走后,这个位置,公司一直还没有填进人头,也是我顶了半年,这些您都是了解的,我等于一个人,干了两个主管和一个经理的活。"

李斯特没有料到拉拉会直截了当地提出要求,沉思了片刻说:"是的,你做得不错,但是,因岗设人是原则,原则是一定要遵循的。"

拉拉气结,反问李斯特:"那么,那些为公司做了贡献的优秀员工的利益,有适用原则来维护吗? 公司就不考虑他们职业上升的空间了?"

李斯特一摊手说:"有些事情是没有办法的,明知道不合理,却没有更好的解决之道。这就是为什么,有时候优秀员工会流失的原因。这很可惜,但是,也很无奈。"

拉拉想起柯必得前几天在走道上对她说:"拉拉,不容易呀,亚太区的人都说你这个项目做得好,钱又花得少,何好德很满意你的工作呢。让你们李斯特给你申请一个总裁奖吧,报给何好德批。"

拉拉想,得,不给我当经理,我就去欧洲玩一趟吧。玫瑰上次得了总裁奖,金额是 2000 美金,我总该不低于这个数字吧?

她咽了口吐沫说:"项目完成了,会不会有相应的奖金?"

"何好德最讨厌人家讲钱了,讲钱就不好了,工作不是为了钱。"

拉拉不接他的话,坚持说:"玫瑰上次能批到总裁奖,我们这个应该更没有问题了。"看来李斯特是不预备给拉拉任何奖励了。

拉拉口中的"我们",其实是"我"的意思,她跟着李斯特干了一段,不知觉中受李斯特的风格影响,为自己要钱的时候,就用了个"我们"。

李斯特把拉拉当傻瓜到底说:"这个项目工作量很大,项目小组应该得到表彰,特别是你,很辛苦。我正想着跟公司提议给你去做一个水晶的纪念牌,一定要做一个大的,小的我不要。柯必得很小气的,不知道他会不会有意见,如果他不愿意,我自己掏钱,也要做这个水晶牌。"

拉拉干脆地说:"柯必得亲口和我说,可以由您这里提议给我申请一个总裁奖,他不会反对的。"

李斯特装傻充愣说:"他没有让我提议呀。"

拉拉坚持说:"按常规流程,要提升一个人,或者给一个人加钱,不是应该由用人部门自下而上地申请吗?"

话说到这里,李斯特只得说:"我回头查查公司申请总裁奖的有关政策。"

窗外有一片法国梧桐的落叶飞舞着缓缓飘下,两人都掩饰着望向那片翩迁的落叶,一时冷场了。

拉拉郁闷,李斯特也有些尴尬,觉得拉拉现在是个十足的 headache(令人头痛之事)。

拉拉对自己说:假如我不为自己争取,就不要指望有人维护我了。

她收敛心神,又开口说:"老板,我的工资能否有一个调整?"

李斯特索性涎着脸皮说:"你的工资不算高,也不算低,是中上水平。今年已经特批过一个 5%了,现在再加的话,何好德和柯必得会有意见的。等年终调薪的时候,我会尽量给你多加一些的。"

拉拉心说:撒谎! 6800 元的月薪是 DB 主管级别的中上薪酬水平吗? 至少还能加 1000!

眼看着该说的都说出来了,拉拉担心再逼下去,当场落不到个好结果,反而会把李斯特惹急了,日后没有回旋余地。

拉拉只得忍着愤恨,站起身来尽量平和地说:"那么谢谢老板。不好意思,很多情况,我在自己的层面上可能不了解,想着您总是我的老板,就问问。"

李斯特也出了汗,不自觉地松松领带,口中尴尬地喃喃道:"不要紧。"

拉拉飞快地跑出写字楼,找一块没人的空地,尖声大叫:"过河拆桥!"

14. 猜猜为啥请晚餐

王伟透过玻璃窗,看到拉拉无精打采地从走道上走过。王伟站起身,紧走几步正想招呼她,就看到她已经在一个高级经理的房间门口站住了。

王伟隐约听到那经理拖长声音说:"哎呀拉拉,我一看到你心里就为你难过,DB 对不起你呀。"

王伟心里骂了一声"混蛋",那个缺乏阳刚的男声让他想起了小时候听的故事里,给鸡拜年的黄鼠狼,假模假样的没安好心。

拉拉勉强打趣道:"你别逗我呀,想让我哭出来吗? 我就站这儿哭,老板来了，我就说是你逗哭的。"

她一边说，一边就忍不住红了眼圈。

王伟看在眼里，连忙退回自己的房间，想了想，拨通助理的电话吩咐道："伊萨贝拉，帮我请拉拉过来一下。"

拉拉来了，站在门边，王伟连忙请她坐，又说："拉拉，别人刚从云南给我带来一罐普洱，口感挺醇的，我想请你尝一尝。"

拉拉说："谢谢。"

王伟不要伊萨贝拉帮忙，自己动手给拉拉泡上普洱茶。

拉拉喝了一口说："口感是好。"

然后就询问地看着王伟的脸。

王伟忙说："哎，我说拉拉，你看你，像准备打架的猫，把背躬得高高的，我又不是要和你打架的狗，那么警惕干吗？"

拉拉说："哪里呀，我就是等着您吩咐我做事呀。"

"你已经把装修上海办的大项目做好了，你这是帮何好德做了大事了呢。"王伟想让拉拉高兴，真诚地夸奖道。

拉拉黯然地说："这是我的本分。"

王伟摇头说："怎么会是你的本分。你只是广州办的行政主管。"

拉拉耸耸肩膀说："本来是我的经理玫瑰的本分，可她不是先兆流产吗，只好我充数了。"

"也不是玫瑰的本分，是你的总监李斯特的本分。"王伟启发着拉拉的阶级觉悟。

拉拉笑了笑说："这事对李斯特的 impact（冲击，影响）确实更大。"

王伟说："要说 impact，那是对何好德最大，这事对他最重要。"

拉拉垂下眼帘说："是，我明白。"

王伟关心地问："拉拉，这次 CEO 乔治·盖茨来中国，Town Hall Meeting（指大规模的员工会议）怎么没见你去？"

拉拉疲惫地说："太累了，他到的前一天晚上，我通宵了。"

王伟说："他进办公室的时候你总看到他了，感觉怎么样？"

拉拉有点兴致了，她说："哎，王伟，你觉不觉得我们的 CEO 长得挺像比

尔·盖茨?"

王伟说:"还有呢?"

拉拉忽然又没了兴致,无精打采地说:"不关我事,CEO可离我太遥远了,他长得像克林顿都白搭。"

王伟笑了:"也对,不过,李斯特离你近呀。"

拉拉眼睛看着桌面说:"要那么说,离我最近的是玫瑰。"

王伟暗示说:"何好德离你本来很远,但是好像也不远。"

拉拉不吭声了。

王伟压低嗓子说:"拉拉,just between you and me(就是我们俩之间说说),乔治(CEO)这次来上海,对中国经济发展留下了很好的印象,他非常看好中国市场,你知道这意味着什么吗?"

拉拉有些不肯定地说:"DB要追加在中国的投资,公司规模要扩大。"

王伟低声说:"假如发展顺利,howard(何好德)就要升官了。"

拉拉笑了:"这还需要just between you and me呀,清洁阿姨都明白的道理。我还当您要和我说什么限制级的东西呢。"

王伟搞不清拉拉是装傻还是不想再谈这个话题,只得也跟着含糊地说:"倒也是,那你就当我刚给你讲了一个不好笑的笑话吧。"

拉拉有些沉不住气地说:"您叫我来要吩咐我做什么事情吧?"

王伟诚恳地说:"拉拉,我想请你吃饭。"

拉拉说:"您请过了呀。"

王伟假装没注意她在用"您"称呼自己,说:"上次是因为要给你赔情,这次就是朋友之间吃饭聊天,放松放松,就你和我。"

拉拉狐疑地看着王伟,她受够了总监们的气,原则上,她觉得和总监们每接触一次,她就要吃亏一次,总监们是不可能是她杜拉拉的"朋友"的。

王伟看她没有马上回答,又补充说:"我今天不累,饭后保证送你回酒店。"

拉拉被他这话逗笑了说:"您太客气了。我就是觉得老让您请,不合适。"

王伟说:"合适,这个是Team Building(团队建设),也算做是跨部门沟通。"

拉拉含笑道谢,又问王伟:"除了吃饭,您准还有事找我?"

王伟说:"是。"

他手里摆弄着笔,一时没有说话。

拉拉敏感地追问说:"是我什么地方做得不妥当?"

王伟说:"不是。你和岱西是不是有点小争执?"

王伟管的大客户部按地理位置分为三个大区:东大区、南大区和北大区,每个大区各设一名大区销售经理,岱西是东大区经理下属的一个小区销售经理,上海女子,30上下,生得貌若天仙,是DB中国有名的美女。她的皮肤光洁得像瓷器,没有一丝半点的瑕疵,半透明一样的白里透着粉红,头发有点自然卷,一对猫眼,摄人魂魄,总教人怀疑她是不是白种人和黄种人的混血儿。

岱西不但模样可人,而且业绩骄人,收入颇丰。这样的女子,对男人挑得厉害,到了年近30,更不知道嫁给谁好了,只好在那里晃来晃去。好在事业是不会辜负她的,不但东大区经理和王伟都器重她,就是何好德见了她,有时候也笑着说个"嗨"。岱西顺理成章脾气大些。

乔治到华的前一天,DB中国刚刚把上海办收拾停当,行政部依据管理层的批准方案,指派好全部座位,让员工全部各就各位。岱西一看公布出来的图纸,就火大了,叽叽歪歪地找来上海办的行政部助理麦琪,要求换一个座位。

麦琪说:"这个事先都是给各部门看过的,你们王伟都批准了。"

岱西蛮横地说:"王伟没有和我说过,我不同意。"

麦琪也火了,说:"那你们部门到底谁说了算?!"

岱西根本不把行政部放在眼里,在她看来,行政部就是个该对销售部绝对服从的部门,她用轻慢的语气说:"他那么忙,哪里会挨个去看图纸?还不是你们说什么他就签字了。"

麦琪说:"签字就要负责。"

岱西耍赖说:"总之我不搬。给我叫你们杜拉拉来。"

一面就有人把忙了一个通宵的拉拉给喊来了。

拉拉气喘吁吁地跑过来,麦琪马上递过手中一张平面图指点着告状说:"岱西不要分给她的这个cubicle,她要挑那边那个cubicle!"

CEO乔治马上要到了,拉拉眼中快要喷出火来,她一把抢过麦琪手中的

平面图,哑着嗓子怒声喝斥道:"我让你干吗来着?谁让你在这里浪费时间?你不知道现在的沟通渠道和原则是什么吗?有急事让各部门总监找我说!不然就等乔治离开上海再谈!"

拉拉把平面图三下并作两下撕得粉碎,扔在地上,转身就走。

岱西气得跳脚:"你有脾气!我也有脾气!"

麦琪低声哼道:"我们大家都有脾气!"

岱西的上司东大区经理当天出差不在上海,早有人飞跑去报告王伟。鉴于岱西虽然破口大骂,还是搬到指定座位去了,王伟就乐得装不知道发生了这回事儿。

事后,拉拉找个机会,就自己的态度向岱西道了歉。岱西哪里受过这等恶气,又是当众下不来台,她余怒未消,又不好打笑面人,嘴上说可以理解,心里总觉得憋着口气,有机会就叽叽歪歪地在王伟面前给拉拉扎针。

拉拉听王伟一说,就明白他想给说和说和。她连忙把她已经给岱西道过歉的事情说了一遍,又问王伟:"要不要看看是否能调换个 cubicle 给岱西,好让她稍微满意些。"

王伟说:"我建议你主动去找岱西,问她本人吧。女孩子嘛,都好个面子。"

拉拉马上说:"好的,我去问她意见。只要不违反原则,能调换就调换一下。"

王伟点头说:"那就先这样。下班后我给你电话,估计 7 点前吧,咱们大堂后面那个门碰?"

拉拉走到门边,想起了什么说:"不会是因为这个要请我吃饭吧?上回岱西想换座位的事情,是我态度不好,该我请岱西吃饭才对。"

王伟吸取上回的教训,马上立场清晰地说:"你别多疑呀,我压根儿没那意思啊。"

15 . 1001 个笑话

王伟把车开进一个闹中取静的小区,小区里树木葱茏,草坪修剪得很雅致,黑暗中可以看出影影绰绰的楼房的外墙都是红砖的。

拉拉疑惑地问:"这是哪儿呀?"

王伟简单地说:"我家住这儿。"

拉拉不知道这算什么意思。

王伟解释说:"我先把车开回来,我们等下打的士出去,我今晚不开车了,这样可以方便喝酒。"

拉拉"哦"了一声,心里挑剔着:也不先说明一下就把人带到这里来了,EQ 就是不怎么样。

王伟泊好车,问拉拉:"想吃啥菜? 给你三个选择。"

拉拉有了上次的经验说:"你说哪个就哪个,我挑了也白挑。"

王伟说:"哎,别这么负面的态度嘛。我们这次吃上海菜吧,你不是想吃炒年糕吗? 我们去肇家浜路的'苏浙杭'怎么样? 他们的厅挺好的。"

拉拉的胃里装满了炒年糕,王伟几乎没有动那碟炒年糕,全被她一个人消灭掉了。此外,她还吃了不少醉蟹,若干海蜇头。她的一直压抑着的悲愤,就被饱胀的感觉给麻木了。她的脸色红润起来,人也有了力气。看来"人是铁饭是钢",果然是真理。人吃饱了,愤怒感就迟钝了。

她在饭间喝下的几杯干红,更是让她的眼神流光溢彩起来,说话的时候,就不那么话中带刺,也不傻干的老牛样了。她有时娇笑起来,挥着修长的手臂打手势。说到高兴处,她顺手除下发卡敲着桌面,染成栗色的长发,又密又有光泽,像瀑布一样柔顺地垂到她的肩胛骨下。

酒足饭饱,两人走出"苏浙杭",站在肇家浜路上等车。

王伟建议说:"还早,我再带你感受感受上海?"

拉拉不领情道:"我又不是乡下人。"

王伟说:"我的意思是你总是外地人嘛。"

拉拉咧嘴笑起来:"那你就是说我是乡下人。"

王伟眼睛盯着路过的的士张罗着拦车,一面笑道:"你怎么强词夺理呢?"

拉拉一拉他手臂说:"哎,我想跟你讲讲乡下人的典故。"

王伟拦到车,把拉拉哄进车里,一面说:"行,原来还有典故。"

拉拉绘声绘色地讲起笑话来:"在不久的以前,上海人管外地人叫乡下人,所有上海以外的人,都是乡下人——这不奇怪,听说巴黎的公车售票员也有类似的态度,他们觉得巴黎以外的全世界各地的人都是乡巴佬——话说有个上海有钱人,他们家的女佣也是上海本地人。有一天一大早,有人揿门铃,主人问说是谁。女佣去开门,回来说,是两个乡下人。主人就又说,你去问问哪里来的。女佣就问两个来访的说,你们哪里来的? 那两人就说了,他们是北京来的。女佣就跑回去对主人说,先生呀,是两个北京来的乡下人寻侬。"

身为北京人的王伟听明白了,说:"行呀,拉拉,你是骂我那,还是骂上海人哪?"

067

拉拉狡黠地说:"乡下人早都是个中性词了,在上海,'乡下人'就是'外地人'的意思。好比在广州,当地人管非广东人吧,一概叫做'北方人'。"

王伟喝下的干红比拉拉还多些,一瓶 DYNASTY,有三分之二到了他的胃里,血液循环一好,人的情绪就愉快起来。他觉得拉拉的笑话傻乎乎的,饭后听了挺受用。就说:"行,你还有这本事,能讲笑话。再讲一个。"

拉拉吹嘘起来:"当然,我能讲 1001 个笑话。不过,我每次只讲一个。下次我可以给你讲个光头俱乐部的故事。"

王伟赞成道:"也好,我们可以吃 1001 顿饭。"

拉拉却忽然嚷嚷起来:"百乐门! 百乐门!"

王伟顺着她的手指往车窗外一望,车正经过百乐门,他奇怪:是百乐门呀,怎么了?

拉拉求证说:"是电影里的那个百乐门呀?"

王伟说:"是呀,舞厅嘛。"

拉拉兴奋地说:"吓! 小时候看电影,资本家、特务、地下党,都到百乐门来哦。"

王伟随口问道："你想去？"

拉拉八卦地说："我想看看歌女是不是还在里面唱'夜上海'。"

王伟不以为然道："这里没有什么意思，都是些中年人才来。回头我找人问问还唱'夜上海'不，要是还唱，下次带你来。"

拉拉不高兴了，说："那哪里才有意思？"

王伟说："这里都是跳交际舞的，有什么意思。我喜欢 disco。"

拉拉不爽道："我跳不动 disco，我心脏不好。"

王伟觉得好笑说："没有要你跳 disco 呀，我现在带你去个好地方。"

拉拉转过头去，背对着王伟翻了他一眼，乘他不注意又在黑暗中小声嘀咕了一句："EQ 低！"

王伟把拉拉带到一个酒吧，这个酒吧分两层，每层的面积在 200 平米左右，一楼挂着个很大的投影屏幕，正放着个英文片子，中间是个长方形的特大的啤酒柜，敞开着，冰块里埋着各种各样的啤酒。王伟引拉拉到酒柜前看啤酒，介绍说："这里的啤酒有 200 多种不同的牌子。"拉拉在冰块里扒拉了几瓶看看，都不认识，全是些怪里怪气的牌子，标签上印着全世界各地的文字。她没有什么兴趣地把啤酒瓶给放回去了。

王伟在一边说："你不识货。"

拉拉听他说自己不识货，老大不高兴，憋着气不理他。

王伟没察觉，兴致勃勃地引着拉拉上了二楼，二楼比一楼安静很多，光线幽暗柔和，正放着怀旧的音乐，客人多斯斯文文地喝酒聊天，中间是个半大不小的舞池。

王伟提议说："喝啤酒吧。"

一面就给自己挑了个牌子。

服务生问拉拉要什么牌子，拉拉拿不准主意，王伟指点了一样给她。

人家又问她要黑啤还是白啤，拉拉傻眼了，她向来以为啤酒就是金黄色的，哪里知道有黑白之分的。

王伟又建议说："白啤吧，黑啤你喝恐怕重了点。"

拉拉很惭愧，觉得自己就是赚钱太少，连黑啤白啤都不认识，一面恨不能拿啤酒瓶把王伟砸昏过去，这样就没有熟人知道她不认识黑啤白啤了，一面

脸上还得假笑着掩饰自己的恼羞成怒。

酒上来后，两人对喝起来。你一杯我一杯，越喝越高兴，互相看着对方的脸傻笑。

王伟就说："你怎么老批评我？"

拉拉否认说："我啥时候批评你了。"

王伟笑笑说："EQ 低，是什么好话？"

拉拉心虚道："我没说你 EQ 低呀。"

王伟指指她的胸前说："你心里没说呀？"

拉拉抵赖说："我有啥资格说您呀。我 EQ 比您更低。要不怎么您是总监，我只是个小主管呢。"

王伟听她划分阶级，马上说："你真没劲。"

拉拉闹脾气道："我就是没劲嘛。我是猪。"

王伟赶紧求和道："得，我错了。看我是诚心诚意想带你来这儿放松放松的，你不喜欢这儿吗？我还以为你就喜欢这样的地儿呢。"

拉拉说："谁说我不喜欢了，我挺喜欢那个舞池，这样的萨克斯风，我最喜欢了，又忧伤又善良，像我一样，没有胆量又有妄想，是个地道的废物。"

王伟不解地问："那你说我是啥？"

拉拉叹气道："我倒知道你是啥，不过，你是不会知道我是啥的。"

王伟有些不悦，假装不在意说："那你告诉我你是啥。"

拉拉不吭气，掉头看着舞池，留声机里正放着"月亮河"。

王伟说："想跳吗？我请你跳一支？"

拉拉点点头，王伟就拉起她。

拉拉挂在王伟的肩膀上，摇摇晃晃着，觉着说不出的舒服。

她想：可惜王伟 EQ 低了点，不然真是太舒服了。

啤酒的力量，加上"月亮河"，借着王伟的肩膀，让她在舒服之下终于哭了起来，压抑多日的失落惆怅，化作眼泪鼻涕，全糊到王伟笔挺的西装上了。

王伟掏出手绢给拉拉，一面把她拥紧了一些，揽着她继续在原地轻轻地晃着，她在他胸前无声地抽泣着，身子抖得像秋天扑簌簌的落叶。

他起了怜惜之心，但他并不十分明白她。比如他知道她现在很伤心，也觉得她有理由伤心，但是不理解她为什么要如此伤心。他想莫非自己真的是EQ不够？下次不如由着她去百乐门好了。

换音乐的时候，拉拉抬起头来，朝着对面的镜子暗自做了一个微笑，当作是一个表情的完结，然后就装没事人一样回位置上去。

她和王伟说不早了要回酒店。

王伟自然说送拉拉回去。

没想到拉拉拒绝了，她坚决地说："不用了，咱俩方向正相反，都累了，干吗送来送去的，我又没醉。"

王伟犹豫了一下，拉拉一上车，他就拉开车门跟了上去。

拉拉嚷嚷道："哎，你干吗？我自己能回去。"

王伟不接她的茬，催问道："别让司机等着，你住哪家酒店？"

拉拉指着他说："这可是你自己要送的!"

王伟哄她说："是是，是我自己要送的。哪家酒店？"

拉拉把房卡扔给王伟说："这儿呢。"

然后就脑袋一歪睡了。

王伟只得把她的房卡拿过来看了看，吩咐司机说："长寿路交洲路，古井假日。"

看看快到了，王伟轻轻拍拍拉拉说："哎，没事儿吧？喝多了？"

拉拉迷迷糊糊地娇声说："嗯。"

王伟叮咛说："我扶你，能行吗？一会儿到大堂，你尽量走稳点啊。"

拉拉神气地说："什么话! 到了大堂，我自然自己走，不然影响多不好。"

王伟给她逗笑了说："你要自己走呀，那再好不过了。"

王伟付了钱，扶着软绵绵的拉拉下了车，心说，看你自己走。

到了大堂，拉拉竟然真的自己走，并且威严地看了王伟一眼，搞得王伟暗自诧异：到底是自己情商不够高呢，还是拉拉的意志特别坚定呢？

他们穿过大堂，到了电梯前，拉拉像一个淑女那样礼貌地和王伟告别说："我上去了，谢谢您送我回来。"

她挥挥手就把王伟关在电梯外面自己上楼去了。

王伟愣了一会儿，走出大堂，等了小几分钟，打电话到拉拉房间里。她马

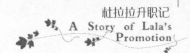

上接起电话,没事人一样语调态度都温婉地说:"我回房间了,没事儿,晚安。"

王伟说:"晚安。"

他心里装着很奇怪的感觉回去了。

第二天,王伟回到公司,整个上午都没有看到拉拉。他按捺着,没有让伊萨贝拉去行政部找人。下午过了一大半,才见拉拉来了。王伟正犹像着要不要打她的分机,"噔"的一声,她给他发了个 mail(电子邮件)过来。他马上扫了一眼主题:"sorry"(对不起)。他想,看这题目应该是私信,忙怀着期待和好奇打开邮件,内容却令他大失所望,只有区区毫无感情色彩的两个中文字:"如题",没有任何想象空间。

王伟既失望,也有些生气。他回了个邮件,内容只有一个表情符号:":)"。

他想:你喜欢简洁,那我就简洁。

王伟决定相当一段时间不请拉拉吃饭了,也不请她喝酒,看她还整天没事人的面孔,给他发"如题"的 mail 不。

但是,拉拉接下来不但没再给他发"如题"的 mail,干脆上海办就见不到她人影了,王伟隔了一周问过行政部,知道她回广州去了。拉拉这一走,王伟一连三个多月没有见到她。

16. 最后的玫瑰

拉拉回到广州的时候,玫瑰回来上班了。

上海滩一笑生百媚的玫瑰,谁人不曾为她顾盼,如今竟转做了长长的雨巷中忧郁的紫丁香,教多嘴多舌的人看了,直咂嘴说不知道是命弄人还是人弄命。

玫瑰的肚子平平的,忧伤地和李斯特说,孩子没保住。

李斯特像个慈祥的祖父,安慰了她一番。

两人遂共进午餐,席间甚为融洽。

李斯特现在是世界上最轻松愉快的人,他觉得项目顺利完成了,玫瑰又回来了,以后行政这一块就不用他再操心了,虽说这半年拉拉基本上都自己独立照看好行政部,但是他总觉得拉拉资历还浅,要在旁边观察着。现在好了,他又可以当甩手掌柜了,他暗自庆幸自己对拉拉的英明处置,否则的话,现在玫瑰突然回来,两个行政经理,他就头大了。

玫瑰吃了李斯特请的午餐,回到办公室就切换场景,她关起门来手脚麻利地拨通了拉拉的电话,娇声说:"拉拉你辛苦啦,见面我请你吃饭吧。"

拉拉已经听说了玫瑰的肚子是扁扁的,这本来也不出乎她的预料,只不过她向来不想多管玫瑰的闲事。既然玫瑰的肚子不方便问候,拉拉也说不出旁的什么,只有说:"好久不见了,还是我请你吧。"

玫瑰亲热地说:"谁请都一样,就是好久不见了,一起说说话。"

拉拉不知道她们之间有什么可说的。

玫瑰下班回家,玫瑰妈妈抱怨着:"家里那么多事情要办,我里里外外忙都忙死了,恨不得长一百双手出来,你怎么这么晚才回来?"

玫瑰敷衍道:"公司里有点事情要处理。"

玫瑰妈妈好奇地问:"你不在,他们那个项目做得怎么样?"

玫瑰懒洋洋地说:"杜拉拉傻乎乎的,把活全都做好了。"

玫瑰妈妈有点意外:"她倒能干。那就让她干去好了,你赶快办你自己的事情吧。"

"李斯特不会提她的。其实拉拉倒是个很好的经理人选。"玫瑰言语之间看透了李斯特。

玫瑰妈妈劝说女儿道:"关我们什么事情,让他们去好了。"

玫瑰不甘愿地说:"老李太坏了,他不配有拉拉那么好的经理。"

玫瑰妈妈说:"你不是说他也不肯升杜拉拉吗,不要管他们的闲事。"

玫瑰冷笑道:"哼,他倒是有想升拉拉的一天。"

玫瑰妈妈叨咕说:"你也是胆子老大,装了半年的大肚子。你今天回去和他说小人没保住,他信你吗?"

玫瑰一挑眉毛道:"他信个屁!他从来就没有信过!"

玫瑰妈妈吃惊地说:"哦唷,那你还回公司瞎搞什么!我同你讲,你不要再管公司里的事情了,你白拿了DB半年工资,还去欧洲玩了一趟回来,心里

有气也该消得差不多啦。"

玫瑰敷衍道:"嗯,嗯,晓得了。"

第二天玫瑰上班第一件事情,就是找个由头让拉拉马上到上海一趟。拉拉懒洋洋地推说身体不舒服,过几天再说。

玫瑰等不及,马上自己飞到广州。见了拉拉,亲切地拉着手,连说拉拉辛苦了,又瘦了。

拉拉没奈何,只得打起精神和玫瑰找了家西餐厅吃饭。地方是玫瑰挑的,她果然知道享受生活,挑的地方环境很好,人往藤椅里一坐,身体就放松下来。

拉拉劝说着自己,权当玫瑰不在,自己来这儿午间小憩好了。

玫瑰不计较拉拉没有像以前那样对自己毕恭毕敬,点菜的时候她殷勤地征求拉拉的意见,等侍者写好菜单退下,玫瑰才端水喝了一口,微笑说:"拉拉,你比以前干练多了。"

拉拉随便谦虚一下道:"还不是老样子。"

"不,你自信了很多。"玫瑰执意夸奖,教拉拉心中揣测她的来意到底何在。

拉拉笑笑说:"自信什么呀,我就是个干活的人。"

玫瑰摇头说:"不是的,我能感觉到,你能干了很多,你的竞争力强了很多,这是这个项目给你的回报。"

拉拉不知道说什么好了,低头喝水。

玫瑰说:"现在你的实力已经明显超越了这个主管的位置,没和李斯特谈谈,看看有没有往上走的机会?"

拉拉心里说,来了。她朝玫瑰不置可否地笑笑,没有回答。

玫瑰身子往拉拉这边倾了倾说:"拉拉,我了解老李的脾气。其实,我特别理解你现在的心情。我在他手下,也经历过你这样的阶段。"

玫瑰亲热地拉起拉拉的手,鼓励地说:"别丧气,你已经有了做经理的实力,DB不给你这个经理的位置,市场会给你的。"

拉拉更说不出话来,想抽回自己的手,又不好意思。

073

玫瑰放开拉拉的手,又诚恳地说:"拉拉,我不为我自己——过去你不直接向老李报告有些事情你就不了解,这回你直接向他报告了这半年,应该领教了老李的风格了:我就是生了孩子才回来,他也绝对不会动我的位置的,我的职业安全没有任何问题——我就是替你难受,要等他加薪升职,难! 好员工在他手下只能郁闷,那些真不好好干混日子的人,在他手下倒自在,他还是不会动他们半根毫毛的。你干了这半年,应该比谁都更能明白我说的是啥意思。"

　　她看看拉拉,拉拉低头玩着手中的杯子,不答话。她就有意停了停,好让拉拉先回味回味自己的话。等了几分钟,她才又继续说:"拉拉你是聪明人,你想,你要是走了,我再招个主管不会难;你不走,我更好,能少操心受累,对上级你又服从又可靠,你这样的下属,哪个做主管的得了你,不是他的福气? 只是委屈了你,白干一场,就这么活生生地被老李利用了! 他这是欺负老实人呀! 我都替你不值。这也就是你,要是换了当年北京办的主管王蔷,肯定要回敬他颜色的,没有这么便宜的,欺负了人,还卖乖吧?"

　　拉拉有点惊讶玫瑰为啥这么义愤填膺,她又不是王蔷,更不是杜拉拉,她什么亏都没有吃到,相反,她什么便宜都赚到了,她还有什么不满意的? 要说打抱不平两肋插刀吧,那不是她玫瑰的风格,拉拉自问也不是玫瑰的朋友。

　　拉拉一时不明白玫瑰到底想干什么,也不想把她的话给吓回去,就故作不明地请教道:"做这个项目确实让我学到不少东西,是对我有好处的事情呀! 其实,我挺感激李斯特给我这个机会的,要不是他愿意用我,我哪里能进步这么大? 平时两三年学到的东西,抵不上这半年的强化哦。"

　　玫瑰听了心里暗骂:弱智的东西! 活该被欺负!

　　一面只得耐心启发拉拉的阶级觉悟说:"这么大的装修项目,负责人除了要对行政专业,还得很熟悉了解我们内部的组织架构和公司的各项流程规定,老李要是从外部招人,新人根本几个月内上不了手,而老李当时本身时间上已经来不及了,哪里能用外部的人? 搞不好装修,乔治来中国,何好德到哪里去接驾? 难道叫乔治连自己公司的办公室都不要进,就在希尔顿待着吗? 影响了何好德的前程,看李斯特怎么安全退休! 所以,你拉拉是他当时的救星了! 我知道你是老实人,不想做些明争暗斗报复人的事,可你总要替自己的前程着想吧? 你难道就愿意拿自己的青春白护送他老人家退休不成? 那不叫老实,那叫傻! 我要是你,

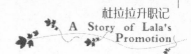
总要找到一个经理位置跳槽,到时候,也叫老李明白,不用你,那是他的损失!你拉拉是有本事的,不愁在这个市场上找不到个好位置!"

玫瑰一着急,就顾不上大公司的白领风范了,露出小巷女儿的真情本色,赤裸裸地煽动拉拉对李斯特的不满。拉拉看她张牙舞爪的猴急样,差点笑得喷出口中的水来说:"我哪里有那么大本事呢!"

玫瑰像街头骗局中做托的那个,使出浑身解数游说道:"你是当局者迷,我旁观者清——你已经完全具备了经理的实力,事实上,你已经干了半年经理的活了,而且干得很好,不是吗?"

玫瑰虽然不是什么好鸟,话也不是什么好话,但是拉拉不能否认玫瑰说的话也是事实。她看着玫瑰充满期待的脸,忽然想和这个美人逗逗笑,就说:"玫瑰,照你说的,李斯特该给我经理位置,那他让我当什么经理好呢?"

拉拉以为目前身为行政经理的玫瑰听了多少会尴尬,谁知玫瑰满不在乎的说:"那是他的难题,不是你的难题。他若没现成合适的经理位置给你,他就该想办法创造一个位置给你。或者,他可以给安排你轮岗的机会,也可以给你争取一个海外的半年期 assignment(指派职务或者任务),至少,他可以给你加30%的工资——他连这个也不肯做,对吧?"

拉拉想想,玫瑰这方面还真是比自己有见识,这么一想,敌意就少了一大半,笑着和玫瑰说:"听君一席话,胜读十年书。玫瑰你这么看好我,那你多关照我吧,有好的机会,介绍我去呀。"

玫瑰一针见血地指出:"谁关照你也没有你自己关照自己牢靠。"

话谈到这里,玫瑰认为,本次差旅任务已经完成,才开始专心享受美食,一面连连夸奖厨子的手艺。

玫瑰当天晚上的航班就离开广州了。她走后,拉拉想:玫瑰专门飞来广州一趟,来回奔波,费了这么多口舌,原来中心思想就是一句话:"拉拉你离开DB吧。"玫瑰不是个善茬,她为什么如此关心我的前程,一个劲鼓动我走?是因为觉得我是她的竞争对手,怕她的位置坐不稳,要赶我走吗?

转念又想:以老李的风格,玫瑰其实说得也对,她就是安安稳稳生了孩子再回来,老李断不会动她的经理位置的,到头来,白干了一场的还是我杜拉拉。

一念至此,拉拉的血一下子就热了。想到自己这半年来没日没夜地拼命工作,却没有任何回报,闹得自己现在在上海办,活像马戏团里的小丑,走到哪里,都有人在背后指指点点。有多嘴多舌的对她发些廉价带煽动的同情:"拉拉你真是不容易呀,看看你现在又黑又瘦,你们李斯特全靠你了!"也有不怀好意的,见她就问:"拉拉,你啥时候就该升职了吧?你们李斯特肯定给你申请了一大笔奖金啦!"

拉拉做完项目后和李斯特的那场谈话,令她很难原谅李斯特。她想起自己气愤之下曾问李斯特:"那些为公司做了贡献的优秀员工的利益,有适用原则来维护吗?公司就不考虑他们职业上升的空间了?"

拉拉永远记得李斯特冷酷的官僚嘴脸:"有些事情是没有办法的,明知道不合理,却没有更好的解决之道。这就是为什么,有时候优秀员工会流失的原因。这很可惜,但是,也很无奈。"

拉拉又想起自己要求加薪的时候,李斯特的话:"讲钱就不好了,工作不是为了钱。"

而半年前当玫瑰宣称自己先兆流产不能上班,李斯特来动员自己接项目的时候,说的那些鼓励的话,也仿佛历历在目。他说相信拉拉会在这样的重任中"学到前所未有的有价值的东西,从而使得自己的职业竞争力上升到一个决定性的新台阶"。

还有自己接项目的时候,李斯特给自己加薪的那个廉价的 5%,现在想起来就反胃。

拉拉不能控制自己的脑子,往事风车般一幕一幕地过电影,越是回想,胸口越是觉得喘不过气来,要炸开一样,恨不能找块水泥地,狠命砸个杯子。

拉拉很想知道李斯特这么待她是为什么,总不能用"犯贱"二字来解释吧。她想得太阳穴突突跳,终于不得不承认,一个三十岁不到的人,大约很难理解一个六十岁的人的想法。

拉拉的前任过气男友曾经说她是个著名的行动家,这一点倒没有错,她是个想明白就做的人。

外企多年教给她的 SMART 原则(本处指 SMART 原则中最后一条:任何事情都要有时间限制,到了一定时候,就要看结果),根深蒂固地影响着她

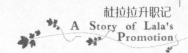

的行事准则,她的时效性控制得很好。任何问题,拖了一定的时间后,她就会敦促自己:不能满足于自己一直在致力于某问题,就糊里糊涂无限期地拖下去;要给自己一个明确的时间限制,就是再复杂的事情,到那个事先定好的时间点,就一定要下一个结论,到底我该往哪个方向去了。

李斯特是为了什么,不是拉拉能理解的;玫瑰肯定不是什么好意,可拉拉也不理睬她背后的动机——拉拉把李斯特手下所有表现好的、重要的员工,挨个排了队,看明白一点,要想靠表现好让李斯特主动提拔培养你,尚无先例。他几乎只在一种情况下会主动提拔,那是再不提拔会导致他自己过不了关。但凡有第二可行替代方案,他就延迟所有的提拔和变动。

关于去找何好德求助的问题,拉拉的心里真叫千回百转。不去找他,自己在DB彻底没戏,他是她最后的希望;去找他呢,假使他做主给了经理的名分,自己就彻底得罪了李斯特,而到时候自己终究也只是李斯特手下的一名经理,日子恐怕也好过不了。再者,大老板们个个都是日理万机的,自己和何好德的级别差距,好比天地之遥,去找他,恐怕要惹他反感,自讨没趣——拉拉对于去找何好德,内心畏难,并无自信。

思来想去,还就是玫瑰说的那条路,找工作吧。她说干就干,开始找工作了,找了一个月,却没个眉目。

玫瑰隔三岔五就打个电话试探拉拉,怎奈探不明拉拉的动向。到底是根本没动手找工作呢,还是找得不顺利,一点也问不出来。急得玫瑰直跳脚,恨不能一脚把拉拉给踢出DB。

玫瑰耐着性子和拉拉说:"拉拉,咱们都是七十年代生人,毛主席的语录背过不少吧?'一万年太久,只争朝夕',这话明白吧?"

拉拉说:"有这条,抗日时候说的?"

玫瑰说:"关抗日啥事情?青春什么时候都苦短。"

拉拉哼哼哈哈地说:"知道,玫瑰蔷薇都要趁怒放的时候怒放,别等凋零了才想怒放。我最近也在致力于找个好老公呀,要有钱有貌对我又好的——我自己呢,就不用那么辛苦了,笨女人才自己干得那么辛苦呢。我想通了,我就跟李斯特这儿打混,哪儿也不去了,要打混,哪儿都没有这好。美国人不是65岁才能退休吗,他老人家还好几年才能退休呢,我就这儿跟定他混了,每年跟着大家伙儿加薪8％,混个五年,到时候月薪没有九千也有八千了,多少人还羡慕这样的工作呢。"

玫瑰气得脑门冒烟,拿拉拉这根木头没辙。看看一个月两个月过去了,已经安排好要移民澳洲的玫瑰耗不起了,她没有和公司里任何人任何部门打招呼,就开溜跑了,根本没有按劳动法提前一个月向李斯特提出辞职,李斯特事先一点没看出来玫瑰的动向。

李斯特一连三天不见玫瑰人影,打玫瑰手机一直是关机状态,他只得叫人联系玫瑰家里,连一个听电话的人都没有,偏偏玫瑰起飞前还发了个MAIL给DB上海办的旧同事们温情脉脉地说:"Farewell(别了)。"打击得李斯特差点重新思考自己的价值观。

17. 招人难,求职也难

拉拉那方面,在玫瑰走后,谜底就揭晓了:原来玫瑰早做好了走的准备,一心想在走之前先把行政经理的后备人选撬掉,好让李斯特抓一把瞎;更让李斯特作为堂堂人力资源总监,却看不清自己手下经理的算盘,在DB中国上上下下面前丢一把脸。

拉拉相信,在上海办,这会子不定在各个角落里都有些好事的,兴奋地为这事在叽叽呱呱呢。她不禁暗自感叹:有什么解不开的深仇大恨呀!

同时,拉拉心里不由得暗暗升起了一线希望,玫瑰走了,该轮到自己了吧?

被玫瑰玩了一把后,要说李斯特完全不考虑用拉拉,那也不是事实。但是一方面他总觉得拉拉没有做过经理,惯性地小看拉拉;另一方面,这个经理的职位按公司规定应设在上海,拉拉不肯从广州搬到上海,他没有信心去找何好德要求特情处理。

当初玫瑰假借先兆流产不上班后,猎头曾找给他几个行政经理的候选人,李斯特想了半天,又把这些人的简历翻出来复习功课,交待招聘经理李文华抓紧挑几个人给他选。

玫瑰一着急，就顾不上大公司的白领风范了，露出小巷女儿的真情本色，赤裸裸地煽动拉拉对李斯特的不满。拉拉看她张牙舞爪的猴急样，差点笑得喷出口中的水来说："我哪有那么大的本事呢！"

杜拉拉升职记

A Story of Lala's Promotion

上海办没有了行政经理，一时之间大事小情的，各部门都直接找到李斯特嚷嚷。北京办那边，王蔷走后，玫瑰一直没有找合适的人选去填空，各部门也时常抱怨：怎么北京办就没个人管家了呢？

李斯特不胜头疼，一面加紧搜寻经理人选，一面找拉拉先上北京去救火。

拉拉直接说："老板，我能做经理吗？"

李斯特碰上拉拉就爱打官腔："拉拉呀，别着急，多锻炼锻炼，对你获得更好的职业竞争力大有益处。"

拉拉说："exactily（您说的对极了）。"

第二天，李斯特收到拉拉的邮件，称自己在上海办管理装修项目半年间，体力透支，精神压力过大，患上了严重的失眠症，血压也时常偏高。现医生建议休息一段时间。考虑到目前行政部人手紧缺，自己愿意带病看好广州办。

同时，拉拉指出，按照公司的规定，经理级别加班无补休，而主管级别加班不拿加班费，但是可补休。自己半年来每个月加班都达100小时以上，大大超过劳动法规定的每月加班不得超过36小时的上限——拉拉询问李斯特将会如何处理她这700多小时（折合88个工作日，按每个月21个工作日计算，则相当于超过4个月的工作时间）的加班。

拉拉在邮件中附上了六个月加班单的扫描件，每张加班单上都有李斯特的亲笔签名。

李斯特看了这封邮件头很大。拉拉到上海接受培训的时候，李斯特在办公室走道上远远地看到她，犹豫了一下，赶紧绕开走了。

李斯特把招聘经理李文华找来催问道："行政经理的人选有什么进展？"

李文华是南京人，生得五官清秀，身形又瘦又高。他分管招聘和员工关系，一方面是天性使然，另一方面，做员工关系平时常要进行各种牵涉到炒人、处分、降职等不愉快的谈话，他历练得为人十分灵活而且善于处理各种关系，平时见人未曾开口先带三分笑，人称笑面虎。李文华比较有城府，平时轻易不肯得罪人，小事情上不计较能吃亏，顺便的话也愿意帮人家一把。

他和李斯特之间最大的问题就是两人的匹配度有问题，李文华正当经验和体力俱佳的时期，胸怀鸿鹄之志，而但求安稳的李斯特最重视的是薪酬福利团队，因此身为招聘经理的李文华一直忍受着不被重视的失落。

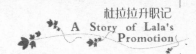

男人和女人是很不同的两种动物,李文华是断不会像拉拉那样去找李斯特为自己的利益再三斗争的,至多也就方便的时候温和地提一提,说了不见效,便闭嘴了——他清楚,拉拉作为女性那样做或者有效,至少无害;他要那样做,就很搞笑了,甚至是危险的。

表面上李文华对李斯特一直言听计从恭敬有加,和薪酬经理王宏也搭档得有板有眼,旁人看不出蹊跷,李斯特也以为没有大碍,而李文华内心的郁闷只有他自己品味了。

今见李斯特动问,李文华笑着答道:"上回给您看了两个,您都不满意。最近两周看的人选,还不如那俩。不是大项目管理经验不足,就是沟通技巧不够好。咱们这儿总监多,不好伺候的也多,EQ 不够高的,来了怕很多事情搞不定,到时候还得您给他收拾局面就麻烦了。"

李斯特说:"直接找做经理年限长的,经验就足了。"

李文华说:"是的,也有这么个人,但是谈下来,感觉他做得太久了,人都皮了,没有什么激情,做事不太积极主动。我们这儿的事情其实是不少的,懒人肯定不行。"

李斯特连连摆手说:"懒人不要。得积极主动的,经验要好,和各部门的沟通要好。"

李文华笑着说:"是的,我明白。这样的人,也不是那么好找的。过了您这道关,还得到何好德那儿。您知道的,他的要求向来高,有时候咱们千辛万苦找来的人,好不容易过五关斩六将过了相关部门的关,到了他那儿,嘚一枪就给干掉了。咱们有的经理职位都招了六个月了还没把空填上,用人部门天天催,我这个招聘经理压力大呀。"

李斯特说:"这么大个上海,就没有个好的行政经理?"

李文华说:"肯定有好的。不过伯乐(猎头公司)去 approach(接触)他们的时候,人家不考虑咱们这个职位。做得好好的那些人,一般都不愿意随便动。他现在就是 500 强的经理了,到咱们这儿,还是经理,没有什么明显的利益增值,不是咱们加些钱就能对他有足够的吸引力的。"

李斯特叉着两手想了想,身子前倾一些说:"文华,招聘是你强项;行政也是很典型的一个岗位系列。平时轮岗的机会不好安排,我想乘着行政经理空缺这一两个月，让你先带一带行政这条线，也好增加一下职业竞争力，你意思如何？"

李文华愣了一下，马上说："那当然好。不过，您是知道的，目前几个月内，公司需要填补的岗位空缺太多，招聘团队的几个人都已经忙得喘不过气来了，各部门还在拼命催我们。就怕再分心，这边的压力更大。"

李斯特嗯嗯着，做思考状。

李文华试探说："老板，行政这条线让拉拉先带着，怎么样？她不是带过六个月，带得挺好的吗？"

李斯特苦笑着把拉拉那封邮件的意思告诉了李文华。

李文华脑子飞快地转了起来。乔治·盖茨四个月前访华后，对中国市场很看好，美国快速做出了对华投资的侧重决定。从总部来了一帮老外，天天伙着顾问公司的人和各部门的经理们开会，一个野心勃勃的战略扩张项目"CHINA FUCUS（中国聚焦）"的初稿很快就要出台。

这个项目已经策划出大致的组织框架，据此，李文华的团队将要在短短的三至四个月内完成大量招聘，而关于可利用猎头公司的部分，柯必得给出的预算不多，主要集中在二线经理以上岗位，这意味着不少岗位如一线经理岗位，都将依靠李文华团队自身的力量去完成招聘。

而李文华的团队本来今年压力就不小，公司的生意好，规模一年一年在扩大，但他的人手一直没有加过。他带着一个主管和两个专员在做全国的招聘以及员工关系，还要负责合同档案等人事信息的管理，显得人手很紧张。

其中一个专员表现很好，在目前岗位已经干了五年多了，是李文华手下的得力干将，但是此人的薪水至今不过6000出头。李斯特三年前调来中国区后，李文华几番要求将其升为高级专员，李斯特都压着不批，又没有个说得过去的不批的理由，只说李文华的团队规模也不大，再升个高级专员起来，何好德会有意见。

对于李文华这样老资格的 HR 经理来说，他当然明白这根本不是个理由。何好德可是总裁，怎么会过问到经理以下级别呢？况且这样的晋升，又没有任何违背公司晋升流程规定的地方。李文华真是不明白李斯特是怎么想的。

李文华要求的次数多了，李斯特就和他说："要是我们给予员工的是低于市场的待遇，他自然会走；他这么多年都不走，就证明我们给的待遇是和他的贡献以及竞争力相吻合的。"

李文华对李斯特的这套逻辑推理不好当面太过争辩,只得慢慢等机会。这次乘着 China Focus 的项目,他又和李斯特说:"现在是用人的时候,杰生的忠诚度不错,老板咱们能不能给他一个认可呢,加些钱?"

李斯特打着官腔道:"谈钱就不好了,公司有一定的加薪制度,不要随意额外的给员工加钱,这样会让团队风气不好的。"

李文华说:"我怕他跳槽。"

李斯特不为所动道:"流动也不见得就是坏事,合理的流动,能给我们的团队带来新鲜血液嘛。"

李文华气得够呛,真想自己马上就"合理流动"一把。杰生是个工作了快十年的三十出头的小伙子,李文华就算脸皮再厚,也找不到好借口哄他。他只能暗自祈祷,杰生不要在未来的五个月内跳槽。

现在看到拉拉对李斯特的反抗,李文华觉得有点爽,看不出来只会干活的拉拉还能写出这样的邮件,看来斗争中果然成长得快呢。

李文华想,拉拉为人可比玫瑰好多了,一门心思干活,不爱生事。要是她能马上把这个空填上了,自己这边好歹能减少点招聘压力。而且,行政部在各区域都有岗位设置,拉拉讲义气,自己这次要是帮了她,以后自己的团队如果忙不过来,在各区域都可以找拉拉的团队帮忙,做些琐事。

李文华就对李斯特说:"老板,我听到不少部门反映,拉拉干得比玫瑰还好。如果能用她,不是您这边就能马上省去这些个烦心的事情?拉拉也会很感激您的,我观察她的诚信度还是不错的。"

李斯特沉吟了一下,还是摇头道:"这个岗位要设在上海,她不肯到上海,何好德不会同意的。"

李文华劝说道:"老板,项目做完后,何好德不是给拉拉还写了封信吗,听说何好德在信中对拉拉大表欣赏,估计他会同意的。拉拉一直愿意多出差的嘛,两边多跑跑,她还是能把活干好的。"

李斯特不知道何好德写过这么一封信,他吃了一惊,心里有点不自在,又不好意思说自己不知道有这回事儿,犹豫了一下还是摇头说:"不可以因人设岗,还是得因岗设人。这是适用于全体员工的原则,要是我们 HR 自己搞特殊化,以后别的部门就会挑战我们。"

李文华心说那您就慢慢等着我给您招聘这个行政经理吧。他不再多言,退了出来。

自从玫瑰到广州劝拉拉离开 DB 后,拉拉就开始找工作了。

除了劳动力密集型企业,500 强大多把它们的中国总部不是设在上海就是设在北京,广州已经越来越被边缘化。在这样的组织架构下,这些公司的广州办事处里,行政部的最高级别往往就是行政主管,上哪里去找个 500 强在广州办事处的行政经理职位去。

拉拉连找了两个月工作,就明白了这个严酷的现实。

玫瑰走后,李斯特的态度使得拉拉没有办法,只有继续在市场上寻求机会。

白领世界每年在广州都有两场欧美企业和 IT 企业的专场招聘会,所有放出的职位年薪最低必须在 6 万以上。拉拉决定直接去白领世界招聘会碰碰运气。

其实这样的招聘会上,通常少有大公司会把经理级别的职位放出来,放得最多的还是 professional(专员人员)级别的岗位,像工程师、专员、主管级别,到这类招聘会上找工作还是不错的。拉拉病急乱投医,索性就去瞎碰运气。

招聘现场人山人海,心脏不够好的人根本承受不了那个闹哄劲。拉拉在人群中钻来钻去,对自己说:不是 500 强的企业,决不去!非找个经理的职位不可!

在 HEP 的摊子前,还真给她发现了一个行政经理的职位招聘。HEP 是一家美资 500 强企业,经营家电产品,他们为设在珠三角的一家工厂招聘行政经理。

拉拉注意到这家工厂并非设在广州,而是位于广州边上的一个小镇。招聘启事中声称:公司每日有班车往返广州和工厂之间接送上下班。

拉拉问自己:你能接受每天早上六点半起床、晚上十点半上床的生活吗?如果你要看病、做头发,或者逛百货公司,你就得请假,否则就只有利用周末了。你也不能迟到,因为工厂离市区太远,交通不便,你必须跟上班车。

拉拉并不满意这个机会,但是她太想当经理了。她劝自己:忍耐两年,只要

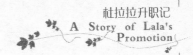

我的简历上有了500强公司经理的工作经历后,再在市区找经理职位就会容易很多。况且现在只是谈谈,又不是马上做决定,谈谈不吃亏,就当体验一下。

拉拉当下打定主意,钻进人群中去递简历。她起先光顾着看贴在高处的招聘启事了,这一递简历,才注意到坐在那里的 HEP 的 HR 的人是啥样的。

接待她的 HR 是一个三十岁左右的年轻男人,头发很硬,有点黄,发型一看就是出自一个不高明的理发师之手。

他里面穿了件淡蓝色的棉毛衫,外面直接套了件廉价的西装。

这人坐在那儿,身子一刻不停地乱动,不是晃脑袋,就是伸胳膊。

他轻慢地接过拉拉双手递过来的简历,浮躁地乱翻了几下,看到拉拉目前的职位是行政主管,根本不和拉拉做目光交流,就看着简历结论性地说:"你的资历不够申请行政经理。我们另有一个助理行政经理的职位,负责分管食堂、保安、绿化和车辆,你可以试着申请这个职位。"

他一面说,一面拿手指弹着拉拉的简历。

拉拉大倒胃口,不说那粗陋的发型和西装里敞露着的棉毛衫,单是他浑身乱动的肢体语言,就使拉拉很想抽身就走。

拉拉使劲劝说自己,这是出来求职呢,少不得忍着点。

她好声好气地解释说:"行政经理的典型职责是管理大型办公室装修项目,因公司的行政经理缺岗,我幸运地负责了这样的项目,我这儿有总裁给我的一封信,可以证明我在此项目中表现出色,因此我有信心胜任行政经理一职。只是因为公司的这个职位设在上海,而我家住广州,才不得已寻求广州市场上的机会。"

HEP 的那位 HR 不耐烦地做了个打住的手势说:"不要解释那么多。我们有我们的用人标准。"

拉拉只得笑着让开位置给后面的人。她心中暗自纳罕,同样是500强的HR,水准竟有那么大的差别。就说李文华手下的杰生吧,听说李斯特一直不肯升他,薪水也不高,可他比起 HEP 这位自我感觉极度膨涨的 HR 来说,不知道专业多少。

拉拉想,单凭眼前这个 HR,估计这个公司的平均素质也乐观不到哪里去。他自己这样的档次,又能给 HEP 招到些啥等级的货色呢? 就算 HEP 真肯给自己行政经理的位置,自己也不要去——成天和这样的人群一起工作,活得未免太没有劲了。不如在李斯特那儿混着,就算只做个行政主管,好歹李斯特说话客气礼貌,做派又活像好莱坞的大牌明星,至少可以饱饱眼福吧。

拉拉离开 HEP 的摊子,想了想,不甘心,又转到其他大公司的摊子前左看右望。结果又发现一家化工行业的 500 强公司,为他们在广州黄埔开发区的工厂招聘类似职位。大约产品附加值高的缘故吧,这家公司的人明显素质高很多,让拉拉感觉和自己是同类。拉拉递上简历,简单地和对方 HR 交谈了一会儿,发现该岗位的职责比起 DB 行政经理的职责要简单不少,工作地点的问题,也使得一向在市中心工作的她很踌躇,她终于怏怏退下。

拉拉挤出招聘会场,发现自己已经在里面流连了足有三四个小时。她满脸油汗,端庄高贵的丝绒外套也有点歪斜了。穿着高跟鞋站了那么久,使得她的脚板疼痛不已。

她又累又沮丧,特想找个人说说自己的委屈,掏出手机却不知道打给谁好。

回到家里,拉拉踢掉高跟鞋,一跟头把自己摔到沙发上。她揉着突突直跳的太阳穴,想着该怎么办。

白领世界在珠江三角洲算是档次高的招聘会了,拉拉很清楚这一点,而她现在也确认了这不是她能找到满意工作的地方,那么招聘会这条路是行不通了。

思来想去,她决定找找猎头。

拉拉知道 DB 用的猎头是"伯乐"和"科锐",那么只要不是"伯乐"或者"科锐",她都可以去谈谈。可是究竟该谈哪一家猎头呢?拉拉完全没有思路。她连市场上有哪些好的猎头公司都不知道,更不知道联络方式,拉拉发愁地叹了口气。

昏暗的夜色一点一点降临,笼罩了拉拉的脸。她昏沉沉地睡去。

杜拉拉升职记

A Story of Lala's Promotion

白领世界每年在广州都有两场欧美企业和 IT 企业的专场招聘会，所有放出的职位年薪最低必须在 6 万以上。拉拉决定直接去白领世界招聘会碰碰运气。

18. 职场天条：慎用 mail

找工作不顺利，广州办的活，拉拉认为是自己的本职，还是打起精神不偷懒地干好。

这天，拉拉正盯着电脑屏幕专心地看着预算表，一个男人站在她面前咳嗽了一声，她抬头一看，是王伟。

王伟把手里拿着的风衣放到一旁，不请自坐。

拉拉有点意外地问："啥时候来广州的？"

王伟没有回答她，却反问她："怎么这三个多月一直不见你去上海？"

拉拉不在意地说："上两周还去参加了一次培训。"

王伟奇怪了："没见着你呀。"

拉拉解释道："连着三天都关在会议室里嘛，没时间在走道上晃荡，所以你就没看见我了。"

王伟闻言心里不免有点悻悻然，觉得三个月未见面拉拉却并不渴望见他，他掩饰着自己的感受不动声色地说："参加培训你也可以中间休息的时候出来打打招呼嘛。早知道你在上海，晚上就叫你一起吃饭了。"

拉拉微笑道："您有空的话，今天晚上我请您吃饭。"

王伟听了高兴起来，就说："一言为定。"

拉拉以为他该起身走了，他却并未起身，而是端详着拉拉。

拉拉不自在起来，说："我又犯啥错了？"

王伟关心地说："你怎么瘦了？压力大？"

拉拉左右看看自己说："瘦点买衣服更容易嘛。"

王伟劝道："有空做做美容吧，气色能好些。"

拉拉嘴硬道："我这样的气色才时尚，这叫蜜色，现在的胭脂就数蜜色的卖得好。"

王伟没有说话，打开电脑包，掏出一个包装得很精致的纸袋递给拉拉。

拉拉没有思想准备，惊讶地说："这意思是送我？"

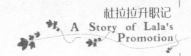
王伟说:"我可没打算卖给你。"

拉拉也不方便在办公室里动静太大,只得含笑收了,说:"我晚上好好请您吃顿好吃的。"

王伟习惯了老外接受礼物总要当场拆封赞美,见拉拉一点都不好奇自己送她的是什么礼物,他忍不住说:"你怎么不问问我为啥送你礼物?"

拉拉使出经典装傻招式说:"我正想问问您贵不贵呢。"

王伟并不肯被她带跑题,他看着她的眼睛说:"这可不好说。不同的人有不同的答案。比方我觉得贵重,还要看你是否也觉得贵重。"

谁都不傻,拉拉一时不知道是该把王伟当公司里的总监来回答呢,还是当他是个男人来回答。

王伟不说话,看着她的脸等她的答案。拉拉有些尴尬,不小心间就低了头看桌面。空气中一时充满了愉悦的压力,有一种类似冒险的冲动在挑逗地要撬开他们的嘴。

活生生地沉默了几分钟,拉拉正想找话问问王伟出差的目的,海伦咋咋呼呼地走来找拉拉。王伟起身说:"你先忙。"

晚上两人在沙面一家西餐馆吃了晚餐,走出来,拉拉说要回去了。

王伟舍不得她走,顾不上总监的架子挽留道:"还早,换个地方坐坐吧。"

拉拉玩笑道:"你不是说我脸色不好吗,早睡脸色才能好啦。"

王伟认真地说:"脸色不好也漂亮。"

拉拉听了心一颤,假装镇定道:"晚餐也没喝多少呀,您这不是借酒遮面,逗我玩吗?"

王伟说:"拉拉,别打岔行吗。"

拉拉有点得意地说:"行呀。那我谢谢您夸我漂亮。其实我也知道我确实长得还行。"

王伟马上跟进道:"那你同意换个地方喝一杯?11点前保证送你回家。"

拉拉犹豫着:"11点?现在是冬天。"

王伟走近一步,低头看着拉拉的眼睛,拉拉不好意思地掉开脸去。王伟叹了口气说:"拉拉,咱们都一连三个多月没见面了。你这是为啥呢?"

拉拉嗫嚅道:"我只是有点不确定是怎么回事情。"

王伟伸手扳过拉拉的双肩,看着她的脸说:"我没恶意。"

冬天的夜色掩护了拉拉脸上的红晕,她微侧过脸去避开王伟的眼神说:"这我知道。"

王伟征询道:"那咱们就去长堤的 1920(一家酒吧)?"

拉拉点头应允:"好的。到 11 点我要回去。"

王伟拽着她就走。

王伟给拉拉点了百利甜酒,拉拉很喜欢调酒师调出的味道。在 1920 的烛光中,拉拉连日不开的心中荡起了一种愉悦和放松,两人有说有笑,喝得很是愉快。

王伟如言 11 点就送拉拉回去。车到小区门口,拉拉让王伟不要下车直接回酒店。

王伟说:"这儿叫车又不难,我送你到楼下。"

拉拉不肯。王伟说:"那就不到你们家楼下,我只多送几步这总行吧?"

拉拉只得依他。到了地方,拉拉说你别再走了,没几步路了。

王伟说:"行。我站这儿看你走。"

拉拉走了几步,王伟又叫住她,追了上来。

拉拉等他说话,王伟踌躇了一下说:"拉拉,你不喜欢上海吗?"

拉拉低声道:"我不知道以后怎么样,现在我还不想去上海生活。"

王伟说:"我明天就回上海了,有个重要的会要赶回去。你什么时候来上海出差?"

拉拉说:"没准儿。"

王伟只得说:"那你给我发 mail 吧。"

拉拉装没事人说:"有事儿就打电话呀,电话多方便。"

王伟停了一下说:"你想打就打,晚上多晚都可以,我不关机。"

拉拉本能地保持距离说:"那多不礼貌,还是工作时间打吧。"

王伟忍不住了说:"你能不能别打岔?"

拉拉笑了说:"知道啦。"

王伟又叮咛:"除了电话,有空就写 mail。"

拉拉说:"行。MAIL是个好东西,谁说过啥都不能赖,全在服务器上存着呢,公司随时调记录。"

王伟悻悻道:"你也会威胁人呀。"

拉拉说:"谁威胁你呀,王总监。慎用 mail(指公司内部的邮件往来)乃是职场天条嘛。"

她说着,一面得意地笑起来。

王伟在暗中看到她笑靥如花,光洁的脸上反着光,他忍不住伸手想抚摸她的脸。拉拉正笑着,见他手过来,立马挥手打开他的手。

王伟讪讪地缩回手说:"对不起。"

拉拉也红了脸说:"你挑逗我?"

王伟一脸尴尬:"说话别那么难听成不? 我当你是好同事。"

拉拉说:"这不就结了。我知道你当我是好同事。你想结婚吗?"

王伟立刻警惕地说:"当然,有合适的就结婚。"

拉拉讥笑道:"和好同事结婚?"

王伟谨慎地说:"不排除。"

拉拉说:"你刚才说我是你好同事。"

王伟认真道:"拉拉,你给我下套呢?"

拉拉假装不明白地说:"下啥套! 我这不是为了我们的友谊能万古长青吗。免得明天你见了我不自在。"

王伟没有什么说服力地说:"我不知道以后怎么样,我现在当你是好同事。"

拉拉点点头说:"这我百分之百理解并同意。所以我这不是在建议现阶段按令人坦然的方式相处嘛。"

王伟没有回答。

拉拉继续说道:"我无所谓,到现在连个经理都没有捞到,你在公司里可是大好前程呢。"

王伟说:"我对谁都很真诚的。"

说话之间自己都觉得特空洞虚弱,言之无物。

拉拉说:"所以我才给出这么个良心的提议呀。"

王伟叹气道："行,听你的。"

19.．"自下而上"还是"自上而下"

拉拉的心里堵着一口气,不当上经理,她决不罢休。

在外部找机会处处不顺利,拉拉又倒回头想,DB 是少有的好公司,自己好不容易进来了,为什么轻易地就要走呢? 自己是不是已经把 DB 内部能利用的资源都用上了?

她想,再没旁的法子可想,只有去找何好德了。

拉拉对找何好德感到很挠头,但是也明白要是自己不去,就不会有人替自己出头了。

上班的时候,海伦老看到拉拉盯着一个地方发愣,下班了拉拉也不走,接着发愣。

拉拉设想了很多种开场白,很多种谈话思路,也推测了何好德可能有的各种各样的反应。

结果,等她到了上海办,迎面看到何好德,啥也没说出来。何好德看到她,忽然想起有几个月没见着她人了,他亲切地招呼说:"拉拉,来来来,到我办公室坐坐。"

两人落座,何好德笑眯眯地望着拉拉道:"最近怎么样?"

拉拉在心里憋得太久了,她冲口而出:"Howard,我想当行政经理,我很想知道你对我这个想法的评价,行吗?"

何好德沉着地反问:"你愿意来上海工作吗?"

拉拉倔强地说:"目前我还不想来上海,我的生活在广州,但是我愿意经常出差。"

何好德马上说:"你告诉李斯特,我觉得你在广州,也能把行政经理的职责履行好。"

拉拉没想到这事这么简单就谈出了结论,她所见识过的是和李斯特之间的拉锯战。拉拉满腔准备战斗的情绪都没派上用场,她几乎怀疑自己听错

了,要不就是自己理解错了何好德的意思。

拉拉稳住自己加速的心跳,声音尽量平稳地追问道:"那您和李斯特说一声,行吗?"

何好德笑了,说:"拉拉,正常的流程下,这类申请,应该由希望提拔员工的部门主管发起,因为他是用人部门的头,他最清楚他需要什么样的人,以及这个候选人的现有表现和能力;然后这位主管需要和他本人的上级主管以及人力资源部共同讨论,看候选人是否已经具备了被提升的资格。"

拉拉有点惭愧地说:"明白啦。"

何好德进一步说:"所以,现在应该由你的老板李斯特来找我提出申请,而不是我主动去找他说——该提拔你手下的某某员工了,写个申请报告给我吧。要升他手下的某位员工,首先应该是他的决定。而他的上级主管和人力资源部,是起着监控的作用,即保证这个升职的合理合法性。"

何好德顿了顿,又笑着说:"通常,一个主管的上级,不会把他不愿意用的人强加给他。你现在越过李斯特来找我,我能理解,不过,事实上,这不是正常的流程。"

拉拉看着何好德满是笑意的蔚蓝的眼珠,不好意思地嘟囔道:"这事儿我主动和李斯特要求了几回,他总说不行,因为您会有意见的。"

何好德说:"你现在可以转告他,我的意见是升你,我这方面没有任何问题。"

拉拉不放心地说:"由我去说行吗?"

何好德说:"放心好了,他会相信你转告的确实是我的意见,不是你编出来的。"

拉拉乐坏了,道了个谢就打算退出。

何好德叫住她:"拉拉,你去找李斯特,先不说我的意见。你再正面和他谈一次你的升职要求,假如他还是不同意,你才说出我的意见,明白吗?"

拉拉心领神会说:"明白!"

何好德叮嘱道:"好好和你的老板谈,李斯特是个很宽容的主管,他有他的特点。你以后还要向他报告的。"

拉拉保证道:"知道,您放心。"

拉拉退出来，一时简直回不过神，这也太简单太迅速了，10分钟结束战斗。她设想的那么多得体专业的开场白一个也没有用上，而何好德的反应也完全不符合她事先的任何一种预测。

她有些失态地在办公室走道上来回走了几步，定了定神，才去找李斯特。

李斯特一看是他的"headache（头痛）"——著名的"倔驴"杜拉拉同学来了，头"嗡"的就大了一圈。李斯特不免打起精神准备战斗，他挂起他的好莱坞明星式的招牌微笑，招呼拉拉坐，亲切地问候她。

拉拉也微笑着问候了李斯特，然后拿出刚才和何好德谈话的那招，直接说："李斯特，我想做行政经理，行吗？"

李斯特心说：晕，又来了！这回连个弯也不拐，直接就撞上来了。

他耐心地说："拉拉，你住在广州，这个岗位需要设在上海呀。"

拉拉说："我愿意出差。"

李斯特继续耐心地解释说："上海是总部所在，需要料理的事务多在这里。你在广州毕竟不方便，特别是有突发事件的时候，经理不在本地，会很成问题。"

拉拉说："玫瑰生病的时候，我在编制未满情况下，代理这个岗位半年之久，得到了各部门的好评，这您都是知道的。我对胜任这个岗位很有信心。"

虽然两人的谈话内容本身和先前的几次交锋没有区别，不过在重复车轱辘话，李斯特还是感觉到拉拉今天逼得异乎寻常的紧，似乎有点来头，不由暗自纳罕。他不明就里，只得走一步看一步，照例说："升你何好德会有意见的。"

拉拉就等着他这句话，马上接嘴说："何好德没意见，他说他同意。"

李斯特吓了一跳，何好德的这个意见自然很出乎他的意料，但是李斯特也马上做出判断，这事儿拉拉不会撒谎，他下意识地追问："何好德什么时候说的？"

拉拉说："就刚才。"

李斯特说："他和谁说的？"

拉拉说："我瞧您挺为难的，今天就自己去找他要求了，他说他同意。"

李斯特马上说："拉拉，我一会儿有个会议，我回头再找你谈吧。"

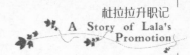

拉拉说:"行,那我先出去了。"

第二天一早,拉拉一到公司,透过玻璃隔墙,一眼就看到李斯特正和何好德一起,关着门在何好德房间谈话。李斯特背对着拉拉这个方向,挥手比划着什么,何好德则爽朗地大声笑着,似乎李斯特说的话很合他意。

拉拉觉得他们就是在说她的事情。

20. 两位同僚

转天,李文华看到拉拉,招呼她到自己办公室坐坐。拉拉落座后,他看着拉拉笑,不说话。

拉拉不自在了,说:"文华你干吗? 这么意味深长地对我笑。"

李文华说:"老板都被你逼得头痛了。"

拉拉不好意思地:"哪里有。"

李文华诚恳地说:"拉拉,我很佩服你。你有这股冲劲,能成功的。"

被他这样一说,拉拉有些不好意思,她谦虚地说:"我就是混饭吃啦。"

李文华说到正题:"中午我和王宏想请你吃饭。"

王宏和李文华平级,是李斯特手下的薪酬福利经理,李斯特手下,共有四个经理岗位,一个招聘经理,一个薪酬经理,一个行政经理,此外,还有一个分管培训和绩效管理的经理岗位暂时也空缺着没有招到合适的人选。

拉拉笑眯眯地说:"那太好了。今天是什么好日子,有这样的好事。"

李文华说:"嗨! 其实我们俩一直就想一起请你吃饭的。先前不是王宏在忙啥方案就是我在出差,你就更忙,所以这不是一直没找着合适的机会三人聚在一起嘛。"

当天中午三人在"俏江南"吃川菜,王宏点的菜拉拉觉得非常好吃。刚从日本出差回来的王宏,摆出老大哥的架势,不疼不痒又不失友好的关心了拉拉几句。

这王宏乃是成都人,念大学念到上海来了,他年轻轻的时候就不苟言笑,毕业后早早地和一个同到上海念大学的中学同学结婚成家。

王宏的婚姻毫无浪漫可言，但他对太太特别满意，属于生活幸福指数比较高的那类人，他本来不稀罕浪漫，他信仰的是数字和可以用数字衡量的东西。

王宏生得白白胖胖又丰润得当，因为成天遨游于 EXCEL 表格中密密麻麻的数字，和所有的薪酬经理一样，他是个近视眼，戴着副 500 度的近视眼镜，是个很典型的外企 C&B(薪酬福利)经理，他的强项是数字分析。一方面他的技术非常好，而另一方面他衡量人或事的主要标准是数字，有些认死理。他的年龄和李文华不相上下，都是三十五六岁，性格却和李文华迥然不同。

公司里有的部门私下里抱怨王宏呆板，曾经有人恼火了就找李斯特告状，说和王宏沟通有困难。

但是王宏的人际关系并不特别差，因为他这人没有坏心，他反对或者赞成什么事情，通常就是根据他的数字，并没有什么旁的原因。

作为一个三十五六岁的经理，王宏虽然为人死板些，还是明白沟通的重要性的。事实上，这方面的欠缺，不但阻碍了他仕途的进一步发展，甚至让他在职业生涯中摔过大跟头。

痛定思痛，王宏在两年前被李斯特招进 DB 后，就给自己定了两条规矩：第一，他的强项是技术；第二，即使沟通仍然是他的弱项，任何时候，必须注意和李斯特保持良好的沟通，疏忽与任何方面的沟通，也不能疏忽与李斯特的沟通。

这被证明是成功的策略：

第一，人的精力是有限的，当你的精力花在某些方面，意味着同时你放弃了另一些方面。与其花很多精力去把弱项改造成强项，不如把这些精力放在发挥强项上，会有更高的投入产出比。简单说就是人应该"扬长避短"。

第二，人的注意力是有限的，既然做不到面面俱到，就要保证不忽略重点。每个人的业绩是否合格，能力是否优秀，80％甚至更高比例的结论由他的直接主管做出。即使全世界的人都说你好，直接主管认为你有问题，你多半就是有问题了。一言以蔽之，就是你要"保证重点"。

王宏在上述指导方针下，给自己一个非常清晰的职业定位：他干不了更高的职位，他也不愿意干 HR 里别的需要频繁和人打交道的职能，他就老老

实实地干好他的薪酬经理,和数字分析打交道,吃技术饭。

王宏的心态非常对李斯特的胃口,他就需要一个能干好并且安于干好本职的薪酬经理。而王宏也对李斯特的知遇之恩报之以忠心耿耿。

两人合作得十分默契:王宏能干好什么,干不了什么,李斯特心里都明镜似的,总能预先把握得很好;而李斯特最在意什么,王宏也心领神会,绝对保证做好。

王宏之前听到过一星半点关于拉拉逼宫的故事,但是在他一板一眼的思维里,这绝不是符合流程的专业做法。要是这样的故事能有成功的大结局,王宏以为那就不该叫"故事",而该叫"传说"了。

他甚至为此查阅了权威咨询公司翰威特(HEWITT)和美世(MERCER)的最新调研数据,以了解行政经理在市场上的平均任职资历。他看到在上海市场抽取的15个样本中,各跨国公司行政经理的任职资历的平均数据为:年龄大于四十岁,本岗任职年限约五年,本职能任职年限约十年,总工作年资约二十年。

因此他认为,拉拉至少要在目前的岗位再干上三年,才可以考虑其升职,因为DB对行政经理的要求应至少不低于市场平均的水准。

不知道是他忘记了,还是他忽略了,在他查阅了年限方面的相关数据后,他没有查阅典型相关职责方面的资料。就是,他忽略了拉拉会干什么和干过什么关键的工作。

当李文华婉转地把拉拉升职的可能性告诉王宏的时候,王宏既不太相信,也不太往心里去。他觉得果真如此,未免太便宜拉拉了。

21. 要当经理就别想轻松:学习与承压

这日,李斯特找来王宏说:"我和何好德讨论过了,决定升拉拉为行政经理,柯必得也觉得拉拉是很合适的人选。"

他顿了顿又说:"另外,我还找几位部门总监打了招呼,难得他们一致赞成。这个倒有点出乎我的意料,我原以为起码王伟会对升拉拉有保留意见,上次搬家拉拉对他顶撞得挺厉害,呵呵,谁知道他竟一口说拉拉好,比谁都爽快。看来,拉拉的沟通能力还是不错的。"

王宏听了一时反应不过来。

李斯特解释说:"这样也好——既然这个人选他们都赞成,以后新人工作起来,有什么不周到的地方,大家都得担当点。"

李斯特忽然感到自己还得对王宏说点正面的意见,免得好像自己现在同意升拉拉,就是因为觉得:如果拉拉不称职,责任可以由管理层共同承担,而不是他李斯特一个人的错误决定。

他便补充说:"当然,我相信,拉拉能干得很好的。这样,你抓紧帮我填好拉拉的岗位变动申请表,附上她的 job description(岗位职责)吧。"

王宏愣了一愣,问道:"那她的 location(常驻地点)在哪里?"

李斯特说:"广州。关于这点,何好德本人对拉拉做了劝说,她不愿意妥协——就由她吧。"

王宏听老板这么说,就说:"那 JD(岗位职责)就用原来给玫瑰用的那个吧。"

李斯特下面说出的话,让王宏的大脑受到了更大冲击:"不用原来那个了,和玫瑰不同,拉拉的头衔不是'行政经理',而是'人事行政经理'。她的职责,除了对 DB 在华的三十个办事处的行政管理,最重要的变化是,她将负责总部以外的区域 HR 事务,这部分的主要职责是:招聘和员工关系。拉拉下属的主管头衔就像样的由'行政主管'改为'人事行政主管'啦"。

王宏这下真叫"大吃一惊"了,半晌才说:"那报告线是怎么样的?"

李斯特理解这场谈话对王宏是很多的信息,他说:"拉拉直接向我报告,这一点,和玫瑰原来一样。公司将在上海和北京各给她配一个主管,拉拉自己在广州,广州办就不给她设主管了,此外,三大办事处各设两名助理,其余二十七家小办事处设一名和销售部共用的助理。"

王宏冷静想了想,公司愿意让拉拉当"行政经理"还是当"人事行政经理",不关自己的事,自己还是做自己的薪酬福利经理;但是,对李文华这位负责招聘和员工关系的 HR 经理就不同了,职责上讲,等于李文华即使谈不上半壁江山,也起码是三分之一江山给拉拉拿去了。

王宏小心翼翼地问李斯特:"那李文华知道了吗?"

李斯特笑了笑说:"上午刚和他谈过。公司的招聘压力一直很大,他的人手本来就紧,今年的扩招任务更是让他那边雪上加霜了。他几次和我提出要求增加人手,但是,你是知道的,没办法——没有预算。现在,正好利用拉拉的人手,把外围的活帮他做掉。对李文华来说,起码这点上看,是好事嘛。"

王宏想,李文华肯定不爽,虽然眼前的压力是缓解了,长远看,外围区域HR最主要的职责就是招聘,这部分却不向总部的招聘经理报告,这招聘经理心里能是啥好滋味?

王宏一念至此,不由八卦地说:"李文华对这样的安排可能会 upset(不安)的。"

李斯特点点头说:"人总是会本能地去避免变化,不安是正常的反应。我告诉他不要担心,因为拉拉的区域 HR 负责招聘的岗位主要是一线销售人员,其中最高的级别也就是小区经理。高级别的岗位,都集中在总部由他李文华负责招聘。事实上,招一千个工人,不如招一个经理的任务 SENIOR(高级),这个道理是谁都明白的。一句话,李文华做的是招聘工作中最有价值的部分,拉拉只拿掉了招聘中价值最低的部分。"

李斯特说到这里,想到自己在上午的谈话中,是怎么样轻易地就搞定了李文华,不禁有点得意起来。

王宏觉得向来就以"傻干的老黄牛"著称的拉拉简直有点阴险了,原来她不但想当行政经理,还一直想学习 HR。何好德可是个任何人去找他要资源,他就会问你"给你额外的资源你能给公司带来什么额外的利益"的老板。现在拉拉给公司什么"额外的利益"了?

王宏忍不住说:"拉拉从来没有干过 HR 呀!把区域 HR 放给她,会不会有风险呢?"

李斯特说:"当然不能一下全放给她。李文华会马上给她安排相应的培训;我们抓紧给她招的北京办主管,将会是有丰富区域 HR 经验的熟手;目前这两个月,李文华和杰生要先顶着区域 HR 的任务——拉拉必须在两个月内把区域 HR 的工作接起来。"

王宏有些同情李文华,也为拉拉捏了把汗,忍不住又重复了一下自己的担心:"两个月就要上手,拉拉能行吗?"

李斯特的表情,让人觉得,后面都是李文华和杜拉拉的事情,没他李斯特什么事儿了。他耸了耸肩说:"是个严峻的挑战,更是个难得的机遇。在这样的情况下,对拉拉的学习能力和承受压力的能力是有苛刻要求的。我们期待她创造出奇迹——要当经理,就没有轻松日子过咯。"

王宏告退去准备拉拉的 JD(岗位说明书),心里揣着个特别想问又没敢问出口的问题:到底是谁的主意,让拉拉负责区域 HR 呢?何好德?还是李斯特本人?

㉒. 认可须及时

王宏按照李斯特的交待准备好了岗位说明书。到填写岗位变动申请表的时候,他在头衔一栏犹豫了半天。

李斯特当时和他说的是"人事行政经理"。

可是,按照他对李斯特的了解,他认为,李斯特其实想给的是"助理人事行政经理"。

当初玫瑰刚提升的时候,就是先给了"助理经理"的头衔,后来才扶正成"经理"的,何况拉拉这回的头衔里,还加了"人事"二字呢。

作为薪酬经理,王宏非常清楚,多了这"人事"二字,拉拉今后在市场上的身价就高了很多,一个 HR 经理可是要比一个行政经理要贵很多的。

王宏以为:就算是给个"助理人事行政经理"的头衔,拉拉此番也是大大合算了呢!

他想了半天,决定不去和李斯特澄清,就直接在头衔一栏里填了"助理人事经理"。然后,到了"工资变动"栏目。王宏查了查拉拉目前的薪水:6825元。这个数字令王宏多少有些惊讶,他不禁感叹拉拉的确能忍,老李也实在抠门了些。问题是,现在他王宏该提议给拉拉加多少钱呢?

通常,在现有薪资水平正常的情况下,升职加薪的幅度为百分之二十至三十,问题是,拉拉现在的薪资水平明显低于市场行情,按公司规定,被升者

的现有工资特别低而表现特别好的情况下，经总裁特批，可以给予50％的加薪。

王宏知道李斯特加薪很抠门，一般难得见他肯给到百分之三十的上限，若是给高了恐怕他要质疑。何况，王宏本人多少觉得拉拉此番未免太过合算，他不愿意给拉拉加太多钱。

琢磨了半天，他在"建议工资"一栏里填了"8800"。

王宏把表格送去给李斯特，李斯特一看马上说："嗯？王宏，不对呀，头衔不要加'助理'。我们要给拉拉的是'正经理'头衔。"

王宏闹了个大红脸，觉得李斯特看穿了自己不愿意拉拉一下能做到正经理的小心思。

他勉强争辩道："李斯特，会不会一下升得太快了？先让拉拉做一段'助理经理'，也好多个职业上升空间，能鞭策她更加努力进步。等过个一年半载的，要是她干得好，您可以再拿'正经理'的头衔来激励她。"

李斯特连连摇摇头说："认可要及时。认可不及时，鼓励不及时，乃用人管理之大忌。在她最想要的时候给她，才能起到最好的作用，等到她都皮了，你再给她，就不会有现在给的激励效果好了。"

101

王宏落个没趣，只得唯唯称是。

李斯特的指头又滑向那个月薪"8800"，问王宏："非销售类经理，我们的工资底线是多少？"

王宏有点冒汗了，他不知道是今天自己办了糊涂事儿，还是李斯特和平时不一样了，总之，李斯特好像嫌这8800元给得太低了。

王宏收了收神，回答李斯特道："按照公司政策，是九千。"

李斯特沉吟了一下，拉拉怎么说也是要当经理了，这次最好让她彻底满意，免得升也升了，还让她为了工资日后心里不舒坦。

李斯特打定主意，就说："拉拉的月薪就给个整数一万吧。她目前的底薪是低了点，表现又高于新经理的平均水准。送去给何好德特批吧。"

他随手在计算器上算出从6825元到10000元的加薪幅度是百分之四十六，然后把计算器上的数字递给王宏看。

王宏牢牢遵循刚到DB上班的那天给自己立下的规矩：随时保持和李斯

特的良好沟通。

他不再试图解释或者阻挠，马上说："好，我回去把头衔和月薪这两条改好，十分钟后给您送过来。"

李斯特点点头。

㉓. "You deserve it"的两种中文解释

拉拉在广州，李斯特打电话和她说了升职变动的各项内容。

虽然之前李斯特一直对她的要求百般推诿，但是她一下觉得可以理解李斯特的作为了。她甚至想，假如自己是李斯特，马上要退休了，不摸大老板的心思，也不会为一个不愿意到公司规定地点工作的下属破例的。何好德表态后，李斯特主动做了各项安排，尤其在让拉拉承担区域 HR 职责的安排上，令拉拉非常感激。

至于那百分之四十六的加薪幅度，更是大大超出拉拉的期望了。她在感激之余，却不由自主地想起当初李斯特为了动员她接手装修项目，而给她特调的那百分之五。

李斯特在电话的那一头，不知道是猜到拉拉会想些啥，还是因为觉得先前对拉拉太狠了一点，他听到拉拉的道谢，并没有承受下来，而是简单而真诚地说："you deserve it（这是你应得的）。"

李斯特话一出口，忽然想到，当初察觉玫瑰在预算和排期上给自己设下了危险的埋伏，不得已慌慌张张给玫瑰临阵升职加薪，也曾经言不由衷地对玫瑰说过"You deserve it"。

一时，电话两头，两人都有些感慨，不太自在。

拉拉想起何好德说过的："李斯特是个很宽容的老板，他有他的特点。你以后毕竟要向他报告的。"

拉拉决心做好李斯特的经理，让他满意。李斯特也感觉到了拉拉的真诚，再没有比曾心存芥蒂又言归于好更令人松快的了。

在谈到人员安排的时候，拉拉提出升海伦做助理。海伦已经在 DB 广州

办做了7年前台文员,时年27岁,虽然还是没心没肺的脾气,跟着拉拉终究进步了不少,和拉拉又彼此非常熟悉了解,做南区的助理是没问题的,李斯特爽快地同意了。

海伦明显成了拉拉升职的连带利益获得者,广州办有人看到海伦就打趣说:"老没,抖起来了。"

海伦想起拉拉教的要"低调",一本正经地想做谦虚状,结果把大家逗得要笑断气。

拉拉不久就到了上海,跟着李文华学做招聘。她进步很快,样样事办得妥贴,李斯特很满意,常在人前夸奖拉拉。

老李偶然来了兴致也教拉拉两招,她总是心悦诚服,一个头都点不过来了,恨不能多长两个脑袋来强调自己在点头,一面还刷刷地做笔记。李斯特看到拉拉如饥似渴的模样,很是受用。

一个愿意教,一个愿意学,这也是世上乐事之一。一老一少时常逮到机会就对着吹捧,小杜赞叹老李生姜老辣,老李夸奖小杜聪明过人,两人大有相见恨晚之感,却不防一旁有人着了恼。这人暗自咬牙道:总有一天让你李斯特也知道"you deserve it"有两种解释!

原来那英语中的"You deserve it",还真是对应中文里的两种解释——我们中国人表达褒义的时候,就说"名至实归",表达贬义的时候,则说"罪有应得",俗称"活该"又叫"报应";在英语里就不分了,都说个"you deserve it!",大意就是因为你干了什么,然后你因此得到了相应的结果,重在强调个因果关系,都算是"你应得的"。

拉拉仍然时常加班,何好德忙了一天,晚上想起来,就时不时地把拉拉召到他办公室去,问些问题,或者布置些工作,有时候拉拉碰到难事也问问他的意见。

王伟晚上加班碰见两次,看拉拉在何好德房间一坐就是一个小时,而且分明没有到何好德的助理那里预约过。有一回,何好德还在白板上画图给拉拉解说,拉拉仰着个脖子听得全神贯注的模样。

王伟有点不自在,转天酸溜溜地和拉拉说:"你的级别现在很高嘛,享受one on one(一对一授课)待遇。"

103

拉拉装傻道:"主要我太无知,需要多受教导。赶明儿,您老也教我些人生的真谛。"

王伟不满道:"他是管销售的总裁,还是管行政的总裁?总裁的 direct report(直属下级)是总监们嘛,怎么有空不和我们这些总监勾通勾通,倒和你谈得热乎。行政管得再好,能给公司赚回钱来吗?再说了,你有你的总监李斯特辅导呀,他把李斯特抛在一边,自己和你这么多接触,这不是越级嘛!"

拉拉不乐意了,就说:"要不我和他反映反映你的不满意?"

王伟酸意上涌道:"行。你现在挨着老板近,说话方便。"

拉拉气他说:"我是离得近,我比别人努力呀,我 deserve it!"

王伟说:"小样儿。伴君如伴虎,小心 you deserve it!"

拉拉生气了,说:"你的良心大大的坏了,死啦死啦的有!"

24. 教会徒弟饿死师傅

李斯特给李文华和王宏都打了招呼,让他们俩在工作上带带拉拉。

至于细节安排,比如要在多长时间内,达到怎样的阶段培训目标,先学什么后学什么,等等,李斯特当惯了甩手掌柜,根本没有心思去和他们具体地讨论,也不叫他们做个计划给自己看。

这可就苦了拉拉,一个新人,完全没有方向,连提问都不知道怎么提。王宏本来就不愿意教拉拉,李斯特没有向他提出具体的培训目标和要求,他乐得乘机糊弄拉拉。

王宏让手下的专员雷恩给拉拉简单介绍了一下区域 HR 负责招聘的岗位的薪酬结构,还有就是公司的基本福利制度,不过个把小时,算完成了薪酬部分对拉拉的培训。

雷恩讲完,客气地问拉拉有什么需要他进一步解答的地方,拉拉刚接触HR,问题也无从提起,勉强问了几个问题,雷恩事先得到王宏的授意,都回答说是属于保密的内容,没法告诉她,末了,拉拉只得说暂时没有问题。

恰巧公司上新的 HR 系统 CITYRAY,拉拉很想学,就问负责这个项目

的王宏,什么时候能安排供应商来做培训。

王宏小气地说:"拉拉,这个系统是你平时工作中用不到的,基本就和你的工作无关,你不用学了。"一句话把拉拉挡在门外,拉拉心里很不舒服,又不好多说什么。

自从拉拉提起来做经理后,她越是着急学习 HR 的知识,王宏就越是对她防卫,特别是碰到她想学薪酬福利相关内容的时候,王宏抑制不住的反感。

王宏加入 DB 前,大部分时间在中小公司工作,成长得比较艰辛,过去他想向同行学一点东西都不容易,人家别说主动教他,不想法阻挠他学就算不错了。现在这个拉拉倒好,今天问这个,明天问那个,好像教她 HR 是别的 HR 经理应尽的工作职责一样,全不懂规矩,教会徒弟,饿死师傅不成吗?

王宏觉得,李文华就是个现成的例子,现在他成天带着拉拉做招聘,过几个月,拉拉上手了就要抢他地盘了。虽说薪酬福利部分不是一年半载就能上手的,王宏就是不愿意教拉拉,他总是无法自我排遣地觉得,杜拉拉忽然被提升为人事行政经理真是太便宜她了,也是对别的一步一步上来的 HR 经理的不公平,为什么他王宏还要为她的个人成长添砖加瓦呢!

因此,拉拉提出来想了解公司的新 HR 系统软件后,王宏马上私下里交待手下的专员雷恩说:"不需要把系统的权限放给区域 HR,否则会有太多人可以进入系统,对系统的维护不好。拉拉的团队以后遇到任何从系统里调资料或者往系统里输资料的需求,必须填写单子交给你,经我批准后,一概由你这边办理。"

雷恩为难地说:"那样的话,我们这边的工作量可能会比较大。"

王宏哼哼唧唧地说:"我宁可去劳务公司给你雇个临时工来,只要嘴巴严,会电脑录入就行了嘛,这样的人便宜得很。"

李文华那头,对拉拉也没有具体的培训方案,好在拉拉为人并不惹李文华反感,顺便教教她,对李文华来说是无所谓的事情。

拉拉感觉到李文华不像王宏那么对自己抱有戒心,就请教他,自己现在想接受个系统的 HR 培训,该选什么课程好。

李文华给了她一个良心的建议,他说国家社会劳动保障部每年举行两次人力资源专业人员的资格考试,针对这些考试的培训就很适合她。

拉拉向李斯特提出要参加这个培训。李斯特并不认为这个培训有多大用处,他说:"拉拉,事实上,只有10％的知识是你能从培训课程中获得的,还有大约20％则来自于向有经验者的学习,剩下的70％都来自于 on job train-ning(实践中学习)。这个统计数字说明,实践才是最重要的学习渠道,这也是为什么我们招聘的时候,最着重考察的是应聘者的工作经历的原因。"

说归说,既然拉拉想去参加,李斯特就爽快地批了费用。

拉拉内心深处,就算是对李文华的贡献也并不满意,她看得出来,李文华对她的指点,更多的是顺便性质,而谈不上系统有机的安排。她决定假借感谢为名,既是激励一下两位 peers(同级),也是为了给他们更多的压力,以索取更多帮助。

为了区分王宏和李文华对她成长的贡献,也为了鞭策王宏,并让李斯特了解自己的进展,拉拉做了一个总结报告,用邮件发送给李斯特,同时抄送给了王宏和李文华。

拉拉利用一个简洁的表格来做这个总结报告,表格中分为四项内容:受训目的,受训内容,facilitater(帮助、促进者),效果及进程。简而言之,就是谁教会了她一些什么。

拉拉清楚,这个报告一出,肯定就得罪王宏了,可要是王宏不肯出力帮助她,甚至处处阻挠她的学习,她觉得害处就更大。

李斯特一看这个报告,就明白了两点:一是拉拉进步神速;二是王宏基本没有搭理拉拉。

他为拉拉的聪明暗自点头,也对王宏的防御感到有点好笑。同时,他觉得拉拉这份报告,在对待王宏上,有点咄咄逼人的味道了。

做老虎的去较真是狼偷懒,还是狐狸卖力,就不是会做大王的了。李斯特深谙此道,并没有具体地对手下几个经理的作为加以点评,只是笼统地表扬了大家的团队合作。

王宏有点尴尬。不过既然李斯特并没有给他压力,他便哼哼哈哈扮大舌头,胡乱赞了拉拉两句,继续装傻到底,拉拉这个报告基本白抽了王宏两鞭子,他觉得该怎么着还是怎么着。拉拉无奈,想起李斯特和她说过,70％的知识和经验是在实践中获得的,少不得只好多靠自己了。

这天李文华给市场销售市场部招一个产品经理,拉拉在一旁跟着学习。他们共见了四位应聘者,最后李文华选中两位准备推荐给用人部门进行下一轮面试。

拉拉注意到李文华给两人分别做了个记号,她好奇地问李文华,估计用人部门会选中哪一个?李文华说 B。

在拉拉看来,A 比 B 更优秀些,她不解地问李文华为什么是 B 而不是 A?

李文华说,A 和 B 都算吻合岗位要求,他觉得最后可能是选 B,是因为根据他对用人部门经理性格的了解,他觉得 B 和该经理的配合度会更好。

拉拉疑惑道:"我还以为招聘时,主要考虑应聘者和岗位要求的匹配呢。"

李文华指点道:"除了和岗位要求相匹配,应聘者和直接主管的匹配也很重要。有的应聘者完全能胜任岗位要求,但是和直接主管的个性很不匹配,最后往往干不下去的。比如资深强势的经理,往往希望招实力强的人进来,你就不要给他找能力一般的人来;有的经理喜欢管得特别细致,你就不要给他找一个不喜欢主管把自己管得很死很细的人,否则以后上下级之间会有矛盾;比如一个经理是急性子,你就别给他找一个动作很慢的人;又比如不少新被提拔的经理,招人的时候会很在意他是否能控制住这个人,所以往往希望用老实听话的,你若给他招一个能干的但是有脾气的,他们很可能会合不来。"

拉拉说:"那他本来自己就是个新经理,再配给他一堆老实的新人,到时候完成不了任务,怎么办?"

李文华说:"这就要看他带的团队目前的状况了,如果他的团队里已经很多新人了,就要劝劝这位经理,都是老实听话又没经验的新人,谁来完成任务呢?任务完不成,最后他自己也坐不住这个经理的位置了。"

拉拉佩服地说:"明白啦,文华你真行。"

李文华笑笑说:"我都皮了,就这样了。还是拉拉你有激情,能出成就的。自从升了你,杰生和我说,能不能向李斯特要求把他升成高级专员——我就告诉他,人家拉拉可是何好德'钦点'的,指望李斯特就别想了。"

他讲的是大实话,拉拉不知怎么接口好,只得打个哈哈。

李文华人称"笑面虎",平时很会做人,谁的坏话也不讲,拉拉不明白他今天这么公然批评李斯特是什么意思。

李文华一面收拾电脑一面道:"忙活了一天,拉拉我请你吃饭吧。"

拉拉连忙说:"今天我请你,这一段辛苦你教了我这许多。"

李文华说:"拉拉,教你我情愿呀。"

饭桌上,李文华说:"拉拉呀,我真是干得没啥意思。有啥困难去找老李,从来得不到他的帮助,弄不好反而还训你一顿,我现在有多大的困难都不去找他,自己想办法解决吧。他只重视薪酬那一块,王宏就像是他的儿子,他就是王宏的老子。拉拉,你再干得久一点,就明白我的话了。"

李文华动了气,说话也不像平时那么有条理了,杂七夹八,数落了李斯特一堆的不是。

拉拉不好发表意见,干坐着,好在李文华也不要她的意见,他说:"有事情需要和大老板交涉的时候,老李向来能躲就躲,自己不出面,却推手下的经理去找何好德、柯必得交涉。做他的经理,这种为难的事情少不了的啦!"

拉拉不敢接茬,为掩饰尴尬,只有给李文华倒酒。李文华一杯下肚,继续道:"我们这老李还有个特点,按职责明明该由他做决定的事情,总要让手下的经理去找其他不相干的总监们,一圈儿地挨个去问人家的意见,最后得出个集体的决定,老准备着万一出错,好说不是他老李一个人的意思——所以了,做他的经理能不身心疲惫吗!"

拉拉一面听李文华数落李斯特,一面琢磨李文华不是白和自己说这些的,她干脆直接问道:"文华,你有什么打算吧?"

李文华笑笑说:"我能有什么打算。跟老李一样,混着呗。说起来,谁都没有老李混得凶。"

和李文华分手后,拉拉看看表,已经是晚上10点多了,她慢慢朝路口走去,准备拦部的士回酒店。

一辆黑色的奥迪A6从她身边经过,她下意识地瞥了司机一眼,车速很慢,路灯昏暗的光线中也能看出那是个美女,留着一头卷曲的长发。

拉拉没在意,等车过去了,她忽然意识到:那是王伟的车!

王伟这两天回北京去了,他的车能是谁在开呢?

拉拉冲动地拿出手机拨通王伟的号码,王伟刚"喂"了一声,她却猛然明

白过来那美女是谁了,她立刻挂断了电话,一时心脏嘭嘭跳得厉害。

王伟马上打了回来,拉拉看着手机屏幕上闪着"王伟"的字样,犹豫了十秒,才接听。

王伟说:"刚才你打我电话?"

拉拉胡诌道:"不小心拨错了。不好意思。"

王伟也没在意,只说:"怎么不吭声就挂了?"

拉拉信口说:"我看挺晚的了,怕吵着你。"

王伟关心地问:"你还没回酒店?"

拉拉说:"正准备回。"

王伟像交待小孩儿一样的口气说:"下了班早点回酒店吧,别老在办公室里泡着。"

拉拉嗯嗯着。

王伟怀疑道:"不是何好德又给你上 one on one 了吧?"

拉拉一阵心乱,打断他道:"有车来了,我得上车了。"

王伟说:"行,那你到酒店再打给我吧。"

拉拉哼哼哈哈地收了线。

王伟估摸着拉拉该到酒店了,算计了一下她洗澡的时间,又等了好半天却不见拉拉打回来,他便打回去,她已经关机了。王伟犹豫了一下,决定往拉拉房间里打电话,但是酒店总机告诉他说客人吩咐要休息了,不让接任何电话进去。

王伟只得作罢,心里揣着个疑团:他不信拉拉说的打错号码,那么她是有什么事要找他? 为什么后来又不肯说了呢?

25. 老板你应该清楚我为啥要走

李斯特把李文华叫来说:"我上回看到拉拉的总结里提到她参加了几个经理级别的招聘,这类招聘她现在参与还为时过早,她不比你是干了多年的 HR 经理,再聪明用心,毕竟是新人。"

他看李文华专注地听着没有任何表示，又接着说："经理的招聘还是都由你做吧，拉拉可以去跟着学习，可最多也就是在旁边跟着看看你是怎么做的，不要让她参与发问，不然用人部门要有意见的。"

李文华听明白李斯特这番交待，中心意思是区分自己和拉拉的数量级，其实是在对自己示好。他笑了笑说："拉拉很聪明得体的，不用交待，她知道什么场合说什么话做什么事，很多部门的头都很喜欢她。"

李斯特说："那就好那就好。你给了她很多指导和帮助，我从她的总结报告中看得出来。"

李斯特一提拉拉的总结报告，李文华忍不住扑哧笑出声来："拉拉才不满足我的那点指导呢，她写那个的目的是要求我给予更多啦。"

李斯特也笑了："她也是为了给王宏一点压力。"

两人说笑了一会，李斯特告诉李文华，CEO乔治访华后，董事会通过了对中国扩大投资的战略，新的扩张计划已经大致获得了亚太区的认可，定名为"聚焦中国"，这个计划正在根据亚太区的意见做细节上的修改，一旦正式获得通过，HR就要马上做出相应的招聘计划以支持组织架构的变化。

李文华认真地看着李斯特展示给他的组织架构图，一个很大的工作量将要落到招聘团队身上，除了拉拉负责的一线销售人员的招聘外，李文华在总部需要完成好些个重要岗位的招聘，这些岗位的招聘难度会不小，难怪老李对自己态度这么好。李文华看明白形势，目光炯炯地点点头。

李斯特本来担心李文华会向他叫苦，看到他状态不错，心里很高兴。外有天字第一号能干活的著名的"倔驴"杜拉拉（其实这几个月李斯特自己已经给拉拉的"倔驴"形象平了反，但是一兴奋就改不了口，暗自还是管拉拉叫"倔驴"更琅琅上口），内有"笑面虎"李文华，今年招聘这个难题，他老李有信心拿下。

当天李斯特和自己的几个经理开会，做了"聚焦中国"计划初稿的介绍，好让他们各人对自己的任务有个思想准备。

第二天，李文华太太打电话到公司说他急性肠胃炎不能来上班。李斯特经历过玫瑰和拉拉的装病，警惕性高了很多，他马上想到李文华怕是在装病，一种不祥的预感袭上他的心头。

过了几天,李文华说是病好了,红光满面地来上班,一进公司就去敲李斯特的门,递交了辞呈。

李斯特这一年多里都被经理们这招给玩习惯了,李文华病假的几天里他又复习了一遍玫瑰故事,对他来说,这份辞职报告基本算没有悬念了。好歹李文华是个男经理,不能假装怀孕或者流产,还算干脆,李斯特自我安慰着。

拉拉闻听此事,马上找到李斯特说:"老板,文华下面现在最能干的专员就是杰生了,咱们抓紧马上把杰生升作高级专员吧?再给多加些工资?不然,要是他现在也要走,咱们就麻烦大了。"

李斯特点点头道:"是的,我马上和杰生谈谈,我们现在需要保留好他。"

杰生晚上在家洗好澡,太太和他说:"刚才李文华打电话来找你。"

杰生答应一声,没说什么。

太太奇怪地问:"李文华想干吗?"

111

杰生说:"还能想干吗,给我介绍工作呗。"

"你想跳槽吗?"闻听此言,太太不由关注了起来。

杰生淡淡地说:"今天老李找我谈话了,说要升我做高级专员,还要加薪。"

太太说:"那你有什么打算?"

杰生说:"我早就该是高级专员了,就算他不升我,我在上海市场也不难找个高级专员的位置做。就看他给我加多少钱了。"

太太担心地说:"人家都说你的经理李文华是个笑面虎,你和他说话还是要小心些。"

杰生说:"他马上就要离开 DB 了,今天已经交了辞职报告。我都混到这份上了,还怕啥!和我开空头支票没用,就看谁给的职位更好、出的工资更高了。我可是每个月等钱要还银行房贷款的。"

太太愣了一愣,问道:"李斯特说要给你加多少钱?"

杰生嘲笑道:"他一提钱,就好像衣服里有跳蚤一样,浑身不自在,叽咕了半天,也没爽快说出一个具体数字,谁知道他打算加多少——反正我等着,他这几天就会发沟通信给我,这次起码得给我加两千块,总数再不过八千,咱们就拜拜。"

太太说:"那要是他真给了你八千呢?"

杰生沉默了一下,说:"我再也不想傻干了,我越卖力他越觉得我傻。我要对比看看李文华给我的是个啥样的职位再说。"

杰生太太说:"李文华已经辞职了,要是你再跟着马上走,不是要了老李的命吗?"

杰生愤愤地说:"他这个做老板的向来怎么对我的,自己心里应该最清楚了,我走是迟早的事情!"

调薪勾沟通信交到杰生手里,他展开看看:加薪 500 元。

他随手把信塞进碎纸机给碎了。

拉拉追问李斯特:"杰生怎么样了?"

李斯特胸有成竹地说:"他笑眯眯的,没说什么,问题不大吧。"

拉拉素来知道老李给人加工资的那个小气劲儿,她很想追问他到底给杰生加了多少钱,最终没好意思问。

过了不到一个月,等李文华一离开 DB,杰生不紧不慢地也交了辞呈,投奔李文华去了。

李斯特无奈,把李文华的活分成两块,一半命拉拉领走,剩下一半塞给了王宏。王宏做惯了薪酬福利,冷不丁要他做招聘,半天出不了活,李斯特只好自己也动手做一些。

遇到总部有员工关系的案子,这是王宏的弱项,他干不了这样的活,非让他和员工去谈话,谈到最后有时候他竟和员工吵起架来,李斯特眼见得由王宏处理员工关系问题不是个事,问题让他给越处理越大了,李斯特只好自己把这类活全揽下来,血压都升高了。

李斯特催着猎头抓紧给他物色新经理的人选,挑来挑去,看了不少人,感觉都比不上李文华。看看一拖就四个多月过去了,拉拉做得辛苦,心态还行;王宏嘴上没说什么,却疲态已现。本来由着李斯特的性子,找这个经理挑上半年不出奇,只是这次他自己也背着活感觉挺烦,又担心王宏有意见,只好凑合着选了两个人出来,送到何好德那里,马上给枪毙了。何好德顺便又问了问李斯特招聘进展,李斯特回到自己办公室马上服了一片降压药。

26. 上下级之间的匹配

李文华离开之前为拉拉的北京办主管职位找了两个人选,李斯特正巧到北京出差,就先面试了这两人,觉得都还值得考虑,便让拉拉自己上北京看看,挑一个。

拉拉看过两份简历,问李斯特:"您觉得这两人都有些啥特点? 哪个更合适?"

李斯特说:"我先不说我的看法,免得影响你的观点。等你把两人都见过了,我们再碰一碰意见。"

拉拉见了第一个,觉得对方有点婆婆妈妈,节奏偏慢,说话做事的重点不够突出,就不太想要。

再见第二个,这人叫周亮,30 出头,一副精干的模样,言谈举止专业得体,有着北京小伙子特有的客气里藏着股傲慢的劲儿,看简历原先在 ICI 做过人事行政主管,目前在一家不知名的印度 IT 公司做人事经理。

拉拉上来就问他:"为什么要应聘现在这个岗位?"

周亮老实回说因为想做 HR 经理,年初跳槽到了这家 IT 公司,谁知道压根儿没法接受那儿的企业文化。这一折腾,吃尽郁闷,也算是明白了自己不适合在小公司发展,如今只想重新回到专业的大公司,老实做个主管。

拉拉想,这也好,吃过苦头,有过比较,才会珍惜这个职位,免得心气劲儿太高,不好满足。

再问了问有 8 年的招聘和行政经验,这正是她需要的。

尤其周亮说起话来一二三四,条理清晰,很对拉拉的胃口。

拉拉想了想,问他:"你是急性子还是慢性子?"

周亮说:"有点急吧。"

拉拉听了比较中意,她的团队现在工作量不轻,急性子才能手脚麻利地把活做出来。

拉拉便打定主意用他。

113

她当即打电话给李斯特,也不探问一下老板的意思,就直通通地说明了自己的倾向。

李斯特本心觉得另一个应聘者更合适,既然拉拉自己想要周亮,他也就不想太过干预她的决定。

他想起自己在面试中隐约感觉到,周亮客气中藏着股自视甚高的劲儿,又有八年招聘经验,他担心拉拉以后驾驭不了这个主管。

李斯特决定还是提醒一下拉拉,就婉转道:"我们北京办的几位经理都比较有个性,你觉得周亮和他们以后相处会不会有问题?"

拉拉说:"我问过他以往处理这类关系的经历,觉得人情世故方面他还是老练的,新近又在职业发展上吃亏摔了跟头,应该会更谨慎的,所以问题不大吧。"

李斯特估计,这个人选就算不够理想,也不至于错到哪里去。而招来的人毕竟以后是向拉拉报告的,拉拉作为直接主管,她觉得合适更重要。退一步来说,就算这次招得不够理想,也要让拉拉自己在实践中感受才能进步得更快。

李斯特打定主意,就问拉拉:"你想给他多少钱?"

拉拉说:"他要七千,我想给七千二,加强一下他的满意度,让他一开始就有个好的感觉,安心在这儿好好干。"

李斯特说:"应该没什么问题,你和王宏沟通一下,他也 OK 的话,就出 OFFER(聘用意向书)吧。"

DB 很快出了 OFFER 给周亮,周亮看给的价钱比自己要的略高,果然比较高兴。他马上打电话给拉拉,表示自己会如约抓紧到 DB 报到。拉拉以为他会因为工资的事情道声谢,结果他没提这事儿。

拉拉的上海办主管也招了好几个月了,她在两百多份简历中选来选去,挑花了眼。

李斯特看她自己也干得很累,就提醒她,一个主管的位置不该招那么久,当断则断了。

后来,李斯特和拉拉说,给她物色了一个人选,应该不错的,建议她见一见。

这是个二十七八岁的上海女孩,皮肤白嫩得像透明一样,仿佛可以看见皮肤下面的血管和骨骼,她的个子又高又瘦,即使是坐在那里,也看得出有一米七上下。不像一般的上海女孩那样善于着装,她的穿着十分复杂,一件长一件短的套了好多层,来面试,却穿了双头已经踢破了表皮的皮鞋,这鞋有着粗大笨重的后跟,完全不像上海市面上能买到的货色。她草草地扎着一个马尾,头发非常长,估计放下来能到腰间,但是养得并不好,头顶有点毛。一双眼睛大得和赵薇有得一拼。她见了拉拉,不像一般的应聘者那样客气礼貌,而是酷酷地坐在那里不动,等拉拉笑着问候她,她才回答,脸上没有一点笑模样。

拉拉马上不喜欢她,因为觉得她对自己没有一点客气的意思,而且,她的着装也令拉拉觉得怪异。

拉拉对对方没有好感,她在面试中表面十分客气,提的问题却条条刁钻,暗藏杀机。

115

拉拉先问了女孩现公司办公室的人数和面积、以及其中有自己独立办公室级别的员工的人数,又问了十分钟无关痛痒的问题。

之后,拉拉忽然话锋一转,袭击她道:"你们用什么型号的交换机?"

通常,很多人能说出牌子,但不见得能答得出型号,拉拉想借此判断对方对交换机的熟悉程度。

女孩酷酷地回答说:"NEC7400。"

拉拉追问道:"目前有多少个机柜? 模拟板和数字板各多少块?"

女孩简单明了地一一报出数字给她。

拉拉心里核算了一下,和开始她说的员工人数、级别比例都是吻合的。

拉拉有意把人数的问题放在面试开头,做为一般性的概况来了解,试图不让对方警觉到后面的一切回答都要和人数、面积等对得上号。这样,即使她有专业知识,假如目前没有亲手在经管,或者脑子不是那么清醒、对工作内容不是足够熟悉,回答中就很容易出破绽。但是这个女孩显然又懂行反应又快。

拉拉又问她:"你们使用什么型号的复印机,有多少台?"

女孩说话一直很简短,回答这个问题时她的嘴唇微微上翘,给人感觉她简直不屑回答这样弱智的问题。

拉拉假装没有注意到她的表情,忍着气问下一个问题:"你们部门每年做预算,你是否参与?"

女孩说:"我在目前公司服务了三年,有两年的部门预算都是我负责的。"

既然应聘者对这点表示了空前的自信,拉拉少不得照一般的面试技巧表扬了她一下说:"看来,你的总监很信任你,你一定做得非常好。"

女孩没有一点笑意地说:"我能做出让他满意的活,他当然信任我。"

拉拉心说,你是来面试的吗? 这个态度! 一面还是继续微笑着发问道:"你今年做预算的时候,给复印机的维修费和易耗品准备了多少钱?"

女孩揭发说:"其实上一个问题和这一个问题,是在问同一个问题,易耗品会用多少钱,除了要了解易耗品的大致单价外,还和办公人数相关;多少台复印机也和办公人数相关;维修费的预算则和机器目前的使用年限紧密相联,我这6台佳能的复印机中,已使用年限分别是2台1年,2台2年,2台3年——这个问题你还没有问,我想你接下来总要问的。"

接着,她轻松地把拉拉要的数字报给拉拉,当然回答得门儿清,让拉拉没话讲,白被她揭发得有点狼狈。

拉拉稳了稳自己的心神,继续考问了几个和装修有关的大问题,女孩不单给予完美答复,而且总结说:"我觉得没有做过大装修项目的行政,就算不上大公司的专业行政,这是行政的头一项硬功夫。"

拉拉见她说出如此内行的话,觉得再考行政的专业内容没有必要了,就换了个问话方向,请她评价自己的人际关系。

拉拉内心相信,这个人的人际关系绝对好不了,她想看看女孩怎么自我评价。

女孩不慌不忙地说:"人际关系怎么才算好,在不同的公司文化下有不同的诠释。比如我现在的公司,文化非常强悍,能让他人和你合作,你的人际关系得分就是高分。我前面介绍过我负责的装修项目,这样的项目中需要各部门和行政部的充分配合——我把这个项目做得非常好,正因为如此,我才能回答好前面那些和装修相关的问题,这个项目也证明了我在现公司中有非常有效的人际关系。"

先不提是歪理还是正理,拉拉听了不由得佩服她小小年纪就能有这么一套自成体系的说辞,起码脑子好用是没得说。她追问道:"不同公司的确有不同的

文化,你现在的公司是欧洲公司,而DB是一家典型的美国公司,你怎么保证你现在强悍的公司文化下有效的人际关系,延续成到DB后良好的人际关系呢?"

女孩修正拉拉的逻辑说:"那您已经不是在问人际关系的问题了,这是关于'适应能力'的问题,我可以给您一个例子,证明我的适应能力。"

结果一个小时面试下来,拉拉却挑不出对方答得不好的地方,应该说,这是拉拉这几个月见过的该职位所有应聘者中最熟悉本岗专业内容的人了,她让拉拉不爽,但不爽的原因还摆不到台面上对李斯特讲。

拉拉想了想,安排她做了公司规定的数理逻辑测试题,得分非常高,单从这个测试结果看,她比拉拉本人的反应要快不少。拉拉不由得有些压力。

拉拉去找李斯特,不知道怎么说好,她不好意思说自己不喜欢这个人因为怕她以后不服自己。最后她婉转地和李斯特说,对这女孩的人际关系有顾虑,担心以后和各部门关系处不好。

拉拉一面说,想起李文华曾和她谈论过应聘者和直接经理之间匹配度的问题,其中说到新被提拔的经理往往会很重视是否能控制住下属,因而喜欢招些老实听话的人——拉拉不由得有些心虚。

李斯特问她是否在面试过程中观察到人际关系有问题的实例,拉拉答不上来。

李斯特就劝说道:"这个女孩非常聪明,潜力应该不错的,她的专业经验也不错,也许还有我们还不确定的问题,不过这个位置我们已经招了好几个月了,应该做决定了。反正还有三个月的试用期嘛,如果她确实不行,让她走也是分分钟的事。"

拉拉听了最后一句,只得点头。

这女孩叫帕米拉。

帕米拉上任上海办行政主管后,把下属的助理麦琪等人收拾得体无完肤。麦琪天性颇有些桀骜不驯,奋起反抗。

但帕米拉有的是办法,她规定麦琪每天一上班先写好当天的工作报告交到她手上,下班前先拿着当日的工作计划来找她,报告当天的执行情况,她认为没问题了,才放人。

帕米拉在五一长假前三天突然布置了清理公司仓库的任务给麦琪,要她五一加班。麦琪已经预备好了五一长假出去旅游,不肯加班。

帕米拉悠哉悠哉道:"那没问题,你五一前能做完,五一就不用来加班。做不出来,就加班。你自己决定。"

麦琪气得要晕死过去,那个仓库不小,好些部门共用着,要清理,势必要和各个使用部门的助理挨个盘点核对库中的货品,还需要物业的协助,五一不加班又要把活做出来,是根本不可能的事情。

麦琪和帕米拉争辩道:"就算我五一加班,其他部门的助理们也不肯来加班的呀。她们不加班,我们怎么动他们部门的东西? 少了就麻烦了"

帕米拉阴阳怪气地说:"你在节前有三天时间和各部门的助理先协调清点嘛,清点后让他们在清单上签个字,五一就可以按清点好的数字来搬动整理了。为什么非要人家在场才能整理货品呢?"

麦琪压着火说:"又不是货物已经没地方放了,清理仓库有那么紧急吗?为什么非要这么快做完?"

帕米拉悠闲地甩着手中的笔说:"有那么紧急。我不需要向你解释我的每一个决定。"

麦琪一阵胸闷,活生生地给憋回去了。

拉拉这时候来了上海,她让帕米拉安排些会议设备,帕米拉回说没有这些设备。

拉拉反问她:"你怎么知道没有?"

帕米拉说:"麦琪说的。"

拉拉很奇怪,因为这些设备是上两个月刚盘点过的,麦琪很清楚摆放在什么地方,怎么轻易就说没有呢。

拉拉说:"你再问她一遍。"

帕米拉跑去问了,回来说:"是没有。"

拉拉生气了,说:"我们一起开个会,叫上麦琪。"

人到齐,拉拉劈头就问麦琪:"你不知道我们有哪些设备吗?"

麦琪哭丧着脸说:"知道。"

拉拉严厉地问:"那你为什么告诉你的主管没有这些设备?"

麦琪一梗脖子,直愣愣地说:"我都安排好了五一出去旅游,她事先根本

没有打招呼,忽然要我五一加班干活。我不愿意,她就非让我五一前就把活都干出来。那么多活,我五一前就是不睡觉也干不出来。这些活又不是非需要在五一前干完的。她这是在修理我!"

拉拉诧异地问:"什么活?"

帕米拉一脸尴尬,白白的脸上有点发青。麦琪竹筒倒豆子,把清理仓库的事情说了一遍。

拉拉听明白,心里对帕米拉很恼火。她压着气,对麦琪说:"你对这个安排有意见,可以正面地提出来,下次不要在另外的事情上胡搞。先出去吧。"

麦琪出去后,拉拉对帕米拉说:"这么些活,你自己能在三天里完成吗?"

帕米拉尴尬地摇摇头。

拉拉严厉地说:"如果你不能,那她也不能。为什么要故意这样安排呢?如果工作确实需要员工五一长假加班,应该提早和她商量,何况这事儿我也看不出来为什么非要在五一期间完成不可。"

帕米拉狡辩说:"麦琪的工作态度很不好,我是在帮她改正。"

拉拉说:"她态度不好,你可以正面辅导她,而不是修理她。"

帕米拉站起来,一米七的身高衬得拉拉特别矮,她似笑非笑的看着拉拉的眼睛说:"拉拉,我需要你的支持呀。你是我的老板,你不支持我,我怎么工作得下去呢?"

拉拉一听,这还给扣上帽子了,不由怒从心头起恶向胆边生,也不冷不热地说:"我当然会支持你的工作,可你不能修理你的下属,这不符合我们公司的文化,我们要公平地对待每一位员工,要尊重人。"

帕米拉很不高兴,拉拉也很不高兴。

转头两人核对帕米拉的功课,发现她光顾着修理麦琪们了,不留神把自己的功课给拉下了一大截。

拉拉心里动了炒人的念头,马上和帕米拉说:"这样,你来了一个月了,我们一起做第一个月的总结。"

拉拉打开手提电脑,找出帕米拉刚上班时,自己交待给她的功课。这个文件当时拉拉用公司的电子邮件发给帕米拉了。

她一项一项地说出帕米拉没有去做的工作,帕米拉没有话讲。拉拉当场在电脑上打出备忘录,在第一封邮件的基础上,又把第二封邮件发给帕米拉,并抄送给了自己的上司李斯特。

帕米拉属于世界上 IQ 最高的人群,她一看拉拉全部用书面的形式和自己交涉,并抄送给李斯特,马上就明白拉拉这是想找时机在试用期内干掉自己。

她睁大了无辜的双眼盯着电脑屏幕,用合作的声调保证说自己会在第二个月彻底改进。

27. 在狮子和老虎之间游走

何好德出差回到上海,助理抱来厚厚一叠等他签字的报销单据,他翻了翻其中威海办事处的单子,十分不满意:威海办上个季度的销售额排在全国最后一名,生意做得不怎么样,办公费用却照花。

这个问题是何好德的一个心病,不单是威海办,还有好几个小办事处,都是报销的时候,也不看看自己的销售任务完成得怎么样的。何好德觉得,花钱没问题,你得给我产出呀,那些没有足够产出的城市,你就不要设置办事处了。

何好德找柯必得和李斯特开会,讨论办事处设置问题。

何好德先提出,DB 现在在中国境内的小办事处有将近三十个——最小的,不过 10 来个员工,就弄个地方办公。主要都是各销售团队的一线销售人员在使用这些办公室。平常大家都在外面跑,客户也基本不进我们的办事处,办公室就成了大家开开周会的地方了。其实要开会,到外面租个地方开会就行了,动不动就搞个办事处在那里,是否有必要?

说起柯必得,确实天生是个管财务的料,但凡有部门朝他要钱,就像要割他的肉一样。即使明摆着必须花的钱,就算你手上有预算,也符合公司的政策,他仍然会让你提交各色分析。分析报告交给他后,他不说行,又不说不行,也不着急研你的报告,而会再提很多问题,然后要求你做出进一步的分析报告。

要完成他要求的分析报告,往往得做很多功课,而这些功课对于非财务专业的人来说,都是些痛苦的活计。等到他实在没话好阻挡你后,才批费用,

120

这期间，三个月就轻易地过去了。总之，谁也别想爽快地从柯必得那里得到一个子儿，偏巧他正是犹太人的后裔，公司里的人便私下里管他叫"老葛"，出处自然是巴尔扎克的"葛朗台"，意思说他和守财奴有的一拼。

要是谁和老葛说啥能 cost saving（节省开支）的事儿，他马上会眼睛一亮，笑意盎然，巴不得把脚和手都举起来赞成，特别可爱的样子。

如果能关闭部分办事处，起码租金、水电、物业什么的能省出一块；电脑、复印机、打印机、家具、装修等一系列的固定资产都跟着省；而且，人都HOME BASE（指没有办公室后，员工在家中办公）了，原先的前台文员也就没必要保留了，又可以省出人头给销售团队用。柯必得身未动心已动：能省钱呀！他马上附和何好德的观点。

李斯特也赞成。他知道由于在各小办事处没有设置全职的专业行政人员，销售部的小区经理们又不熟悉政府事务，因此工商登记证税务证这一摊子，有些办事处也是办得七零八落，执照忘记延期被罚款什么的屡见不鲜。有时候小区经理换人了，忘记交接这一方面的内容，结果后手说他从来没有见过工商登记证的事情也是有的。再有，就是公章的管理很成问题，曾经有小区经理手上拿着公章乱盖，给公司惹下麻烦就跑了。因此，李斯特主要是站在规避公司风险的立场上考虑，赞成关闭部分办事处。

关于关闭部分生产力不够高的小办事处的大方向，在三人之间达成一致。那么，关闭哪些办事处？怎么个步骤？关闭后会有什么问题？怎么解决？谁来牵头做这个项目？

都知道这是个吃力不讨好的活儿，各销售团队是办事处的利益既得者，销售总监们肯定会一致表示反对，公司的生意还要靠他们做，怎么去说服他们？

他们都明白，这个决定会牵涉到好几个部门，影响到各地的几百号员工，在 DB 这样一个庞大的组织中，要做下来这样的项目，项目负责人得身心投入干上五六个月，这就算是不慢的了。

柯必得马上推给李斯特，他信口列了三条理由道："李斯特，政府要求的各项执照都是你的部门负责和各办事处协调的；公章管理也是由你们负责的；你 HR 又管着人头，各办事处的经理你们都熟悉，联系起来方便——就你

121

的部门来牵头吧。"

李斯特是老狐狸,自然不愿意接这个烫手的山芋,他不好公然和"老葛"同学对着干,可是也并不怕管财务的副总裁,他又不是销售部的头——在DB,销售和市场部是老大,一天到晚牛哄哄的,因为他们是给公司赚钱的部门,可销售市场碰到财神爷就低声下气了;但HR的预算是清水,死板板的,李斯特又不归"老葛"管。

李斯特不紧不慢地说:"这关闭哪些办事处不关闭哪些,需要制定出很清楚的游戏规则,不然会受到销售部的挑战。要做这个决定,会牵扯到很多历史数据的提供。可以预见,关闭后,会有很多变化,对费用的冲击是最明显的一块,能省下哪些钱,会增加哪些新的费用,比如你就要给各地会议场租费的预算,那么给多少,都要现在讲好,给多了公司吃亏,给少了销售部不干,要想销售头头们跟你合作,这些点上要控制得恰到好处。财务部是最清楚各方面数据的部门,GL('general ledgerd'的缩写,指财务下属的总账职能,负责预算和分析)管着各项预算,treasure(指财务部下属负责资产和信用的职能)又管着固定资产,是不是财务部出个经理或者副总监来领导这个项目?"

接下来几个回合无非是两人各自阐述为什么应该是对方的团队负责这个项目的理由。

柯必得觉得该讲的理由已经讲完了,李斯特却并不屈服,他恼火地盯着李斯特,想用眼神给他压力,李斯特不动声色地 fight back(还击),和他对着盯。

何好德看看该出来讲话了,他想的是谁是能最好地完成这件事情的人。对于他来说,考虑的其实还不仅仅是费用问题或者政府事务的风险问题,他有更重要的点,就是他要在销量上,给销售部压力。

他想到,柯必得手下有一个副总监能力和经验都不错,负责这个项目是很合适的,李斯特手下呢,就是拉拉了。

何好德其实不是第一次提出办事处的问题了,之前也指派过人尝试去做这个项目,结果对使用部门的需求求了解得不够清楚,很多具体的问题没有好的解决方案,搞到销售部门意见很大,最后只好不了了之。

何好德心里掂量着,要做好这事儿,除了负责者的脑子得很清楚外,他需

要这个人非常积极主动地协调各方利益,还要很踏实投入地去处理具体的细节问题,才能找出妥善的解决方案——说到积极主动和踏实投入,拉拉几乎是他在公司里最欣赏的人。

何好德又考虑到,拉拉刚升上来,对公司整体的运作需要好好学习,她把这个项目做一遍,对她了解公司最重要的部门——销售部的运作很有好处,而且,她还能在这个过程中了解到其他几个重要部门的运作模式,比如财务部、采购部、销售部和市场部等。

何好德打定主意,就说:"李斯特,我考虑这事让拉拉负责比较合适。"

柯必得马上附议道:"拉拉行!做事又快又可靠,沟通协调能力不错,销售部能买她的账。"

何好德发话了,李斯特不敢驳回,这可是他的老板,和柯必得这个财务VP对他的意义不一样,他李斯特的业绩好还是不好,何好德说了就算的。

他只得挣扎道:"李文华的位置还空缺着,拉拉手上招聘的任务不轻呀,她手下的主管又全都是新人。"

何好德想,这也是事实,他沉吟了一下对李斯特道:"要人家做事情,我们也是应该提供资源给她的。这样,你和拉拉谈一谈,问问她本人的意见。"

柯必得着急了,由李斯特去问拉拉的意见,那拉拉最后还不是以老李的意见为她的意见嘛!他赶忙提议说:"拉拉今天不是在上海吗?不如现在就把她找来吧。我们一起和她谈。"

何好德微笑道:"也好。"

尽管李斯特提示了"拉拉你自己要好好想清楚再做决定",拉拉也并没有考虑到这个项目的职业含金量,可她领会了何好德的意思是希望由她来做这件事情,她就毫不犹豫地把活儿接了下来。

柯必得高兴得想拍拉拉的肩膀,可他是个拘谨内向的人,一般不拍女性员工的肩膀,手到半空就生生地停住了。

何好德说:"拉拉你回去好好考虑一下,看需要各部门提供些什么资源,就提出来。"

李斯特暗暗摇头:毕竟还年轻,不知道水深水浅,这可不是表现自己的时候呀,做这事明摆着是要得罪销售部的,销售部是好惹的吗?那都是些老虎,何好德这个大老板呢，就是狮子。拉拉你等着在狮子和老虎之间游走吧，有你难受的日子了。

拉拉心里明白这事不是那么容易，也知道顶头上司李斯特的意思。可她已经总结出来：听李斯特的话，也不见得能升官加钱，不听他的话他也不见得把你怎么样；可何好德就不一样了——所以，别说这事情她自愿，就算不情愿，她也会更多地考虑何好德的意愿。

事情闹到这个地步，其实李斯特也怪不了别人，手下人不拿他的意见当做第一意见，根由还是在他自己身上。这年头，不光是做老板的会问手下："你向我要什么要看你能给公司什么"；做下属的也会看："我做到了什么老板能给我什么"。威望是和权利相结合的，没有 power 哪里去找 admiration（意指"无权威则无德望"）

28. 空手套白狼

拉拉和自己的两个主管开会，拉拉自己领衔主协调，周亮和帕米拉分别领了北区和东区的活，海伦协助拉拉分管南区属下的办事处。

他们的具体任务是：获取负责区域各办事处的销量数据，获取各办事处的人员信息，获取各办事处过往 12 个月的平均办公费用，盘点各办事处的固定资产，清查各办事处的工商执照等政府文件的状况，了解各办事处的主要用途。

拉拉先调查了解一圈，明确了会牵涉到的部门和需要的具体支持，然后写了个邮件发给何好德，抄送给柯必得和李斯特，提出要求这些部门指派哪些岗位的同事提供哪些方面的数据和信息，并列明了时间要求。

何好德立刻回复照准，由他的助理吕贝卡将此批复转给所有相关部门总监和有分工的相关人员。柯必得首先跟了个 mail 出来，要求财务部全体相关人员积极提供协助，他这封邮件同时抄送了给其他各部门总监。

何好德和拉拉单独谈了一次，听取了她的思路。拉拉明白，何好德是嫌办事处开设得太多太随便了，所以眼下首先就要关闭那些生产力不高的；但是，本次项目并不限于此目的。

海伦问过拉拉,是弄个"关于关闭部分办事处的 proposal(建议书)"出来吗?"

拉拉当时就想,这只是其中最直接的部分目的,如果简单地从这个方向着手去做,上上下下都会不满意——说是公司要省费用而关闭办事处,不利对人心的稳定;也不适合提是为了规避政府事务风险,这对公司形象不利。

所以,她的想法是编制一个"办事处管理标准操作流程"(简称 SOP)出来,目的定义为"规范办事处管理",大家就没话说了。

她盘算着,通过把销量规定为设置办事处的门槛,既自然淘汰一批目前生产力太低的办事处,也规定了今后新开或者关闭的规矩,同时能激励各地把销量努力做高。

她还计划在这个 SOP 中,通过规定管理办法,来确保落实各地政府的法规要求,规范公章管理、统一办事处形象等。

拉拉以一个新经理,有这样的思路,令何好德很满意。

拉拉在各部门的协助下,掌握了各种历史数据后,和李斯特打了招呼,就吩咐海伦不接任何电话不接待任何来访,凡事由周亮和帕米拉去打理,自己关起门来,办公桌上摊满了各种数据和资料,苦思一周,完成了 SOP(标准操作流程)的草稿,内容包括:目的;适用范围;责任人;设置或撤销办事处须满足的条件,标准和程序;管理办法;以及当有特殊情况出现时,申请特批的流程,以及有特批权限的级别。

李斯特对拉拉提过,要把各办事处的公章全部收缴到上海总部统一管理,谁要盖章,一律把东西寄到总部来盖。拉拉觉得这样可行性不大,总部也没有专门的岗位来处理这个盖章事务。想了半天,她在 SOP 中规定,所有办事处的公章集中到所属大区经理手中,需要盖章,由大区经理判断需求。

同时,为了统一公司形象,她在 SOP 中,对办事处的面积,选择的写字楼类型,装修风格,乃至主色调的 pantong 号(颜色编号)和公司 logo(标志)的摆放位置,都做了明确的规定。并具体规定了什么样的级别可以在什么档次的办事处享用多大的办公面积。

海伦不解地问:"为什么要规定这些内容?"

拉拉解释说:"现在下面的办事处,由着各地小区经理的喜好,五花八门的,什么风格都有,不符合跨国公司的形象——比如你一走进麦当劳,不管它是哪一个城市的麦当劳,你都不会误以为它是肯德基,这就是形象问题。又好比你一看到'以人为本',你就会想到诺基亚。我要让所有的人走进任何一个 DB 的办事处,就能马上确定这是 DB 的办事处,不是别家公司的办事处,这才算专业。大老板们到各地巡视生意的时候,看了也会高兴的。"

海伦钦佩地说:"拉拉,你真行呀!"

拉拉不禁有些得意洋洋地说:"那是!"

她让周亮和帕米拉对草稿提意见,两人来的时间不长,说不出太多的内容,他们做了少许不痛不痒的补充后,拉拉就把草稿用邮件发给各部门总监,然后挨个打电话和他们约定一周后和他们分别面对面讨论他们的 concern(顾虑)。

她的这封邮件抄送给了何好德、柯必得和李斯特,好教他们明白她的进度。

海伦不解道:"干吗要挨个讨论,多累! 一起开会不好吗?"

拉拉耐心解释说:"一起开会,他们的唾沫都能淹死我。还是各个击破吧。"

海伦恍然大悟,又问:"下周分个讨论,估计他们会怎么说?"

拉拉说:"这个 SOP 那么复杂,里面有很多细节规定,估计他们没人会认真去看全文,所以我在邮件里先把要点给他们标了出来,我想,单凭这些要点,已经足够他们判断出这个 SOP 一旦实施,马上就会关闭部分办事处吧。所以,这次应该是都会比较火大了。"

海伦八卦地问:"那你怎么办?"

拉拉瞟了她一眼说:"怎么办? 凉拌呗。我调查过关闭办事处他们会面临的实际问题,就这些问题我已经准备好了解决方案,这样他们再不妥协就说不过去,因为毕竟这是公司的决定。但是,他们还是会不甘心,所以,第二步,我再找出实施这个 SOP 能带给他们的利益——有好处,谁不干那? 这叫共赢呀! 公司也 happy,他们也高兴,他们可都是销售总监嘛,应该都是结果导向很强的人啦,凡事还是看结果的。"

海伦撇嘴道:"你要关闭办事处,还说有好处,人家销售部又不是傻瓜!"

拉拉教训道:"谁说没好处! 你这没有眼力见儿的家伙!"

126

海伦见风头不对,抽身就溜,走了几步,想起什么又跑回来追问道:"拉拉,你规定设置办事处的条件之一是个人月销量 15 万,办事处月总销量 150 万——这个 15 万的标准是谁告诉你的?人家销售部能接受吗?"

拉拉神气地说:"你记住 15 万这个数字就得了,这个是专家的意见。我这会子没时间和你说具体是哪里来的根据,总之我说话向来有依有据,这个关键数字我自然很小心的,销售部若不同意,就得拿出他们的主张来,我包你他们会同意的。"

一周后,拉拉飞到上海准备向总监们征询对标准操作流程草稿的意见,她决定先找王伟,因为她相信王伟会老实不客气地说出他能想到的反对理由,这样她能在之后更有的放矢地去说服办事处的另外两个主要使用部门——商业客户部和公众客户部的销售总监。此外还剩下两个小部门的总监,这两人只有很少的下属分布在这些办事处,拉拉就把他们定位在跟随的角色,她计划只在最后大致地和他们过一遍流程就拉倒,除非他们有特别强悍的理由,拉拉不准备一定要和他们事事达成一致。

正如拉拉所料,王伟一听就坚决反对,他问拉拉:"那你叫我的人都回家办公去呀?这还有什么团队凝聚力!"

拉拉早有准备,不疾不徐地解释道:"又不是所有办事处都关,做得好的就不用关,还能提高办事处的待遇标准,可要是生意做不好,凭什么设个办事处在那里呢?"

王伟立刻问道:"生意怎样算好,怎样算不好?"

拉拉说:"起点是人均生产率要达到每月 15 万,每个财务年度里,整个办事处的月销售额平均要做到 150 万。做不到就不能设立办事处。"

王伟听到拉拉在给他规定一二三四,很不爽,他眉毛一扬说:"谁的说法?"

拉拉谨慎地说:"这个是我初步的建议,因为总要有个草稿,大家才好开始讨论,现在就是挨个征询各位总监的意见。"

王伟不动声色地说:"你的根据是什么?"

拉拉继续耐心解释道:"我的根据有两点,一是公司对利润和销售总额的期望,二是行业在这方面的市场数据。"

王伟说:"我看150万这个数字还要斟酌。"

拉拉小心地说:"本来就是提出来请各位总监给意见的。您要是觉得不妥,有没有建议的数字?"

王伟觉得不好回答,想了想说:"有的城市,比如昆明、西安,一时做不到这个指标,可昆明是很有潜力的市场,各大公司都在那里布局,而西安也是兵家必争之地。不是我说你,拉拉,你想把这样的办事处关掉,你自己以后还在不在DB混?"

拉拉说:"谁说要关昆明、西安了? 除了150万的月销售额的限制,我下面还有一条,就是'或者是管理层认可为有潜力的市场'。"

王伟不客气地说:"谁是管理层?"

拉拉说:"草稿里暂定为各BU(事业部)头,最后要由销售VP和财务VP以及HR总监共同批准。"

王伟摇头道:"你真是自讨苦吃,接了这么个差事! 我都不知道说你什么好。你也别瞒我了,李斯特肯定不高兴你接这个活! 你别光想着听何好德的呀,他可是干满四年任期就要离开中国市场的,到时候你跟着他走不成? 山不转水转,拉拉你要想明白这点,别仗着何好德喜欢你,做些全部人都讨厌的事儿。"

拉拉听他语气很重,自己也急白了脸:"哎,冤枉呀,我几时这么想了! 我知道你这是为我好,可我真不是那号人。"

她见王伟两眼盯着自己的手提电脑屏幕,不愿意往下谈,又哄他说:"咱们不行谈到行呀。你别光想着这个事情你要吃亏了,没准你能得到好处呢。"

王伟收回眼光看了看拉拉,用怀疑的口气说:"有好处我总是不拒绝的,我是做销售的,从不拒绝谈判。可好处也不是那么容易得的。"

拉拉说:"哎,咱们不都接受过 seven habits(高效人士的七个习惯)的培训吗,凡事要相信有第三种解决方案,一个对大家都有利的方案。"

王伟哼哼着说:"拉拉,你这摆明了是要关办事处嘛,还说什么 seven habits!"

说着说着王伟又恼火起来,拿出销售惯用的招式道:"你们这么干,影响了销售,谁负责?"

拉拉忙讨好说:"您看我这 SOP 上头一条就写着呢,为规范办事处管理,

特制定本标准操作流程。我哪一条写着，为关闭办事处，特制定本 SOP？您老再想想，规范办事处设置门槛，至少赏罚分明，干得好的，公司就提供更好的条件，和干得不好的，总要区分一下吧？这不是能促进销售吗？"

王伟瞟了她一眼不屑地说："你这也就骗骗群众。你说150万，你做一个试试看。"

拉拉说："只要人均销售做到15万，这150万肯定达到；要是月人均销售额做不到15万，你们就完不成销售指标了，那你们不是有问题了？你们有问题，何好德也有问题了。倒是我，横竖不到我有问题。"

王伟缓了缓口气道："公司有这个决定，我自然坚决执行的，可是拉拉，凡事咱们也得考虑一下可行性不是？你让员工都回家办公，这士气肯定受打击。"

拉拉依然胸有成竹道："那要看我们是怎么和员工去沟通的。"

王伟道："好吧，按你这一套办法，你先告诉我，得关了多少个办事处？你肯定已经让销售数据部把各办事处的销售数据查给你了。"

拉拉老实答道："是查了，按过去12个月的平均月销售额看，会有约十个办事处被关闭。"

王伟马上不高兴了："就知道是这个结果！那这十个办事处的员工怎么办公？"

拉拉说："根据和各办事处沟通来的结果，目前办事处最主要的用途有二，一是用于开周会，二是收发存放市场部寄给各办事处的各种书面资料和举办各类活动用的小礼品。"

"就这两个用途而言，你打算怎么解决？"王伟追问道。

拉拉有板有眼地说："开周会可以到酒店租个房间开，财务部可以按城市等级拨给各部门场租预算；至于仓储问题，我已经问过市场部的发货规律和管理要求，并和采购部的同事讨论过，他们可以帮助销售部谈定一家能在全国各重要城市提供仓储服务的运输供应商，我们把送货、收货、存货、发货、理货的一条龙生意都包给他们做，比我们自己到各地去租仓库还便宜，又能省去销售部同事收货和管理仓库的麻烦，每月他们还能按我们的要求提供库存清单，对市场部的管理也有帮助。"

王伟听得很认真,他想,拉拉还真是用心,把需求了解得一清二楚,又把解决方案的细节也考虑得很周到。

拉拉追问道:"您看看,还有什么有疑问的地方?"

王伟内心已经被拉拉说服得差不多了,但不想马上做决定,就说:"这样,我再仔细看看你这个 SOP,我也要和我的三个大区经理讨论讨论。"

拉拉说:"这个自然,他们下面的小区经理是这些办事处的使用者,他们是最了解具体情况的人。您看,我过一周再来问您的意见,行不?"

王伟说:"追得这么紧。尽量吧。"

拉拉笑着道谢,说今天听了他的意见很有收获,回去会看看怎么改进得更好。

王伟忽然想起什么,叫住她说:"你不是说有好处吗? 我听来听去,也就是免了我的人收货和管理仓库的麻烦,还有别的像样点的好处吗?"

拉拉笑了:"您老真精明。下周,我再告诉您都有些啥好处吧。其实呀,我还盼着您老也教导教导我,这里面可能产出好处的地方有哪些呢。"

王伟也笑了,道:"拉拉你这是打算空手套白狼呀。"

29. 又笨脾气又大的下属

升职前,拉拉打心眼儿里觉得自己做这个经理是绝对胜任的,到她真正坐到这个位置上才发现,原来这个位置上的很多活,是自己以前并不了解的,她觉得压力很大。

李斯特是个放手派,他既不啰唆你也不支持你,这使得拉拉很多事情都要靠自己想办法。李文华和杰生的相继离开,对刚开始做招聘的拉拉来说更是雪上加霜。

拉拉既怕王宏看她笑话,又担心令何好德失望,只好自己硬挺着,每天还得装出一副精神抖擞的模样——DB 是个典型的美国公司,公司里但凡是个人物,不分男女,都得是 high energy(精力充沛)的铁人形象,个个都活像不需要睡觉吃饭,越是头天晚上开会开得晚,第二天越要一早就红光满面中气充

沛的来和大家 SAY HELLO,拉拉不敢不随着大家也天天做精神抖擞状。

重压之下,拉拉近来脾气见长,海伦挨了她好几回骂。但是拉拉还是清楚的,对海伦可以随便点,一则相识四年关系不错,二则海伦是个没心没肺的脾气,凡事不往心里去;而对下属的两个新主管可不能来这一套。

在关闭部分生产力不足的办事处的项目协调中,拉拉的两个主管需要和各自负责的区域的办事处们沟通联系很多事情。

这中间,周亮的工作显得条理很弱,每回交来的报告,拉拉一看,错误多不算,这错得还特不聪明,一眼就能看出荒谬的东西,周亮就看不出来。比如在他的报告中,威海办事处的租金倒比青岛办事处的租金贵,都知道青岛的物价自然要比威海高出一截,城市经济也不是一个档次的,哪里可能威海反比青岛贵? 他倒是非常认真,干得满头大汗,天天加班,拉拉就不太好意思说他。

后来连着几次报告都出愚蠢的原则性错误,比如他的报告中,新疆办事处和兰州办事处相比,销售额更低,居然月平均数字不到 150 万(按 SOP,应列入被关闭范围),人员也更少,这明显是错的,新疆办事处是 DB 比较大的办事处,是全 DB 中国都知道的优秀销售团队,生意做得非常好,员工人数也相对多,HR 分管人头,应该是不用查就能清楚大致情况的。拉拉很郁闷,要是这样的数据分析拿给老板看,她杜拉拉在老板眼里该有多蠢呀?

周亮的个性,不到两个月,拉拉就看明白了,这人干活是认真,可要命的是他完全没有逻辑,尤其是面对需要很强的应变和协调的项目管理,他的思路整个一个乱七八糟,让拉拉没脾气。

拉拉特纳闷,当初面试的时候,周亮说起话来条理特清楚,一套一套的,这也是拉拉看中他的很重要的一个原因,就冲他条理好去的,以为逻辑是他强项呢,怎么他说话那么有套路,做事却乱七八糟呢?

这也罢了,周亮的自尊心,是拉拉所见识过的最强的自尊心了——他虽然做了多年 HR 和行政,专业水平却并不高,生怕人家发现他不懂,每回错了总要死辩到底。而且,他觉得自己经验丰富,自视甚高。

拉拉暗自叫苦,不怕你笨呀老兄,就怕你不但笨还觉得自个怪聪明的。常说有本事的人有脾气,这位倒好,整个一个又笨脾气又大的主。拉拉明白了周亮为什么做了这么多年,就只有目前这水平。

131

拉拉没办法,李斯特当初就提醒过周亮的脾气可能有问题,谁叫自己不听劝告非选了他呢?既然做了他的经理,总得coach(辅导)他,拉拉几次试图和周亮沟通他的不足和错处,他总是反应激烈,就跟谁拿针扎了他似的跳起来,非要拉拉举例说明。

他要求实例,这个没有问题——拉拉在DB受到充分的培训,使得她知道谈问题的时候要有star(situation,task,action,result,情景,任务,行动及结果,指完整的事件背景),做主管的应避免评价这个人怎么样,而该把要点放在说这件事是怎么回事。

每回拉拉给出实例后,周亮都由咄咄逼人变得无话可说,但下次他又来了。重复了几次相同的故事后,当周亮又不肯核查自己的功课,而要拉拉说出错处,拉拉知道他又是自我感觉良好才摆出这副北京式的傲慢,她就纳闷了,这人怎么不长记性呀?

她便不客气地指出:"你这个月的4份报告,每份都出了明显的大错,建议你先自己核查一下。确保你工作的准确度,是你的职责。"

以周亮的性格,要他说句"对不起",他宁肯你杀了他,结果谈话气氛搞得很紧张。拉拉万分后悔用了周亮,要不是看他为人还比较正派,真想让他马上走路。

帕米拉倒是显出聪明的优势了,她在关闭产能不足的办事处的项目中,反应敏捷,思路清晰,一切都安排得井井有条,根本不用像周亮那样干得满头大汗日日加班,结果却能令拉拉满意。拉拉只要讲明了任务和目的,不需要交待详细的步骤,她自然把事情给你办妥,有时候拉拉还没提要求,她就能提前遇见到任务和困难,让主管感觉正想打瞌睡呢,下边便给递了个枕头过来。

周亮那边,就真是每步都要告诉他,一个小地方交待不到,他就很可能没安排好,拉拉追问起来,他还理直气壮。

拉拉心中十分矛盾。

她对帕米拉的人品很警惕,同时又打心眼儿里满意帕米拉干出来的活;而周亮,人品倒还行,不搞阴谋诡计,干活却太笨,拉拉尤其受不了他那个又没本事又自以为是的劲头,对拉拉顶顶撞撞,对下属也没个好脸色,自尊心强到简直不能说他一点不是,做他的老板,倒要天天和他陪着小心说话,累

人哪。

拉拉知道,自己不能同时干掉两个手下,现在的情势,换人很麻烦。拉拉在犹犹豫豫中,首先给周亮过了试用期,不久,帕米拉也进入第三月了。

30．我保证以后一直对你好

拉拉一到上海就按预约好的时间去找几位总监开会,等她回到自己的位置上已经过了下班时间。

帕米拉还在等她,她说周亮和海伦也都在加班。拉拉就说花一个小时,抓紧核对一下项目进程,把各自碰到的新问题也过一遍。

帕米拉便和周亮、海伦接通了网络会议,先一起看了帕米拉的功课,东区做的不错;再看海伦的功课,也大致 OK;到看了周亮的功课,拉拉越看气越不打一处来,她克制着自己的情绪问了几个问题,周亮越答越乱,拉拉试图引导他,但周亮已经晕了,思路成了一锅粥。拉拉很 frustrate(受挫折),就说先不谈了,让周亮自己再想一遍,有问题明天来问,随即匆匆结束了网络会议。

帕米拉见拉拉很疲惫,会后主动提出来,她可以明天一早和周亮核对功课。拉拉点点头。

帕米拉走到一边去给周亮、海伦打电话,过一会回来和拉拉说,都约好了,核查无误后她会把三区的功课汇总在一起,保证两天内交给拉拉。

拉拉松了一口气,她实在怕教周亮,好在帕米拉善解人意,主动分担。

一种共患难的感觉使得拉拉不由得对帕米拉温和了些,她问道:"最近加班多吗?"

帕米拉感觉到了她的温和,轻声回道:"有一些加班,但不算多。"

拉拉建议帕米拉让下属麦琪帮她做一部分事情,分担一下。

帕米拉表示这个项目比较敏感,不敢分给麦琪做,还是她自己来吧。

拉拉觉得这样也对,便点点头说:"东区做得不错,辛苦你了。"

帕米拉说:"那我先走了,您也别太晚。"

帕米拉走后不一会儿,王伟打电话过来问拉拉什么时候能完活,想约她一起吃饭。

拉拉说:"不啦,累了,想早点回酒店休息。"

王伟听她的声音里透着疲倦,不由有些心疼,劝道:"你总得吃饭,我们就近找个地方吃饭吧,完事儿马上送你回酒店。"

拉拉不吭声,王伟又说:"你看外面下着雨呢,又冷又湿,一个小时内,你别想打到的士。还是一起去吃饭吧?我刚发现了一个好地方。"

拉拉叹口气,不置可否。

王伟乘热打铁:"就这么定了,过 15 分钟,还是在大堂后门接你,我先下去把车开出来。"

拉拉走出大堂后门,王伟的车正停在那里等着。拉拉拉开后门坐进后座,王伟现在已经对她了解得多了一些,知道她不坐副驾驶位,就是对他有所不满了。

他看拉拉很疲惫的样子,没有多说,慢慢把车滑出去。

拉拉闭着眼睛靠在后排座位上养神,但她马上感觉到王伟好像和对面过来的车打了个招呼,就警惕地睁眼问道:"刚才过去的是谁的车?"

王伟说是李斯特的车。

拉拉吓了一跳马上问:"他看见我没有?"

王伟想了想,如实说:"不确定。"

拉拉显得心事重重,不再开口。

王伟从后视镜里看了看她说:"你要是累就躺一躺吧,我不吵你。"

拉拉敷衍道:"不用了,就这么靠着挺好。"

王伟这倒能理解拉拉的心思了,他们俩从来不一起离开写字楼,多半是王伟先把车停在某个地方,再把拉拉接上,这样的事情还是低调些好,这点上俩人颇有默契共识。

王伟看拉拉的样子,就笑着劝解说:"李斯特看见你也没啥呀,这不是下雨不好打车吗,我碰上你就顺道送回酒店也不奇怪。看你担心得。"

拉拉被他说中心事,不吭声。

酒足饭饱,王伟送拉拉回酒店,拉拉又去拉车后门,王伟由得她坐上后座,没有多说什么。路上两人有一搭没一搭地说些不咸不淡的话。

134

升职前，拉拉打心眼儿里觉得自己做这个经理是绝对胜任的，到她真正坐到这个位置上才发现，原来这个位置上的很多活，是自己以前并不了解的，她觉得压力很大。

杜拉拉升职记

A Story of Lala's Promotion

上海冬天的雨下起来没个完,王伟把车开进路边一个避雨的地方,停了下来。

拉拉诧异地问:"怎么了,车有问题吗?"

王伟说:"有点问题。"

他下车后绕过车头,径直走到后排拉开车门,拉拉诧异地看着他,没等她反应过来,王伟坐进后排,一下把她身子扳过来,使她面朝着自己。

拉拉嚷嚷起来:"干吗? 老粗!"

王伟压低嗓子道:"你就当我老粗好了! 我问你,我做错了啥?"

拉拉一面扭动身子想挣脱王伟的手,一面嚷嚷:"神经呀! 谁说你做错了啥!"

王伟咬牙道:"行! 没做错啥是吧? 那你给我一个不坐前排的理由!"

拉拉嚷嚷着:"你先撒手呀!"

王伟就是不撒手。

拉拉挣脱不出,索性也不扭身子了,拔尖嗓子瞪着王伟道:"我有义务坐前面吗?"

王伟不说话,把拉拉猛地整个揽进怀中。

拉拉的身子在王伟怀里微微颤抖着,她善于开小差的脑袋瓜里猛然跳出一句俗语:南方的婆娘北方的汉。

拉拉不由得特别想相信王伟。

沉默了一会儿,王伟说:"我保证以后一直对你好。"

拉拉不说话。

王伟放开她,看着她的脸等她回答。

拉拉强作镇定转开脸去,使出经典的打岔招数道:"你就不怕我告你性骚扰?"

王伟恼了:"我不是毛头小伙子了! 对一个人动心很难的,你懂吗? 你干吗搞破坏呀你? 好好的两情相悦,非往性骚扰上扯!"

拉拉听到"两情相悦"四个字,脑子里掠过一个人的样子——卷曲的长发,浮雕般的脸庞——拉拉的脸色"唰"地暗了下来。

拉拉想过正面问王伟这事,终究没有问出口,她觉得如果自己开这个口,

就表明自己也把双方的关系，认可为进展到有权利质问对方私生活的阶段了。

王伟敏锐地感觉到她情绪上的变化，马上追问说："我什么地方做得不好？拉拉你告诉我，我才能改进呀。"

拉拉低头道："不是，我还不确定。再说公司也不喜欢雇员之间发生这样的事情。兔子还不吃窝边草呢。"

王伟又好气又好笑："你这人就打不出个好比喻，谁是兔子谁是草呀，我们又不是直线上下级关系。"

拉拉没法给王伟一个说法。

王伟撬不开她的嘴，只得转开头，想想又转回来道："你不讨厌我吧拉拉？这你总得告诉我吧？"

拉拉红了脸摇摇头。

137

㉛. 官僚就是该做决定时思考，遇到困难时授权

谈到项目能带给销售部哪些好处，王伟指点拉拉去找柯必得给销售部要点费用回来。拉拉又和另几位总监沟通了一番，大家也都这个意思：既然公司已经定了"设置办事处要有销量门槛"的大方向，总归是要服从的，那么一要解决具体的操作问题，二呢，就是最好能给销售部增加一些费用，算是好歹得些拉拉口中的"利益"吧。

拉拉知道要从"老葛"那里弄回钱来可不是那么容易的事情，就找李斯特说了这事，意思请他出面解决。

李斯特可不想去碰"老葛"那个难缠的VP，就说："拉拉，这个事情你办得很好，我充分信任你，我授权你全权解决。你的决定我全力支持！"

拉拉没办法，又不好啥事动不动去找何好德，只得自己缠住柯必得软磨硬泡。"老葛"同学这次成功地把活推给拉拉，眼见得拉拉这两月瘦了不少，也想对她好一点，最后总算答应，对于那些将被关闭办事处的地方，从目前用于租金和固定资产的预算中，拿出一半返还给销售部作为销售费用。

拉拉得了这块预算,回来想,最简单的办法就是按各部门的人头来分配这部分预算。她希望李斯特能做个主,好把这事儿就定下来了。

李斯特说:"这个事情不是那么简单的,销售预算从来不是简单地按人头分配的,要和市场、产品特点、销售指标、利润,等等联系在一起考虑的。你现在如果去找各个销售总监,肯定也有不同的说法,人多的部门,就会要求按人头分;人少的部门,就会要求按销量分;保不准,还会冒出很多种别的分法。"

拉拉说:"能否我们权衡一下,拿个主意定了这事儿?"

李斯特想了一下说:"这事情急不得。闹不好,我们就会受到挑战。"

拉拉听了半天,就是没个明确的说法。她看李斯特做思考状,只得先退出。

拉拉经过王伟的办公室,王伟招呼她进来坐坐。王伟看她无精打采的样子,觉得特可爱,笑道:"怎么样,搞不定柯必得吧? 找你们李斯特出面呀。"

拉拉得意地说:"谁说搞不定柯必得?"

王伟一听说这么快就有结果了,倒意外了,就问:"哦,那你要回来多少费用?"

拉拉告诉他是租金和固定资产预算的一半。

王伟说:"这谈判结果还行。李斯特找老葛谈下来的呀?"

拉拉摆手示意别提了。

王伟来劲了:"看你这样子,分明是对李斯特有意见嘛。"

拉拉马上警惕地做出反应道:"胡说! 你想陷害我呀!"

王伟见说中了,得意道:"你看你这人,这就不叫坦诚沟通了吧?"

拉拉叹气道:"哎,王伟,你知道啥叫官僚不?"

王伟说:"爱打官腔吧。"

拉拉神气活现地卖弄道:"切! 要说官僚的特点,我可是有心得——该做决定的时候吧,他思考;遇到困难了呢,他授权!"

王伟一拍台面,竖起大拇指赞道:"行呀,拉拉! 看来得重新审视你的理论水平了。"

拉拉尾巴简直要翘到天上去了说:"切! 我本来水平就不低! 是你没看出来。"

　　两人说笑一回,拉拉恳切地说:"王伟,其他两部门人都不少,唯独你的部门,做大客户的,人少,但人均销售额高。我想能不能请你支持一下,就同意了按人头分配那块预算?"

　　王伟看她期盼的眼神,不忍心再难为她,那块预算也不是多大的预算,就爽快地点了头。

　　拉拉又和另外两位总监打了招呼,那两位听到有这好事情,自然没话说,都夸了拉拉两句。

　　拉拉兴冲冲地报告李斯特说,几位销售总监都同意按人头分钱了。

　　李斯特诧异她能两天之内就搞定——这帮销售总监可没哪个是省油的灯。不管怎样,拉拉能搞定,他总是高兴的,就摆出老板的架势认可道:"好!很好的 team work(团队合作)!"

　　拉拉回到座位上,研究了一番帕米拉汇总给她的三个区域的报告,大致OK,她的脸上露出浅浅的笑容。

139

　　帕米拉在一旁看拉拉对结果比较满意,也笑着说:"帮着周亮一起研究了两天,昨晚排到 10 点多,总算把北区的东西都理清了。"

　　拉拉想,难为她能把周亮的东西那么快就理清了。

　　她赞扬了帕米拉两句,又告诉帕米拉自己搭第二天一早的航班,所以明天就不进公司直接去机场了。

　　帕米拉主动说:"放心,我会和相关部门跟进后面的事情的。"

　　拉拉点点头说:"那你多留心,我先下班了——你也早点走吧,最近几天我看你老加班。"

　　帕米拉说:"今晚可能还是要加到 10 点,我宁肯赶早也不赶晚,现在安排周到点,免得项目后期太紧张。"

　　王伟接上拉拉一起吃晚饭,拉拉一面扣安全带,一面问:"你晚上都不用应酬吗?你可是管销售的。"

　　王伟笑笑说:"这不是你在上海嘛,等你走了我再应酬客户好了。"

　　拉拉心情很好,戏嬉道:"还好我明天就走,不然岂不是要耽误你的生意?"

　　王伟说:"明早我送你去机场。"

拉拉制止道："别了，机场最容易碰到同事了——上回我在飞机上和人吵架，就被约翰给碰上，当时可真尴尬。"

王伟说："哪个约翰？"

拉拉告诉他是市场部总监约翰常。

王伟不吭气了。

见他不说话，拉拉八卦地说："哎，听说，你和约翰常不太对劲？"

王伟笑笑，还是不说话。

拉拉说："不说拉倒。"

两人吃了饭，拉拉忽然发现酒店的房卡不在包里。她想了想，八成是落在办公桌上了，两人便又转回公司。

王伟把车在大堂后门停下，叮嘱说："我就这儿等你，取了卡赶紧下来。"

拉拉答应着下了车。

快 9 点了，办公室里只有很少的几位同事还在加班。

拉拉注意到帕米拉不在座位上，便猜测她可能提早干完了活走了。她没有在意，找到房卡，正准备走，忽然看到在办公室的另一端，帕米拉下属的助理麦琪刚从茶水间倒了一杯水走回座位上。

拉拉诧异地提高嗓门问道："麦琪，你怎么还没走？"

麦琪见是自己的经理回来了，一边走过来，一边说："最近不是在做办事处的项目吗，事情又多又急，经常得加班，不然赶不出活。帕米拉说这周前几天都没让我加班了，今晚和明晚加加。"

拉拉向来不知道麦琪也跟着做项目的活，帕米拉不是前几天还说不要麦琪帮手做这个项目吗？拉拉纳闷地走到麦琪的电脑前坐下，看了一会儿，她的眉头越皱越紧。

拉拉说："你负责这个报告中的哪些内容？"

麦琪说："和销售部的协调，数据的获得和整理，全部是我做的，表格是帕米拉设计好给我的。"

拉拉又问麦琪和帕米拉是如何分工的。

麦琪说："她给了我一个任务表，上面标着进度要求，我就照这个进度走，我的活干完了就交给她检查。和财务部还有市场部要数据是她去要的，她要

来了就交给我汇总归类做分析。"

拉拉问她是否干得下来。

麦琪说："比较吃力,主要有的东西听不太懂。做错了,会挨她骂的。"

拉拉警告说："你又想说帕米拉坏话了!"

麦琪赶忙摇手否认道："我可没有这么想。"

麦琪凑近拉拉说："拉拉,帕米拉还是挺聪明能干的,她的指令起码都很清楚,她知道要怎么去做。听说北京的周亮就不行了,指令下得乱七八糟,桑得拉(周亮下属的北京办助理)她们都晕死了,而且凶的程度也不输给帕米拉,还凶得没道理。"

拉拉不动声色地说："是吗? 那你们正面地和你们的主管沟通了没有?"

麦琪一吐舌头道："算我多嘴,我错啦。"

拉拉想起王伟还在楼下等着,就起身道："麦琪,你做得挺好,这些活在你这个级别是会干得比较吃力的,可是这么做,你能进步得快。"

麦琪爽快地说："这我知道,我愿意多做点。"

拉拉想,麦琪倒是聪明,还知道这活附加值高。

她脑子转了转,交待麦琪道："不要告诉任何人我今晚又回来了,也不要和人提起我们刚才的谈话。"

鬼灵精麦琪道："我知道。"

拉拉瞪了她一眼,走了。

32. 杀机

帕米拉加入 DB 前,曾任职于某著名的欧洲电器公司 SZ。拉拉多了个心眼,找人悄悄去做帕米拉的背景调查,这一查,还真查出问题来:她自称加入 DB 前的最后职位是主管,可是原来她只是一个年资较长的助理。

拉拉又找来海伦问三个区域的报告是谁汇总的。海伦大眼珠滴溜溜乱转地报告说,帕米拉不但并没有帮助周亮,反而幸灾乐祸,结果周亮给气得够呛还没法发作,宁可降下身价来求助海伦,连干了两天,才把北区的报告做好。

拉拉听了有点惊讶,因为自己一心想教周亮,他却一直顶顶撞撞的;碰上看他笑话的帕米拉,他却没脾气——看来,自己在怎么用周亮上,还是需要改进技巧的。

拉拉陷入了沉思,以后是不是可以让这两个宝贝主管互相辖制呢?她好像忽然就明白了为啥历朝历代皇帝的手下都会既有忠臣又有奸臣,敢情是故意的,不然这皇帝不好当啊。

拉拉翻翻台历,帕米拉再过几天就要过试用期了,到底过与不过,自己这几天就得拿定主意。

拉拉曾把帕米拉第一个月的工作总结,用电子邮件抄送给李斯特,李斯特一看就明白拉拉有炒人的心。他也把拉拉这两个主管的特点都看在眼里——周亮是拉拉自己没有选对;帕米拉呢,老李还是很客观地承认,当初拉拉就不太情愿要这个人,是自己说服她先接受下来的。

现在看来,这两个主管都不太理想。反正招主管不比招经理那么难,走了个主管可以再招,最多空缺一两个月,李斯特相信拉拉自己先顶一顶不成问题。李斯特便不主动发表意见,看拉拉会决定怎么办。

帕米拉来DB后,知道拉拉是新升的经理,就有点怠慢拉拉。她这怠慢还和周亮的顶撞性质不一样,周亮是自以为是,帕米拉呢,是骨子里的挑战。结果拉拉要记仇宁可记她帕米拉的仇。

帕米拉马上发现自己失算了,这个经理虽然新,却保不齐拿自己尝试第一次炒人。她立马恭敬加勤勉地小心侍候,看拉拉最近对她的态度,帕米拉觉得自己的付出似乎得到了回报。

帕米拉打心眼儿里瞧不起周亮,觉得他太笨,要命的是他不但不知道自己笨,还觉得自己怪不错的。

这日,拉拉打电话给帕米拉,问了件项目上的事情。帕米拉得意地告诉拉拉,自己问准李斯特的同意后,已经找到何好德给解决了。

拉拉听了大吃一惊,她表面上赞了帕米拉两句,心里却想:你还会越级去和李斯特沟通,这也罢了,竟然找到何好德那里去了!

这是拉拉绝对不能容忍的,何好德给予的特别的信任,是拉拉的骄傲,某

种意义上讲,至少现阶段,是拉拉的重要资本。

拉拉曾经去要求何好德正面表态支持她一件事情,何好德狡黠地笑着和她说:"我不需要站出来正面地对总监们表态,别人只要看到我平时是怎么对你的,就知道我的立场了。"

事实正如何好德说的那样,拉拉清楚自己现在能办成很多事情,难免有些时候总监们也是看在何好德的态度份上,才肯支持她的。

拉拉自己不是BASE(常驻)在上海,因此,她既需要上海办主管独立的负责的工作,又担心这个人太过能干,会成为自己的后备人选,自己有一半时间不在上海,真有个这样的下属放在上海,说不准哪天就撬了自己。

拉拉下决心干掉这个太能干的帕米拉,理由她也准备好了,就是:诚信有问题。

正在这个时候,发生了一件事情,拉拉正在青岛出差,收到周亮发给商业客户部一位经理的邮件,他在邮件中措词强硬,对对方极不客气。这封邮件同时抄送给了李斯特、商业客户部销售总监 Tony 林和拉拉。

何好德手下共有三位销售总监,一位是大客户部总监王伟,一位是公众客户部总监,还有一位就是商业客户部总监 Tony 林,其中 Tony 林的部门销售额最大,占了公司一半以上的生意,也就是说他是三位销售总监中最重要的总监。

拉拉看完邮件吓了一跳,正考虑怎么补救,李斯特的电话就到了,原来他也看了这封邮件。

李斯特说:"拉拉,这封邮件很不对头,要惹麻烦的。我刚才去找了 Tony,但他今天不在上海。你赶紧打电话给 Tony 解释一下,说我给他道歉,我现在马上有个会,如果有必要,我也可以会后打电话给 Tony。"

拉拉说:"知道了,马上。"

Tony 林也看了那封邮件,正怒呢,拉拉的电话到了。拉拉用了很多严重的词语,又说李斯特给他道歉,Tony 林才消了气,他说:"拉拉,我看了这封邮件,觉得很不对呀,且不说事情本身谁是谁非,同事之间怎么可以用那样的态度对对方说话呢? 拉拉,你知道我向来是很支持你们部门工作的,咱们之间可从来都是有商有量的。"

拉拉连连赔不是,Tony 林说:"拉拉你和李斯特说,不要紧,都是同事,这事儿就过去了;不过,你的主管周亮真的要好好 coach(辅导)一下——我听北京办的人说,平时他就官不大,架子不小。拉拉,不是我说,他这样,迟早会给你和李斯特添乱的。"

拉拉不敢隐瞒,如实把 Tony 林的反馈报告给李斯特。

李斯特说:"还好我们马上打了电话,Tony 发作出来就没有事了,不然,他憋在心里,以后迟早工作中大家不合作,就麻烦了,他可是何好德最看重的销售总监。"

拉拉心有余悸地说:"还是您预见得对,要是再晚点打电话给 Tony,没准他多生气呢。"

李斯特点点头说:"周亮的风格,我也听到一些部门的反馈,和 Tony 说的一样。看来需要好好 coach 他了。"

拉拉认为应该先找周亮了解这件事情的来龙去脉,然后借着这个事情,好好和他谈一次,让他意识到他得在人际关系上改进。

李斯特说:"拉拉,Tony 说得对呀,如果周亮不改,那他以后还会给我们惹麻烦。你这次找他谈,如果他还是那个态度,我看,可能这个人不能用了。"

拉拉直截了当地把 Tony 林的反馈告诉了周亮,周亮这回知道事情闹大了,没敢死辩,认了错。拉拉就隐去了李斯特的意思没有说。

但周亮告诉拉拉,是帕米拉怂恿他写那封邮件的。

拉拉对此感到非常诧异,她问道:"她让你写,你就写？她自己怎么不写？"

周亮懊恼地说:"这个得我自己负责,我应该有我自己的独立判断。我只是想说一下事情的起因。"

拉拉问道,他说帕米拉怂恿他写这封信,是否有证据？

周亮垂头丧气地摇摇头。

拉拉说:"那不结了。事情说到李斯特那里,他凭什么信你不信帕米拉呀？"

周亮想了想说:"当时,她打来电话,桑得拉也在边上,我们是用的电话会议。"

拉拉打发人把周亮下边的助理桑得拉找来,结果小桑同学紧张地说,她

没听清帕米拉的意思。周亮只得自认倒霉。

拉拉本来想抓紧炒了帕米拉的,结果周亮半中间搞出这一单子事情来,没有理由在这个时候倒让帕米拉走。拉拉好生郁闷,唯有怨自己当初招周亮进来时眼神不好。

海伦鬼鬼祟祟地凑到拉拉面前,拉拉不耐烦地说:"'老没'你要讲什么,光明正大地讲,别獐眉鼠目鬼头鬼脑的!"

海伦不理会拉拉的用词,骨碌着大黑眼珠报告道:"周亮是被帕米拉给害了一下!他自己笨,帕米拉不写那个骂人的 mail,让他写,他就写了。"

拉拉惊讶地反问她是怎么知道的。

海伦得意地说:"桑得拉告诉我的,帕米拉和周亮讲电话的时候,她就在边上。"

拉拉奇怪地说:"桑得拉说她没听清呀!"

海伦不屑地说:"什么没有听清!她是看两个主管要吵架了,害怕了,才说没听清的。再说了,周亮平时对桑得拉很不好的啦,她也懒得管他的事。"

拉拉点点头表示知道了。

海伦又说:"我这还有个 mail 呢,是帕米拉发给我和周亮的,虽然写得比较含蓄,但是还是可以看出来,帕米拉出主意让周亮去写那封邮件的。"

拉拉让海伦把邮件发给她看看。

海伦说:"好!怎么周亮自己没有想起这封邮件吗?"

拉拉心说,因为他笨呗。

拉拉看了海伦转发的邮件,马上打电话给帕米拉,问她是否怂恿过周亮写那封邮件。帕米拉不知道拉拉已经看了她写给海伦和周亮的 mail,又有桑得拉作证,自然一口否认,并说周亮会写出这样的 mail,她也很吃惊。

拉拉就不再多问,转身和李斯特报告了事情的经过,又说了帕米拉在工作经历上说假话的事情。拉拉隐去了自己特地找人去做背景调查的情况,只说是刚刚偶然听供应商说起的。

李斯特吃了一惊道:"可是我们招她的时候,从她的描述看,确实有主管的经验呀。"

拉拉说:"她人是很聪明的,又做了多年助理,早把主管的日常职责用心看在眼里，从技术的角度看，她也确实干得了主管的活。只是她敢撒这么大的谎，就可以看出她的诚信很成问题。"

李斯特说："那没有什么好说的了，诚信问题是原则问题，炒吧。"

拉拉再次飞到上海，她的一个重要任务就是炒帕米拉。

虽然她没有正面说什么，但是从她冷漠的态度，帕米拉感觉到大祸临头。在拉拉动手的前一天晚上，她对拉拉说："是不是我做错了什么？能给我一个机会吗？"她的大眼睛睁得大大的，露出被猎人追到山崖边的小鹿那样绝望哀求的眼神。

拉拉看了心里揪得紧，她不愿意接触帕米拉的眼神，转头硬起心肠说："今天太晚了，明天再谈吧。"

帕米拉不肯走，走近一步说："拉拉，给我一个机会吧，我一定改正。"

拉拉敷衍道："你很聪明，就算不在 DB 做，到外面也许能发展得更好。"

帕米拉恳求道："来 DB 前我找了很久了，没有人出过我这么高的价钱。要是我没有了这个工作，不知道什么时候才能再找到这样好的工作，我每个月都要还几千的房贷。"

拉拉铁了心要炒帕米拉，一面整理着桌面，一面垂着眼皮说："DB 出你的价钱并不算很高，就是市场价格而已。"

帕米拉看明白，炒她是拉拉的意思，李斯特又是个不会多干涉手下经理做决定的总监，她只有继续向拉拉求情。

拉拉不愿意再听下去，找了个借口跑掉了。

第二天，帕米拉来上班的时候，头发毛刺刺的，显然一宿没怎么睡，又刚洗过头发。她一夜之间落了形，大眼睛显得更大了。

李斯特觉得由拉拉自己和帕米拉谈不好，就让王宏和帕米拉主谈，拉拉可以自主决定是否参加谈话。

拉拉决定参加，李斯特就交待道："这种情况下，当事人很容易针对其直接主管，所以你尽量不要说话，让王宏说话就好了。你只当在旁边观摩，学习怎样进行这类谈话。"

146

谈话前，拉拉很紧张，她觉得自己的神经都快要崩断了，一种"在干害人的事情"的感觉噬咬着她的心。

李斯特看了,就说:"不用紧张,一个小萝卜头,很容易搞定的。今天的谈话不会有难度的——要不,你这回就不参加了,下次王宏进行这类谈话的时候你再学习吧。"

拉拉摇摇头,她觉得既然自己决定了要干,就要去亲自面对。

谈话前,王宏先问拉拉是否需要帕米拉交接手头上的工作,拉拉说无所谓。王宏说,那么就让她马上走吧。拉拉点点头,她巴不得马上把人送走,早早结束这场难受。

王宏用平和的语调,简单地对帕米拉说:"我们得知你在加入 DB 前的最后职位不是主管,这与你在职位申请表中填写的信息不符。根据劳动法,公司现在决定在试用期内解除与你的劳动合同——你有异议吗?"

帕米拉背挺得笔直地坐在那里,王宏说话的时候,她的大眼睛专注而失神地看着王宏。等王宏问她是否有异议,她一个字也没有讲,只摇了摇头。

王宏拿出事先准备好的一式两份的解除合同协议书,说:"那么,这是解除合同协议书,你看一下,同意的话就这上面签名,一式两份。"

帕米拉接过协议书,没多看内容,轻声核实说:"是在这儿签名吗?"

王宏一面说是,一面把笔递给帕米拉。

帕米拉不接,说了句:"我自己有。"

一面就签了名。

王宏最怕谈这种话,一看她签了名,连忙接过协议就准备收摊。倒是帕米拉提醒说:"是不是要给我一份原件?"

王宏说:"哦,对对,不好意思。"

拉拉在一旁,从头到尾一个字也没有说,只默默地看着。

帕米拉走的时候终于无声地哭了。拉拉也很难受,帕米拉固然不好,但拉拉觉得自己也不是好东西——她比谁都清楚,如果不是她想炒帕米拉,那么背景作假与周亮事件,她杜拉拉都能让它们轻易地过去;而周亮又笨又自以为是,还能留下来,全是因为他不会对她杜拉拉构成威胁。

害了人后良心不安的感觉深深地折磨着拉拉。李斯特看在眼里,猜到了几分,他想,拉拉到底还年轻。

李斯特便把拉拉叫来,好言相劝道:"拉拉,这不算什么。我招人的时候,

147

经常问一个问题——你炒过人吗？我认为，一个主管，却没有炒过人，那他肯定还没有成熟。"

拉拉低头看着桌面说："不管怎样，炒人的感觉，真的令我很不舒服。"

李斯特看拉拉痛不欲生的模样，就教训她说："come on（得啦），真是没有用！你看你自己的模样，比被炒的人还痛苦！你这真是小 CASE（小事情）！以后比这大得多的事情多着呢。你要是连这个关都过不去，还怎么做 HR！你想，如果不是她自己撒谎，在 DB 这样的大公司，任凭你再怎么想炒她，也不是那么容易就让你得逞的。"

拉拉无精打采地说："帕米拉其实挺聪明的，工作干得很好。"

李斯特点点头说："是，她还这么年轻，如果不改，以后更危险，越聪明越危险。"

拉拉说："您说她会改吗？"

李斯特摇摇头说："难说。可是你要是问我，我觉得她不改的可能性更大，她相信她自己那套，聪明的人自信呀。"

拉拉疑惑地看着李斯特，在拉拉看来，帕米拉经过这次的事情，以后肯定会改正的。

李斯特还在继续说着宽慰的话，拉拉觉得李斯特就像父亲一样体谅她的心情，不由得十分感激，两人的关系不觉又亲近了一层。

麦琪奉命暂时接了帕米拉交出来的活。鬼精灵的她早隐约察觉拉拉防着帕米拉，但是没想到拉拉飞快地就下了手。麦琪被拉拉的干脆惊得目瞪口呆，她不由得怕了拉拉几分。

还有一个人和麦琪受到了同样的震动，这个人就是周亮。拉拉这边一动手，他也马上听到了从上海传过去的消息。虽然拉拉很快就打电话告诉了他原因，并好言安抚了他一番，他还是想到如果自己不注意和杜拉拉的合作，难讲这个经理会拿他怎么办。周亮毕竟三十来岁的人了，他并不相信炒帕米拉仅仅是因为"背景作假"和"周亮事件"，特别是后者，周亮相信最多只是个导火线。他提醒自己今后要老实点，少和拉拉顶撞，起码拉拉再指出他不足的时候，别不知趣地要求她"举例说明"，先记录下她的意见再说。

这对拉拉完全是个意外收获，她本来毫无敲山震虎之意。

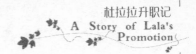

33. 不是你说自己好就算数,得大家都说你好才算
——“360度评估”

虽然这次炒帕米拉,获得了李斯特的支持,何好德知道后,也说炒得有道理,可拉拉心里还是明白:炒第一个主管是因这个主管不好,假如再炒第二个,旁人就会质疑怎么你的两个主管都不好?是你招人眼光有问题,还是你经理当得有问题?

就是说,拉拉没有别的选择,不能再炒人了,唯有带好周亮。

另外,她也要想明白上海办主管这个职位上的用人策略,到底自己需要的是一个什么样的人,不能再招错了。

拉拉琢磨着,自己有一半的时间不在上海,这里一堆的老板需要侍候,上海办这个主管的专业水平要是有问题或者人际关系不好是肯定不行的;这个人太能干也不行,哪天他把自己给顶了都不知道,得让李斯特离不开她杜拉拉。

想清楚后,拉拉定下了三条招聘原则:一,这个人的专业技术是OK的程度,就是他能干得了活,但不出色;二,这个人得平和而不求上进;三,年纪小于三十的不要——拉拉觉得三字头的人比二字头的懂事儿,在社会上碰过壁的会更珍惜好工作,和她杜拉拉玩花样的机会就相对小些。

第一条和第三条都容易,就是能满足第二条的人,要花点心思找。

拉拉已经有了些看人的经验,在面试的时候,从人家的面相上看着比较平和无争,就拐着弯儿试探人家对职业发展的规划,结果很快她就找到个中意的,此人有个很有文化的名字叫周酒意。

李斯特面试后,觉得还行,就是对周酒意三十一岁了还没有生孩子这一点有所顾虑。

他提醒拉拉说:“会不会一来就打算要孩子呀?”

拉拉说:“她和我保证了,两年内不准备怀孕。退一万步说,万一她要真那样,我也不担心,上海办才装修好不过一年,三两年内这儿不会有大的装修

项目,咱们主要就是怕这种项目工作量大,现在并没有这个后顾之忧。"

李斯特想想也对,反正有拉拉在,他不担心。对他来说,最重要的是保留好几个经理,而拉拉是新提拔的,一般来说,三年内都会比较稳定不随便跳槽的。

上海办新主管周酒意很快就到岗了,果然是拉拉预期中的那么个人,啥事都办得不好不坏,为人随和,有点小聪明,但也不肯多用心,典型的知道分寸的专业阿混。

拉拉有自己的打算,她这次看得更远了一步:自从上次发现帕米拉的活不少是麦琪干出来的,她就意识到麦琪能干又上进,培养两年,没准就是个不错的主管备份人选。眼下,麦琪的能干正能弥补其主管周酒意的不够用心,上海办就算安排妥当了。

剩下北京的周亮。

拉拉总结了一下,周亮的问题主要有两方面,一是自以为是,又过于敏感自尊,导致工作中很难沟通,人际关系不好;二是思路不清,哪些是自己的活儿常搞不明白,工作自然经常安排得不恰当,工作结果令人不满意。

眨眼周亮进 DB 半年了,拉拉按照公司规定,要求周亮总结自己上半年的绩效。

等周亮把总结交来,拉拉一看差点没笑出来,周亮总结道:自己的优势在于:第一,良好的人际关系和沟通技巧,工作得到各部门的认可,第二,思路清晰,确保了工作结果的有效性;需要改进的是:部门会议发言不够大胆。

拉拉心说,这哥儿们看来不傻呀,知道自己最大的问题是哪两点,只不过偏生要把短处说成长处,这就叫"心虚"。

拉拉决定分两步走:第一,先逼着他把问题正面承认了;第二,再让他自己拿出个改进方案。

拉拉打定主意,就要了个刁,她和周亮说:"先不忙谈,公司在绩效管理上,有个工具叫'360 度绩效评估',各级主管可以自主决定抽选部分下属做360 度评估。咱们这边周酒意是新来的,按规定不需要做评估,就给你做吧,李斯特也是这个意思。"

周亮以前听说过360 度绩效评估,但具体这玩意儿是怎么个操作法,他

并不清楚其中的玄机。他本能地有些胆怯，但又没有理由反对，只得应承了。

拉拉问他："你在以前的公司接触过 360 度评估吗？熟悉这个工具吗？"

周亮其实除了听过"360 度"这个名词，具体内容就一无所知了，但他不愿意被拉拉发现他不懂这个，就硬着头皮说"还行"。

拉拉说："大致的理念应该是差不多的，是否需要我给你解说一遍？"

周亮如释重负，赶紧说："再解说一遍吧，我怕各公司对 360 度评估的操作方式会有差别。"

拉拉解释道：

——这个是公司的标准格式，在 DB 全球范围内适用。它是个问卷，一共有四页内容。每道题目可在 1—5 分范围内打分，1 为最低分，5 为最高分，如果观察不到某题所描述的行为，评估人可选择"未观察到"。

——这份问卷将会发给四个围度的人，以便他们为你做评估，这就是 360 度名称的由来：

第一，你的上级主管，这一项就是我；

第二，你的下属，你可以自主选取一两位你的下属；

第三，你的平行合作者，你可以指定工作中经常需要和你合作的，本部门或者其他部门的某两位和你平级的同事；

第四，你的客户，就是公司内部被你支持的部门中的某两位同事，你也可以任意选取——当然，被选的人要有代表性，你负责北区销售团队的招聘和北京办的行政管理，那么北大区销售经理，或者北京办的任意一位经理，都是很典型的你的客户。

——当你选定了评估者后，系统会自动把评估问卷发给他们，他们将在系统中匿名做答。

——所有评估者完成评估并提交后，系统会自动把每个题目下所有人的评分汇总，用加权平均法得出各考评项目下的平均得分，这就是你的最终得分。

最后拉拉说："你可以先把题目大致过一遍，以便了解评估涉及到的内容。"

周亮一看那套评估题都是英文的，一个个单词像蝌蚪似的在他眼前游

151

动,他就晕了,不由焦躁道:"拉拉,干吗要搞这么复杂麻烦的东西?你直接给我评估不就得了吗?这得花多少时间呀?"

拉拉不紧不慢道:"美国公司嘛,流程是比欧洲公司会复杂些,可是 DB 的流程也是最专业严谨的那一类,做一做还是有好处的。我知道麻烦,可是李斯特自己不也照样参加 360 度评估,我就是刚作为被他指定的一名下属评估人为他做了评估。老板都做,我们就更不好嫌麻烦了。"

周亮挣扎说:"倒不是麻烦不麻烦的问题,我是想,是否有这个必要?"

拉拉严肃地说:"有这个必要,这是公司保证绩效评估公平性的一个很好的工具。比如我说我和各部门的关系都很好,那就算很好吗?得各部门的代表心里也认同才算呀。"

拉拉这话说到周亮的痛处了。周亮素来自知人际关系紧张,过分强烈的自尊使得他不愿意面对真正的缺点,偏要说自己有"良好的人际关系、得到各部门的认可"。拉拉现在要让他周围的人给他评一个分出来,这些向来和他合不来的人,怎么会认可和他周亮关系好呢?何况是匿名评分的,还不都说真话呀?

周亮不由得心虚地说:"这都是匿名评估的,谁知道他们会写些什么呀?"

拉拉耐着性子说:"匿名不假,可这样能有机会了解他人对自己的真实评价,对自己的进步有好处。"

拉拉稍微停了一下,又加强语气强调道:"而且,所有评估者,除了我作为你唯一的直接主管,你不能进行选择,其他三个围度的评选人,全部由你自由选择,你可以选取你最有信心的那部分人嘛。"

周亮被拉拉这番话说得哑口无言,是呀,人都是由他自己来选的,假如这些人评出的分数他都没有信心,那不是说明他的人际关系和工作水平也太烂了?周亮感到自己的胃在一阵收紧。

拉拉考虑到周亮的学习能力比帕米拉弱一截,估计他看那套问卷得半天,就征询周亮的意见道:"你是否需要明天上午 10 点半我们一起来过一遍问卷内容?"

周亮赶紧说:"明天上午 10 点半我等您。"

当晚,周亮回家和太太把白天发生的事情说了一遍,末了狐疑道:"杜拉拉不知道又要搞什么鬼,是不是想干掉我?"

太太劝说道："你平时少顶撞她几句不就得了呗！"

周亮愤愤地说："我够忍着了！哪句顶撞她了?!"

太太揭发道："还没有顶撞？她说让你做评估，你反问她'有这个必要吗'——有你这样和领导说话的吗？你这也就在美国公司，要是我们这样的国营单位，早给你穿小鞋了。"

周亮不屑地说："你傻呀你，她那360度评估，就是在给我穿小鞋了！"

太太有点见识："那她手下十来号人，为啥就单给你穿小鞋呀？是你本事比她大，嫌你碍事儿？还是你自己顶嘴招惹她了？"

周亮一拍大腿道："嘿！你还真别说，帕米拉八成是太能干、碍她事儿了，才被干掉的。"

太太不以为然道："你不是总说帕米拉在杜拉拉面前挤兑你，不是好东西吗？你还是和上司好好相处吧，都说不打笑面人儿，咱嘴甜点，不吃亏！"

周亮做北京式傲慢状道："不为五斗米折腰！"

太太说："你就忘记了当初DB肯要你，你跑过去的那个麻溜劲儿？忍着点儿吧，咱可是上有老下有小，多种花少栽刺，到哪里都错不了。"

周亮抱怨说："你是我老婆吗？怎么总说我的不是呀？"

太太笑道："亏得你有我这么个好老婆，总把往你好里劝。"

第二天，周亮自己先把评估内容研究了一两个小时，直看得头昏眼花，等拉拉给他讲了一遍，才清晰多了。周亮不由得在心里暗自佩服：杜拉拉的脑子是好用，多复杂的东西，她都能给你讲解得清清楚楚。

评估结果可想而知，周亮在人际关系、坦诚沟通以及工作思路方面得分都不理想。

在360度评估结果面前，周亮只得承认，自己是得在这些方面改进了。

他话一出口，拉拉马上给予认可，说他意识到这点，就是很大的进步。

34. 设定工作目标要符合"SMART原则"

周亮把下半年的"个人绩效目标"交给拉拉，拉拉看过后，先夸周亮这回的目标设置做得有进步,然后逐一指出好在哪里,需要改动的有哪些地方。

末了,拉拉交待说:"公司正在进行年中回顾,你可以借此机会和你的两位下属来调整他们下半年的工作目标设置。设置恰当的工作目标,是管理下属的第一步,到年底,他们是好还是不好,就以设置好的目标来衡量。"

周亮答应下来。晚上回家和太太说:"杜拉拉逼得可真紧那,一步紧跟一步容不得我喘气。先是我个人的上半年绩效评估,然后是我个人的下半年工作目标设定。这刚做完,又催着我和下属做目标设定。"

太太担心地说:"那她有没有想干掉你的意思呀?"

周亮摇摇头道:"她要是有干掉我的心,就不会费这么多精神来教我这些东西了。"

太太好奇地说:"你不是说她今年才开始学做 HR 吗,做行政的时间也没有你长,她能教你啥?"

周亮辩解道:"那不一样,她命好呗,天天在大老板身边学着,进步快呀。"

太太说:"那她现在又教给你,对你的发展不也挺好的。"

周亮叹气道:"累倒不怕,就是压力太大。你不知道,最近每次和她谈下来,我都累得像做学生时候刚参加了一场期末考试。"

太太连连安慰着。

周亮又说:"这回和下属设置目标,你看着吧,回头功课一交,杜拉拉肯定又得指点我一番。光那个 SMART 原则,她要不给我做个总结我都不姓周。"

太太忙问他会 SMART 原则吗。

周亮自负地说:"设置目标就得用 SMART 原则呀,干了这么些年 HR 还用她教!"

过了两天,拉拉看了周亮发来的邮件,感到他在给下属设定绩效目标中,考核标准不够量化,时间性的规定也不明确。

拉拉脑子里飞快地就把关于 SMART 原则的谈话思路给理了出来。她抄起电话想和周亮约定谈话时间,想想又放下了电话——周亮虽然最近被拉拉的连发炮弹轰炸得多少谦虚了些,但他终究是一个比较自以为是的人,而对于 HR 来说,SMART 原则应该是很熟练运用的基本法则之一,假如这个法则再来和周亮一二三四的研讨一番,拉拉只怕他会下不来台,搞得大家没

意思。

拉拉想了想,劈劈啪啪地开始打字,她虚拟了一个故事,用以解说SMART原则:

我刚来这家公司的时候,发现配给我的行政主管很年轻,心里不太情愿要这么个没有多少经验的主管。处了两周,感到她的潜力还是不错的,是个当官的好苗子,但实际工作经验太少。

在设定本年度工作目标的时候,我发现她的计划里几乎找不到可以量化的东西,这样势必导致到年终,工作到底算做得好还是不好就说不清楚了,而且她自己在日常工作中对下属的要求也会不明确。于是我给她做了一次SMART原则的辅导。

——先解释一下SMART原则:该原则是在工作目标设定中,被普遍运用的法则。

S就是specific:意思是设定绩效考核目标的时候,一定要具体——也就是目标不可以是抽象模糊的。

M就是measurable:就是目标要可衡量,要量化。

A是attainable:即设定的目标要高,有挑战性,但是,一定要是可达成的。

R是relevant:设定的目标要和该岗位的工作职责相关联。

T是time-bounding:对设定的目标,要规定什么时间内达成。

——举例说明一下。

1.关于"量化"

有的工作岗位,其任务很好量化,典型的就是销售人员的销售指标,做到了就是做到了,没有做到就是没有做到。而有的岗位,工作任务会不太好量化,比如R&D(研发部门),但是,还是要尽量量化,可以有很多量化的方式。

行政主管和我说行政的工作很多都是很琐碎的,很难量化。比如对前台的要求:要接听好电话——这可怎么量化、怎么具体呢?

我告诉她:什么叫接好电话?比如接听速度是有要求的,通常理解为"三声起接"。就是一个电话打进来,响到第三下的时候,你就要接起来。不可以让它再响下去,以免打电话的人等得太久。

我又对她指出:你对前台的一条考核指标是"礼貌专业的接待来访",做到怎么样才算礼貌专业呢?有些员工反映,前台接待不够礼貌,有时候来访者在前台站了好几分钟也没有人招呼——但是我们的前台又觉得她尽力了,这个怎么考核呢?

行政主管解释说:前台有时候非常忙,她可能正在接一个三言两语打发不了的电话,送快件的又来让她签收,这时候旁边站着的来访者可能就会出现等了几分钟还未被搭理的现象。

我告诉她:前台应该先抽空请来访者在旁边的沙发坐下稍等,然后继续处理手中的电话,而不是做完手上的事才处理下一件。这才叫专业。

又比如什么叫礼貌?你应该规定使用规范的接听用语,不可以在前台用"喂"来接听,早上要报:早上好,某某公司;下午要报下午好,某某公司;说话速度要不快不慢。

所以,没有量化,是很难衡量前台到底怎么样算接听好电话了,到底礼貌接待来访了没有。

2. 关于"具体"

我告诉她,比如她的电话系统维护商告诉她,保证优质服务。什么是优质服务?很模糊。要具体点,比如保证对紧急情况,正常工作时间内 4 小时响应。那么什么算紧急情况,又要具体定义:比如四分之一的内线分机瘫痪等。

如果不规定清楚这些,到时候大家就会吵架了。

3. 关于"可达成"

你让一个没有什么英文程度的初中毕业生,在一年内达到英语四级水平,这个就不太现实了,这样的目标是没有意义的;但是你让他在一年内把新概念第一册拿下,就有达成的可能性,他努力地跳起来后能够到的果子,才是意义所在。

4. 关于"相关性"

毕竟是工作目标的设定,要和岗位职责相关联,不要跑题。比如一个前台,你让她学点英语以便接电话的时候用得上,就很好,你让她去学习六西格

码,就比较跑题了。

5.关于时间限制

比如你和你的下属都同意,他应该让自己的英语达到四级。你平时问他:有没有在学呀?他说一直在学。然后到年底,发现他还在二级三级上徘徊,就没有意思了。一定要规定好,比如他必须在今年的第三季度通过四级考试。要给目标设定一个大家都同意的合理的完成期限。

基本上,做到这 5 点,人们就能知道怎么样算做得好,怎么样是没有做好,怎么样算超越目标了,从而考核者和被考核者能有认同的清晰的考核标准,可以避免很多人和人之间的矛盾与争执。

拉拉写完这个故事后,给周亮和周酒意发了个邮件,她把这个故事作为了附件。

拉拉在邮件正文中写道:

周亮,酒意:

附件是我最近收到朋友转的一个关于 SMART 原则的小故事,其中的内容比较简单而生动。

SMART 原则,你们两位都很熟悉了,但是光你们熟悉还不够,你们的每一位下属也要熟悉,才能设置好他们的个人绩效目标。

因此,趁着这次公司年中绩效回顾,请你们在一周内,给下属就 SMART 原则做一次详尽的辅导。这也是为什么我把这个附件发给你们的原因,我要求你们把它作为你们辅导中的一个教材。

在你们的辅导完成后,你们的每位下属都要写一份简短扼要的关于 SMART 原则的运用心得,请两周内交给我。

如有需要帮助之处,随时提出。

谢谢!

拉拉

周亮和周酒意看到邮件中最后要求他们的下属都得写一份心得上交,免不了自己先认真地看一遍"拉拉的朋友"转来的"故事",然后再转发给下属们一起讨论。

等大家把功课都交来以后,拉拉看了一遍感觉达到预期目的,就发邮件给团队的全体成员认可了一番,尤其赞扬了两位主管对下属的指导,她同时把邮件抄送给了李斯特。

李斯特看了邮件,觉得拉拉团队带得不错,学习和分享的氛围很浓。他回复邮件给大家,认可了一番,并勉励说要"keep"(保持)。

周亮见拉拉不单当着众人赞他和周酒意,还把邮件抄送给了总监李斯特,感觉竟比给他加了工资还受用。

35. 员工最重视的事情:晋升和加薪

DB 每年举行一次销售代表晋升高级销售代表和小区经理晋升高级小区经理的评估,参选者要通过公司规定的各项考核科目,由销售部、市场部和HR 共同组成评估中心,对考试项目逐个进行打分,最后决定其是否能够晋升。

李斯特让拉拉先到上海跟着王宏学做一遍。

拉拉旁观了两天下来,感觉不对劲,除了团队管理和领导力以外,其中有大量的内容是对销售技巧、产品知识和市场策略的考核,这对拉拉来说,要把分打好就有困难了——自己都搞不明白,怎么打分呀!

拉拉就向李斯特提出来,能否请销售培训部那边派人,给区域 HR 做销售技巧、产品知识以及市场策略的培训。

李斯特和销售培训部很快交涉下来具体的培训内容和日程表,拉拉很高兴,马上发邮件通知手下两名主管,她对他们说:"要先 understand business(了解业务)才能 support 好 business(支持好业务),总说外行话的 HR 无法赢得销售团队的信任和尊重。"

拉拉估计两个主管对此事都不会积极上心,就进一步动员说:"我们做HR 的,要成为业务部门的战略伙伴,才能体现我们的价值。如果不了解他

们的行当，我们既提不出真正能够帮助他们解决难题的思路，更没有能力去挑战野心勃勃的强势的销售队伍。如果我们的思路不能使他们受益，他们为什么要听从我们？如果我们不能适当地挑战他们，他们会越来越藐视我们。因此，不论是从HR的重要性还是从工作的乐趣、我们HR的个人价值考虑，我们都需要更贴近核心业务，这会让我们工作得更权威，更快乐！"

拉拉挥着拳头，说得自己斗志昂扬。这边周酒意问道："帮助业务部门解决难题，这个思路我明白；但是为什么要适当挑战业务部门呢？"

拉拉想了想，给她举了个例子："比如跨部门会议，每次你去坐在那里，不论别人说什么做什么，你都没有意见，久而久之，人们会认为，你是不重要的，有你没有你都一样，他们做了不恰当的决定，你也不会有任何反对，这样，他们就会开始忽视你，当你不存在。那么，你不难受吗？你还能发挥作用吗？"

周亮忽然说："最近我们的团队都很疲劳，能不能下次再做这个培训呢？"

拉拉心里不耐烦起来，她属于外企中攻击性一流的年轻经理群，不由得就赤裸裸而强硬地说："这种升迁，做为公司制度，一年就一次。销售团队多少人眼巴巴地就盼着这一年一次呢。做为员工，对他们来说什么是最重要的？说得通俗易懂点，就是钱、权二字！任何关系到晋升、加薪的事情，就是员工最关心的事情——HR在这样的事情上不让员工和相关部门的头感觉到你的存在、感觉到你的重要性，谁还理你？任何一次这样的事情，我们都不能等到下一次，要抓住一切机会，积极主动地去参与，甚至，组织和领导。"

拉拉一口气说完"钱"、"权"之论，还嫌不尽兴，又拔高嗓子强调道："我的团队，绝对不会对不了解的事情去加以评判！"

周酒意本来就对培训的事情无可无不可，她这人有小聪明，学东西还算快，凡事弄个一清二楚不是她的风格，学就学，她打算学个六成就交差了。既然拉拉这么清晰地阐明了立场，她便当场知趣地表示了对拉拉理论的欢呼和紧跟。

周亮本来就笨些，又容易伤自尊，不懂的东西总不愿意问人，生怕人家发现他不懂，所以特害怕学新东西。本来指望周酒意和他一起劝劝拉拉，把这讨厌的培训推到明年再说，偏偏滑头的周酒意竟当场表示了对"钱"、"权"理论的拥戴，搞得他周亮倒在经理面前又落后被动了一次。

159

至于拉拉说的帮助和挑战业务部门，他听不进去也不想去思考，而钱、权两字，在他北京式的价值观中，根本就更是俗不可耐，怎么可以作为 HR 为了体现其重要性而要去抢占的滩头呢！

他不由得在心里怪拉拉找事儿，回家和太太又是一通抱怨道："碰到拉拉这样一天到晚想着向上爬的经理，真是不让人喘气了。你说她让我学 360 度评估体系、学 SMART 原则，我没话说——这回倒好，让我和周酒意学销售技巧跟产品知识，我们又不做销售！"

太太说："可你们不是要给人打分嘛！不给你们培训一下，你们能打好分吗？我估计你老板是怕你们打分不专业，招人家笑话，才让你们去接受培训的。"

周亮不屑道："以前也没有人培训过我们产品知识和销售技巧，我们不是照样做招聘，也没见我们招进来的销售人员比别人问题多呀！而且呀，我们招的岗位多了去啦。难道我今天招 IT，我就得懂 IT，明天招财务，我又得会财务？不然就要得招人笑话我不专业了？"

太太不明白地问："那你不懂销售怎么做，招人的时候咋知道这人能不能用呀？"

周亮说："我知道销售的职责是做什么的就行了，用不着知道他怎么做。"

太太问他周酒意是啥态度。

周亮说："她那个人，怎么都行。她是不会反对杜拉拉的主意的。"

太太劝道："那你也别反对。反正多学点总不是坏事，公司免费培训，多好呀！"

周亮叹气道："你可真喜欢学习呀，真该让你来当杜拉拉的手下就好了。"

太太笑道："我想学，还捞不着培训的机会呢。"

周亮想起拉拉的钱权理论，和太太说："那杜拉拉，年轻轻的，就满嘴俗气的反动理论，说什么员工最关心的就是权和钱，凡是关系到升官或者加薪的事情，HR 就要抢上去控制，好体现 HR 的重要性，真是笑话！"

太太正色道："我看她说得对，反正，要是我是员工，别人和我说什么都是空的，我就看给不给我加钱，让不让我升官。谁能让我加薪升官，我就认为谁重要！"

周亮听到自己的太太都这样说,惊呼道:"晕!当初我怎么就没看出来你也是这么个俗人呢?"

太太翻了他一眼:"就你不俗!人家可还要过日子呢。你当到了共产主义社会啦,社会物质极大丰富,实行按需分配,劳动是人的第一需要,而不是谋生的手段?"

拉拉任经理半年多的时候,"聚焦中国"计划经过不断修改和完善,在CEO乔治访华一年后,正式铺开实施。

对于这个充满机会与挑战的项目,总监们私下里开玩笑说,"聚焦中国",搞不好会"烧焦中国"。

李斯特悄悄和拉拉说:"每一次扩张,意味着机会,也埋伏着风险。假如扩张后,人均生产率没能快速达到预期的水平,那么会马上导致公司利润下降,则裁员是紧随其后的。"

161

王伟也告诉拉拉:"与公司对利润增长的期望相比,公司的投入是不成比例的,目前看,主要的投入部分是用于人力成本,而市场资源部分的增加则非常有限。没有钱,光靠加人,是产出不了足够的业绩的。今年如果能做到16.6个亿的销售额,那么明年做到20个亿还有可能,如果今年都做不出来,明年会更够呛。"

拉拉担心地问王伟:"如果完成不了销售任务,何好德会受到怎么样的冲击?"

王伟说:"离开DB是比较容易预见到的一种可能。"

拉拉忙问他的意思是否是何好德会被炒。

王伟笑了笑说:"我在DB干了8年,经历过四任总裁,有两个是被公司炒掉的。何好德算在任最久的,已经快三年了,其他的,都没有他干得久。高层不够稳定,是DB近年来发展不尽如人意的重要原因之一。如果'聚焦中国'失败,何好德只有走路;如果成功,那么他能获得提升,比如成为DB亚太的头——机会与风险总是并存的,这很公平。"

拉拉听下来,觉得王伟对"聚焦中国"的看法其实和李斯特差不多,虽然还不至于到悲观的程度,却也毫无乐观可言。

拉拉不由得天真地问王伟："既然风险不小,那何好德干吗还要花那么大心思把 CEO 乔治请来中国看市场,千辛万苦地去自找这个'聚焦中国'来搞呀?"

王伟耐心地解释说:"拉拉,这事儿也由不得何好德不做。行业非常看好中国市场,各大公司都在加大对中国的投资力度。DB 不上,竞争对手可就上了。"

拉拉恍然大悟道:"那我们在中国的排名就会掉下来了。"

王伟点点头说:"就是呀,公司考核何好德的指标多了去了,除了利润和营业额,还有市场占有率和在华的行业排名——他是逆水行舟,不进则退。谁都可以混,他可没法混,再有,就是我们这帮管销售的总监没法混。每个月,指标、费用,都盯着呢。"

拉拉听了不由地感慨道:"嗯,要不怎么说资本总是最大限度地追逐剩余价值呢。"

王伟笑道:"做了销售的,就都明白这个道理。今年完成指标了是吧,明年再在这个基础上增长个百分之二三十,永无止境。何好德这些做总裁的,哪一个不是做销售的出身? 都明白。"

拉拉忍不住叹道:"这就叫人在江湖,身不由己吧。"

王伟被她逗乐了:"是这么回事儿,女侠。"

拉拉多愁善感道:"那什么时候是个尽头呀?"

王伟笑道:"什么时候都没有个尽头。受不了的就走呀,大把新鲜血液等着补充进来呢。别的国家不好说,咱们中国有的是人才,从来不缺乏明眸皓齿的新人。"

拉拉一想也是,公司在华员工的平均年龄才三十出头。

36. 功高压主

DB 共有三个销售业务部,其中 Tony 林负责的商业客户部,其业务额占了 DB 中国业务总量的 55%,公众客户部占 15%,王伟负责的大客户部占了

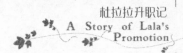

30％。Tony林能否完成任务,成了DB中国能否完成任务的最关键。

Tony林三十五岁上下,和王伟一样,也是美男子,又都是北京人。但是,他和王伟又很不一样:王伟平时话不多,给人的感觉是骨子里透着北京式的高傲,属于比较酷的那一类型;Tony林则长于人际关系,看到谁都随和地打个招呼,属于颇得人缘的类型。

除了人际风格的迥然不同,二人的职业特点也很不一样。王伟是正牌销售出身,做销售是一把好手,在DB服务了八年,一步一步升上来的;Tony林则是三年前加入DB,属空降兵,而且,他在销售上,算半道出家,做生意的能力是不好和王伟比的。

Tony林刚加入DB的时候,商业客户部分为A和B两个部分,他负责相对较小的B部,业务额也就占公司总业务额的百分之二十左右。

Tony林的销售水平虽然在几个总监中不算前茅,却有两个好处,一是执行力一级水平,对总裁何好德的指令跟得很紧,二是和市场部的配合非常到位,销售结果不错。

这就是Tony林的聪明之处,他自知做生意还得学着点,DB市场部的水平在行业算数一数二的,他自己没有特别高明的市场见解,乐得听市场部的,市场部的销售策略,在三个销售业务部中,数Tony林的商业客户部贯彻最彻底,所以他和市场部总监约翰常的关系还不错,不像王伟和约翰常那么僵。

身为空降兵,Tony林在DB不如别的总监根基深,没有资格和老板叫板,他就彻底紧跟老板,索性和老板来个共同成长。

A部当时的销售总监彼得章不服刚来DB中国的总裁何好德,两人做生意的观点不同,彼得章嫌何好德管得太细,又认为他并不了解中国市场。彼得章仗着自己在DB服务了近十年,手上又抓着不小的业务额,认为何好德不敢拿他怎么样,因此明里暗里对着干。

彼得章也是个聪明过人的角色,他这么干自然有他的道理——把总裁逼走,他以前不是没有干过,有成功经验。

都知道老板做得越大,有一项能力的要求就越高,这项能力就是妥协的能力——做老板的,得在不同的利益中权衡厉害,知道在什么地方要做出妥协。

163

老板不是那么好做的，你要是业绩不好，你就得滚蛋；要想业绩好，对于达成关键业绩的下属，就得掂量着办，不然的话，谁滚蛋还不好说呢。

深谙此道的彼得章打定主意要挑战何好德的妥协能力，不然以后他彼得章在 DB 中国，将很难按照他自己的想法去做生意。

在和彼得章的不和中，何好德一直很低调，谁知他不声不响，找个机会突然就把彼得章给炒了。公司对员工和外部宣称：彼得章有更好的个人发展，因此离开 DB，感谢他对 DB 的长期贡献，we wish him a bright future（愿他有一个光明的前景）云云。

何好德事先说服 DB 亚太，做了一个大胆的决定，合并商业客户 A 部和 B 部，前脚刚打发走彼得章，后脚就宣布启用执行力一流的 Tony 林为商业客户部总监。

Tony 林春风得意，却并没有昏了头脑，他总结了一下，自己能上，全仗着：一，彼得章跟总裁对着干；二，自己出色的执行力；三，平时人缘好，关键时刻，虽然不指望谁替他讲好话，至少没有人跳出来反对。

Tony 林和拉拉级别相差了好几级，却有一个共同点，那就是执行力好，这两人的执行力都是一流的。老板一发话，他们马上就给办到，不打折扣，不用催促，保质保量按时交货，谁做他们的老板不爽呀。正是这个原因，使他们得到了何好德的赏识和栽培。

Tony 林清楚，手下的大区经理们几乎清一色的销售经验比自己丰富，很多人对自己并不服气。

他想，还是得扬长避短，自己做生意的水平虽然不如其他销售总监，能把手下的大区经理们用好，一样出业绩——本来嘛，到了那么高的位置，专业技术的水平高自然最好，实在技术不行，也不用自己动手去做，会管人用人就行。

Tony 林首先把手下的大区经理分成三部分，核心部分是北京派，然后是平和派，最后是外围派。

说起老乡观念，北京人几乎是中国人中对此最淡漠的，偏偏 Tony 林就玩起了这一套。

其实，他的北京籍大区经理们不见得就真买他的北京概念，但是，老板决

定团结你,你难道不和老板团结吗?情愿不情愿的,大家都团结到大旗下面去了。客观上,每个地方都有每个地方的人文特点,喝同样的水长大的人,沟通起来也确实能更畅顺一些。

Tony 林很刻意地培养北区的一线经理,从中发现有潜力的人,一旦大区经理出现空缺,他不外招,马上强势从北区内部提拔。新人上来后,他先打发去西区这样相对比较不重要的区域,让新人从那里开始锻炼。

比较搞笑的是,他对常驻上海的东区大区经理的用人标准,居然和拉拉用上海主管的标准一模一样。他要这个人性情随和,最好不想再升了,能独立地把活干出来,又不要太强。

本来 Tony 林的东区大区经理并不是这么个人,但他毕竟是个老资格的大区经理,思想水平不错,Tony 林一上台,他就猜透了上司的心思。这东区大区经理就假装自我定位在守住目前职位的样子,有时候还偷偷懒,把些说大不大说小不小的事儿推给下面资深的一线经理去处理。难为他装得像,Tony 林心里就将他归入平和派,年终绩效考核面谈的时候,还要求他要再多用点心。

剩下总有些不是北京人又很有主意的大区经理,自然就算外围派了。对这类人,Tony 林就控制着用。何好德很关心大区经理的层面,因为总监的后备人选很可能就从这些人中产生。Tony 林有时候和何好德说说外围派的长处,顺便也说说他们的短处。这一招有一定的效果,何好德有一次就和拉拉说起,商业客户南大区经理是个"有人喜欢有人不喜欢"的。

他大笑着说:"当然,人不可能让所有的人都说他好,真那样反而不正常了。"

笑毕,他忽然问拉拉对那人的感觉怎么样。

拉拉吓了一跳,没想到总裁会这么问自己。她一听何好德的调子,就知道是 Tony 林给南区的那位扎针了,顺着说吧,觉得对不起南区那位;反着说吧,那不是和 Tony 林作对吗?Tony 林对自己不错,每次给他的部门做了点事情,总要在大老板面前赞扬自己,再说了,和当红的总监作对,早晚传到他耳朵里,不是啥好事情;说不了解,说不过去,自己就常驻在广州,怎么可能不了解也是常驻在广州的南大区经理呢?

拉拉就耍了个滑头，说："呃——他和我差不多是同期加入DB的，快五年了。我觉得他是那种个性比较鲜明，优点和缺点都突出的那类人，就像您说的，有人喜欢有人不喜欢。我看到他的大区业绩排名是全国第三——这一年多来，我个人感觉他进步比较大，比如在跨部门合作方面。"

何好德是世界上最聪明的那类人，拉拉这么一说，他马上明白她的真实看法，就点点头把话题转开了。

何好德的助理吕贝卡通知李斯特说，何好德要到各大区看市场，安排了沿途大区经理们各用一个小时汇报生意，请HR派个经理跟着去听。

吕贝卡对李斯特解释说："Howard（何好德）的意思，这样HR能更好的understand business（了解核心业务），以便更好的support business（支持核心业务）"

李斯特一看那架势，分明是要让拉拉去听。他有点惊讶何好德下这功夫培养拉拉这么个经理级别的，也没见他对直接下属的总监有这份心思。

李斯特有点酸溜溜的，也有点惭愧，他心里明白自己几乎没有费心去教拉拉，倒叫拉拉不断去感受老板的老板的好处，这是在拉拢人心还是在培养人才，真不好说了。他不知道该怪自己还是该怪何好德。

晚上回去李斯特和太太说："何好德这个总裁做得有问题，有话自己不来说，叫助理来转告我。培养经理是总监的责任，他一个总裁花心思管这样的事情，还能有足够的精力管好公司的生意吗？管得太具体了，太具体了！做总裁的，应该要宏观点嘛。"

亏得拉拉识趣，跟着何好德跑了一星期，回到上海，第一件事情就是向李斯特报告经过，啥都说了，就是没提在飞机上教何好德学中文。

拉拉这次跟着总裁出巡，收获很大，一是照常理，她的级别是永远听不到大区经理这些生意思路的，她感觉自己思考和关注问题的层面提高了很多；二是和何好德又近了一层。何好德这次行程完全没有坐头等舱，一直和拉拉一起坐经济舱，只要有空，就和拉拉谈谈工作，有时候，让拉拉教教他中文。

何好德前几个月开始执著地学中文了，人家听着累，他不管，坚持说中文。有时候，下属们看到他用中文半天表达不出意思，想将就他改用英文，他还不干。结果有时候就出现比较搞笑的场面，交谈中，本地雇员在讲英文，他

在讲结结巴巴的中文。

开始他只能在一对一的面谈中用中文,开会的时候还是得说英文,后来渐渐的在一些规模较小的会议上也说中文了,你们笑你们的,他说他的。

何好德如此执著地坚持学中文,给员工们传递着一个信息:他打算在中国好好发展,"聚焦中国"他会好好做下去。

拉拉在上海的时候,几乎总看到何好德在加班,Tony 林则是总监中加得最厉害的。

王伟对拉拉说:"嗯,Tony 这是还想升那,'聚焦中国'真做好了,他没准能上 VP。"

拉拉好奇地说:"你不想升 VP 吗?"

王伟说:"我也想。不过,他先升,我没意见。"

拉拉问他为什么。

王伟客观地解释说:"从技术的角度讲,我做销售比 Tony 在行,Tony 这方面比较弱,他手下随便挑哪个大区经理出来,销售能力都可能比他强——可这些人中,挑哪个出来,都管不了这班大区经理,还真就只有他能管住这班人。职位越高,对综合能力的要求就越高,说到沟通、协调、管人,是 Tony 的强项呀。"

拉拉关心地说:"你今年能完成指标吗?"

王伟说:"压力够大的,不过应该行;主要看 Tony 了,他那里是大头;公众客户部估计有点悬。"

Tony 林不负众望,他的商业客户部不但完成了指标,还稍微超了一点,把公众客户部落下的部分给补上了,王伟的大客户部也完成了指标,DB 中国刚刚好完成十六点六个亿的销售额,达成了百分之二十三的预定增长目标,利润和市场占有率的数字都很漂亮。

何好德高兴地在年会上用中文做了报告,这是他第一次在大会上讲中文,虽然结结巴巴,但是员工都非常受鼓舞。他强调说:"我和你们在一起!"

Tony 林更是红光满面,他在团队晚会上挥着拳头说:"各位,明年,将会是更加充满机遇和挑战的一年! 我们就是要强调执行力! 对于执行力有问题的分子,我们将坚决铲除出去! 这样,我们才能把竞争对手打倒在地并碾碎他们!"

虽然公司在大力的强调执行力,但他用的"铲除"二字,还是让部分员工听了觉得有点刺耳。好在大家都喝多了,不太敏感。

年会后,公司开始了一年一度的调薪,各部门的头都按 HR 给出的调薪规则评出了员工们的加薪幅度。

王宏看过商业客户部交来的加薪计划,和李斯特说:"Tony 把年度的加薪预算全部用掉了,这样的话,如果年中出现单个的计划外升职加薪,商业客户部的人力成本就会超预算。"

李斯特皱起眉头道:"咱们不是在规则里都提醒过各部门总监要留一点预算做备用吗?"

拉拉在一边想起什么,也说:"听 Tony 下面的南大区经理说,他们这次加薪的幅度很小,很多业绩达标的人只能加 3%—4%,因为 Tony 只给了他这么多预算。按我们这次的加薪规则,这些人应该在 6—8% 的幅度内给予加薪呀。"

王宏马上说:"这正是我要说的,Tony 这次加薪,除了把预算全部用尽不留备用以外,还有一个问题,就是他不按照我们定下的加薪幅度来加薪,他给部分'达标'的员工的加薪幅度太低,跌出了 HR 规定的下限,而又给部分绩效考核得分为'卓越'的员工太高的加薪幅度,高于 HR 规定的上限。"

李斯特沉吟道:"Tony 很清楚游戏规则,他这是有意要这样做,目的就是保留他的核心员工。这样吧,王宏你把这两个问题写个简单的总结,用邮件发给我,我和何好德一起跟 Tony 谈一次。"

王宏答应着出去了。

拉拉问李斯特:"Tony 为啥这么做?"

李斯特批评说:"生意做得好,翘尾巴,什么都要和别人不一样。还是太年轻,少年得志,把握不住分寸了。"

拉拉疑惑地说:"Tony 原来可不这样呀,三个销售总监,都说就数他会做人。"

李斯特说:"这次公司做到 16.6 个亿的销售业绩,他是功不可没的,今非昔比了。现在越来越会向何好德提要求,弄得何好德也头痛。最近两三个月每次 review(回顾总结)预算和费用,Tony 都跟柯必得争得很厉害,动不动拿

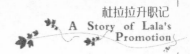

生意要挟柯必得，'老葛'也被他搞得很郁闷。"

拉拉听李斯特口中说出财务 VP 柯必得的绰号"老葛"二字，不由笑出声来道："您也管柯必得叫'老葛'！"

李斯特也笑道："有人告诉我的呀。谁知道你们背后给我起啥绰号。"

拉拉连连摆手道："我发誓，没有给您起绰号！"

李斯特感慨说："哎，还好王伟他们两位销售总监没有像 Tony 这样，不然，何好德可够头大的了，老板不好当呀。"

拉拉听李斯特提起王伟，有些心虚，不敢接嘴。她一直疑心那天晚上李斯特是否看见她在王伟车上，但李斯特在她面前谈到王伟时都很自然，该说坏话说坏话，该说好话说好话，不像试探她的样子。

何好德不肯出面和 Tony 林谈，让李斯特去搞定。李斯特只得独自上阵。

谈了半天，Tony 林就是不让步，他说："李斯特，我的人员今年都调整到位了，保证年内不再提升谁了，这样也不需要预留这块预算，这事儿我心里有数。"

李斯特说："万一中间走人，我们再招的人比原来的人的工资高出一截呢？"

Tony 林坚持说："我的二线经理不大会有人员变动。退一步说，中间真有人走，我再招的时候不用贵的人不就得了吗？再说了，我的部门向来重视后备人才的培养，这您最清楚的，凡是重要点的级别我都有后备梯队，出现空缺，我可以内部提升呀——别说人力成本攀升，真有人走，这成本八成还能下降点呢。"

李斯特只得换了个话题说："按照员工的绩效考评得分，公司对每个档次的得分都规定了加薪幅度的范围。你南区和中区的团队，不少员工这次钱加得太少了，北区和西区又有些员工加得太多了，特别是北区。"

Tony 林随口道："虽然有的大区，我这次给的预算是少了点，可我能在内部摆平就行了嘛，李斯特，保证不给您添乱。我这也是看着明年主要的产出会在哪里来分配加薪预算的，那要人多干活，还不得多给人加点钱呀，我总要保证重点区域的嘛。这和公司付薪原则中的 pay for performance（按业绩表现付酬）是一致的呀。"

李斯特横说竖说都没有用,最后只得胡乱依了Tony林,把难题交到何好德那里。何好德、柯必得、李斯特,三个心里都不痛快,尤其是何好德,又不好发作。

拉拉看在眼里,私下和王伟说:"Tony怎么有点当年的销售总监彼得章的味道? 他可别忘了彼得章是怎么被何好德突然炒掉的呀!"

王伟笑道:"不至于吧,沟通可是他强项。做销售的嘛,总得进攻性强点,不然怎么做好生意? 不给手下人好处,谁给你卖命! 这我特理解他。"

再说李斯特看看最后何好德居然对Tony林的加薪方案妥协了,自己赌气索性也给拉拉和王宏猛加了一通薪水,理由是今年本部门经理岗位有两个空缺,在岗的两位经理特别辛苦,一个人要干两个人的活。特别是拉拉,李斯特看了王宏交给他的年度薪资分析报告,拉拉的年薪离当年欧美企业在华经理的平均年薪二十三万,还差了一大截,他索性给拉拉猛加了一笔,把本部门的特别调整预算用得干干净净。由于加薪幅度太大,按公司规矩,这么特别的调整要报给何好德和柯必得批,两人都没有说什么,照批了。

拉拉经过这一加,年薪就到了23万,她高兴坏了,和李斯特热烈拥抱了一通,李斯特也亲切得体地和拉拉互贴脸颊。

这年,拉拉正好满三十岁。

37. 整个我的人整颗我的心交给你的时候

拉拉走出首都机场到站出口,有人拍了一下她肩膀,她回头一看,是王伟,手上搭着件大衣站在她身后。

拉拉诧异地问:"你怎么在这儿?"

王伟接过她的手拉行李箱说:"我是北京人呀,我出现在这儿不是再正常不过了吗。"

拉拉跟在后面笑道:"哎,我来吧,小心叫你手下瞧见我让他们的老板帮我拉包,该怪我不懂事儿了。"

王伟边走边说:"那没办法,谁让他们摊上这么个老板,上赶着要给你拉

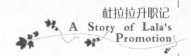

包呀。"

拉拉追问说："别告诉我你是来接我的。"

王伟说："行,我不是来接你的,我是瞎逛碰巧撞上你了。"

拉拉拉住他说："哎,你到底为啥在这儿呀?"

王伟笑道："你不是说过,机场最容易碰上同事吗,还拉拉扯扯的。"

拉拉只得放手道："行,你自己在这玩儿吧。我要回公司去了。"

王伟说："哟,还真生气了? 我就是特意来接你的,你不让人说真话,我按你的意思说假话还不行呀?"

拉拉这才笑眯眯地说："你怎么知道我的航班的? 跟个特务似的。"

王伟说："你瞧你,戴着个大墨镜,你才像个女特务似的呢。"

拉拉自夸道："有我这么漂亮的女特务吗?"

王伟端详了一下她的墨镜称赞道："哎,你别说,这墨镜特适合你,酷。"

拉拉得意洋洋地说："我本来就酷,关墨镜啥事儿!"

二人上了一辆"红旗",拉拉松开盘住头发的发卡,染成栗色的长发瀑布般垂到她的背上。

王伟衷心地夸奖道："这头发颜色不错,适合你。你最近越来越神气了。"

拉拉刚想开口,王伟马上竖起手来道："我说错了,不是最近,而是向来。"

拉拉笑眯眯地说："行呀,夸我好,我就爱听。你到底干啥来北京呀? 你知道我很好奇的。"

王伟说："满足一下你的好奇吧,我休假一周。"

拉拉说："我可是出差一周。"

王伟得意地说："知道,要不我怎么拣这时候来北京休假呀。"

拉拉警惕地用手冲王伟比了个手枪的动作:"哎,你休假别扯上我呀。"

王伟说："刚才你还说夸你好你就爱听,我这不是在拐着弯儿的在夸你吗?"

拉拉不说话了,掉头看着窗外。这是个冬季里难得的好天,清冽的空气中,北京的天又高又蓝。车上了机场高速,杨林大道的两旁,杨树们树干笔挺,树枝也不似南方的树枝那样婆娑,一律直挺地向上,树干在冬日的阳光下反着光。

王伟问道:"你先到酒店 check in(登记入住)吧?"

拉拉解释说:"研发部有一个同事在北京搞项目,他们部门给她在广渠门外一个国际公寓里租了个单元,听说不错,楼上楼下的。她这周正好到外地开会去了,公寓那儿空着,她让我去住。"

王伟说:"你老住酒店,换换口味也不错。"

拉拉说:"就是,还能每天给李斯特省下七百元住酒店的费用。"

这一周,王伟等拉拉下了班就带着她到处吃到处逛。拉拉以前没有在冬天在北京待过那么长时间,天冷闹得她老憋不住尿,一上街就嚷着要上厕所,搞得王伟到处给她找厕所。往往她都上了三回厕所了,王伟一次也不去,拉拉纳闷地说:"你喝下去的水都到哪里去了?"

一连吃了两天涮羊肉,拉拉听人说东单大街那儿有家粤菜大排档叫做"日昌"的,地方简陋,菜式却很地道。拉拉很感兴趣,王伟就陪她去找。到了一看,地方果然简陋,遮寒的塑料帘子垂在门前,水泥地面,粗糙的桌椅,客人很多,有点闹。拉拉兴致勃勃地拉着王伟沿着简陋的楼梯上了二楼,尽量找了个少人抽烟的小间坐下。

拉拉听人说,这儿有用大茶缸装的奶茶卖,味道特香醇,就给王伟点了一份,她很想看看王伟喝了这么一大茶缸奶茶后,到底会不会跑厕所。

王伟不知是计,问拉拉为什么不喝。

拉拉胡编道:"这个特别适合男客喝。"

等店家把奶茶端上来,王伟一看就笑了:"这是茶缸吗? 怎么看着像个盆呀? 这让我怎么喝得下?"

拉拉要挟道:"我给点的,你不喝?"

王伟做舍生饲虎状道:"喝,我不吃别的,也要把这缸子奶茶都喝了。"

一面喝了一大口。

拉拉探头探脑地看着茶缸子问他香不香。

王伟怂恿道:"你尝一口试试? 挺不错的。"

他把热腾腾的茶缸端到拉拉口边,一股奶茶的醇香扑鼻而来,拉拉忍不住就着王伟手里尝了一口。

王伟问她:"好喝吧?"

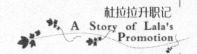

拉拉连连点头,赞道:"我这辈子就没喝过这个味道的奶茶,是掺了啥酒吧?"

王伟说:"咱俩分喝这一缸好了。你喝这一头,我喝那一头,不用让他们再拿杯子了。"

拉拉像小孩一样不断就着王伟手里的茶缸子喝着,结果王伟喝了三分之二强,拉拉喝了三分之一弱。

拉拉酒足饭饱,脸色红润,兴致勃勃地给王伟讲起笑话来:"从前有一个南方的旅游团去内蒙古玩儿,吃饭的时候,大家坐成一圈,每人面前摆放着个大碗,里面装满烈酒。进来一个牧民,用蒙语豪气冲天地嚷了一段话,把面前的一大碗烈酒一饮而尽,然后唰地从腰间抽出一把锋利的腰刀,猛地把面前的大碗一劈两半,又高叫了几句。这时候,导游就开始翻译了,他说,牧民兄弟说了,按当地习俗,大家都要把面前这碗酒给一口干了,否则就是看不起他,就要像那只碗一样被劈成两半!导游说到这儿,大家慌忙全都把酒一口气干了,喝得一个比一个快,都怕被那刀劈成两半呀。那边导游还没说完呢,原来他后面还有话——不过,牧民兄弟又说啦,他知道大家都是南方来的,不善饮,只要喝一口表示个意思就可以啦——等他说完一看,已经倒了一大片啦!"

拉拉本来是负责说笑话的,也不管王伟觉得好笑不好笑,自己就先笑成一团,王伟光看她那个傻样,就乐了,哪里还顾得上去笑笑话里的内容。

简陋而热闹的气氛中,百姓过日子的踏实劲悄悄温暖着他们的关系。

王伟提议说:"附近有家'大华'电影院,咱们去看电影吧?"

拉拉拍手赞成道:"好呀!好多年没看过电影啦!"

两人一出来,碰上卖糖葫芦的,王伟见拉拉盯着看,就给买了一串。拉拉飞快地吃了糖葫芦,要求道:"我要上厕所。"

王伟赞叹道:"你身体真好,不光胃口好,代谢也旺盛。"

拉拉坚持说:"我要上厕所。"

王伟哄道:"'大华'就在前面,咱们坚持两步。"

两人看了电影打车回到广渠门外的公寓,一下车,刚进公寓的院门,一阵北风迎面扑来,吹得人喘不过气,拉拉感觉身上厚厚的外套像单衣一样轻薄。

王伟脱下大衣把拉拉紧紧地裹起来,拉着她找个角落,背对着风向弯下身子。等风过去了,两人才直起身子跑进楼里。

房间里暖气开得很足,暖洋洋的。拉拉甩下外套换上拖鞋,嘴里嚷嚷着:"房间里真舒服呀!"

又问王伟:"饿不饿?"

王伟说:"有一点。"

拉拉一面说:"你等着。"一面就到厨房烧上水,下了两扎康师傅的面条。拉拉在热气腾腾的灶前忙着,王伟站在一边看。待他想走上前来,拉拉就拿手指着他说:"保持三尺距离,男女有别,授受不亲知道不?"

她利索地把面捞起来,装进两个盘子,又拌上肉酱调料,让王伟端出去。

拉拉舒舒服服地坐上沙发,一面招呼说:"吃吧,就这条件。"

王伟真心地说:"冬天晚上有热面条吃,比什么都好。"

两人一边看着 HBO,一边舒舒服服地把面条吃了。

吃完拉拉一推盘子说:"咱们把用过的餐具扔到水槽里就行了,明天服务员会来打扫房间的。"

王伟说:"公寓这点就比酒店方便,要吃点什么,有厨房用。"

拉拉懒洋洋地窝在沙发里说:"是呀,吃完可以不用收拾——我最恨吃饱后要收拾碗筷了,破坏满足感嘛。这样多舒服呀,天寒地冻的深夜,在房间里暖洋洋地看 HBO。"

王伟点点头,嘴里说:"谁说不是呢。"却明显话中有话。

拉拉看他一眼说:"你想说啥?"

王伟索性摊牌说:"哎,拉拉,房间里多暖和呀,又刚吃得饱饱的,你不会真这么狠心把我赶出去吧? 你可是看到了刚才外边风有多大。"

拉拉抱着靠枕大笑起来:"那把我赶出去?"

王伟说:"谁也不出去呀,共赢嘛。"

拉拉"通"的从沙发上跳起来,嚷嚷道:"不许说下流话!"

王伟批评说:"共赢是下流话吗?"

拉拉正色道:"好吧,考虑到外面天寒地冻,换了是我,也不愿意出这暖洋洋的房间。你就睡楼下,不许上楼。"

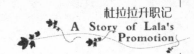

王伟保证说:"我不上楼。我上楼我是禽兽。"

拉拉打定主意,就说:"那你快到大堂的商店里去买换洗衣服,他们十一点关门,还有十五分钟。"

王伟在大堂商店里买了"三枪"的内衣和袜子,意外地发现,商店里挂着几套 NIKE 的休闲运动装。他看中了一条深蓝色的女式长裤,设计师选用了下垂感很强的棉布料子,线条裁剪得很美,臀部收身,下摆打开。王伟想,这条裤子肯定能很好地把拉拉修长的双腿给表现出来,他挑了一条一米六五身高的尺码买下。

王伟回到房间,拉拉刚洗好澡,正站在镜子前在用电吹风吹头发。王伟热心地说:"我帮你。"

拉拉笑着依了他,但是他的动作不太高明,拉拉就说:"真笨,不要你,我自己来。"

一面就收回了电吹风,王伟只得悻悻地退下,站在一边看她操作。

拉拉说:"你看我干吗?去洗澡呀,都过 11 点了。"

王伟说:"我给你买了样东西,你看看。"

拉拉惊讶地说:"这么晚了,你能在大堂商店里买到啥?"

王伟得意地把 NIKE 的蓝色长裤拿出来给拉拉看,拉拉一看就喜欢了,拿在手里比划着。

王伟怂恿道:"房间里穿正好,又舒服又方便,你穿上试试?"

拉拉推他道:"你先去洗澡。"

等王伟出来,拉拉已经换上了长裤,站在镜子前美呢,见他出来,就问他怎么样。

王伟赞赏地上下打量着说:"我买的时候,就觉得你的腿长,这裤子肯定能把你的腿表现得很好,没想到,腰和臀部也表现得这么好。"

一面就情不自禁伸出手来想抱她。

拉拉马上退后一步说:"又来了,退后点,保持三尺距离。用嘴说话,别用爪子说话。"

王伟泄气地说:"我那叫手,不叫爪子。平时在公司说话都不用保持三尺距离,这会子规矩这么严。"

175

拉拉恼了，粗鲁地说："那依你，等下就一起上床才好。"

　　王伟也恼火了，说："嗨，你一个女孩家家的，说话咋那么粗鲁！上床上床的。你还别说，我看这主意没啥不好，就是你不肯呀，我有啥办法，只好禽兽不如了——回头说给外人听，你睡楼上，我睡楼下，谁信？"

　　拉拉说："我就信。"

　　王伟不说话了，走到沙发前坐下，拉拉觉得自己过了点，理亏地跟过去哄他道："咱们不是说好共赢的条件了吗？"

　　王伟拍拍身边的沙发，招呼说："拉拉，你坐下，咱们俩谈谈。"

　　拉拉马上紧张起来。

　　王伟说："拉拉，我们已经相处了半年了，要是你不喜欢我，我绝对不勉强你——可你还是喜欢我的，对吧？我欣赏你的矜持，但是，你管两人之间稍微亲昵点的话叫'下流'，还有，我能接受现在你还不愿意上床，但两人私下在一起的时候，你也让我保持三尺距离——这就不合理呀。你有啥担心的事情，可不可以说出来？我们一起来解决。"

　　拉拉咬了半天嘴唇老实说："公司里有哪个经理在内部谈恋爱的？要是被公司知道，你是销售总监，总不会离开，那就不得我离开吗？我好不容易升到经理，不愿意这么快就离开；还有，何好德的栽培，对我来说是千载难逢的机会，——如果他知道了，我总觉得他对我的态度会有变化；三个销售总监中，他本来最喜欢的就是 Tony 林，我怕他知道了对你更一般。想到这一切，我很不安。"

　　王伟摸了摸拉拉的头发，温和地说："你这么想很合理，也很自然。任何一个成熟的人，都会这么想。那么你希望我怎么配合你？"

　　拉拉犹豫了一下说："我说了你肯定会生气。"

　　王伟鼓励说："我是做销售的，做销售的人最开明，凡事都愿意找到利益最大化的方案，你说吧，我不生气。你不说出来，我才郁闷。"

　　拉拉说："我愿意不愿意和你在一起，我骗不了你，你也骗不了我。可是，我真不敢说我们最后就能走到一起生活。"

　　王伟点点头说："这是对的。我们都是成年人，谈恋爱，有两种可能性，结合或者分手。"

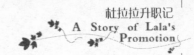

拉拉说:"假如我们相处得很好,我想这需要年把的时间来下结论——那时候,何好德的四年任期也结束了,他十有八九会离开 DB 中国,而我,通过前后两年的磨练,应该已经成长为一个比较成熟的经理,离开 DB,我也有了到市场上竞争的实力。"

王伟赞同地说:"没有问题,你想得很对——谈恋爱可能会有不同的结果;而工作是只要你努力,它就会回报你的;获得总裁的支持,对于任何人来说,都是难得的机会,我非常赞成你利用这样宝贵的机会抓紧实现职业上的进步。"

拉拉没有想到王伟不认为她势利,反而很真诚地赞成她的想法,她一时不知道说啥好。

王伟接着说道:"拉拉你看这样好不好,何好德的任期还有一年半,这期间,你就好好工作,我们的关系不对公司的人公开,我会很小心的;然后,等他期满卸任,咱们进展得顺利,就一起生活,你,或者说不定是我,总之我们中有一个离开 DB;如果觉得不适合一起生活,咱们就做好同事,这一点,我向你保证。"

拉拉惭愧地说:"我是不是特没劲? 特没意思?"

王伟把她拥进怀里抚摸着她的头发说道:"不会,拉拉,我真的很想和你一起。我能理解你,30 岁的人考虑问题是不能和 20 岁的人用同样的标准的,不然就显得弱智可笑了,我喜欢你的聪明。"

顿了顿,王伟又说:"这事儿怪我,我应该早就主动考虑到这方面的安排。年内销售压力太大,等年度一结束,我才有心思考虑这事儿。这次趁着你在北京出差来找你,就是不想在上海或者广州,让你不方便。我想,你的常驻地是广州,我的常驻地是上海,相对而言,北京是第三地,我们在这里能比较没有压力的相处,把这个问题当面谈出个约定。"

拉拉感慨说:"这哪叫谈恋爱? 这叫谈生意。"

王伟不同意道:"别这么想,这叫扫清障碍。"

拉拉从王伟怀里直起身子说:"哎,王伟,我发现,你确实是总监的水平,我比你小心眼儿多了。"

王伟说:"过去我考虑自己的感觉比较多,替你考虑得少了。今后,我会做得更好,放心吧。"

两人把话挑明,王伟说:"现在可不可以亲热一下了?"

拉拉心情沉重道:"可以——只是前面的话题太压抑,亲热的气氛全没了。"

王伟笑道:"可不是,这都怪你。管亲热话叫下流,亏你想得出来!"

结果两人继续看 HBO 上的大片,拉拉直看到眼皮实在睁不开,方歪倒在王伟腿上睡着了。王伟待她睡熟,才把人横抱起来,扛上床去。当夜二人相拥而眠不提。

拉拉没有按计划周五离开北京,而是依了王伟,又在北京住了两晚,到周日才走。

王伟悄悄地留心了拉拉各类衣服的尺码和她使用的护肤品的牌子,准备依葫芦画瓢给拉拉添置一些衣物和个人护理品,等她到上海出差,到他那里小住的时候就能很方便了。

王伟到机场送拉拉,由于太依依不舍,两人在向来视为不够安全的机场安检口大着胆子吻别。

拉拉在回广州的飞机上坐在一个靠窗的位置,她的脸上焕发着恋爱中人的迷人神采,窗外白色的云海,令她感到非常想写点什么。

拉拉信手打开"小黑",想了半天,只打下几句稍加变动的旧歌词:

整个我的人整颗我的心

交给你的时候

有白色的梦有蓝色的情

单纯而又执着

轻轻撩起我的头发

你是这样温柔

给我最深情的吻

拉拉感到自己仿佛又回到了大学时代，像一个女学生那样爱她的爱人。

38. 个人权力太大会妨碍组织的安全

新年刚过，公司传闻亚太区要派过来一个分管销售和市场的VP，市场总监约翰常和三位销售总监都将向这个VP报告。

拉拉以为是谣言，结果李斯特悄悄和她说那不是谣言，他说公司这样安排，一是为了让何好德能更专心地思考宏观管理上的事情，二是因为何好德的任期再有一年多就满了，公司也需要为总裁的位置培养一个接班人。

拉拉马上反应道："那就是不打算培养Tony林做VP啦？"

话一出口，拉拉随即觉得自己这话问得不妥——事实上，DB在中国的人才本土化，也就推行到总监这一级别，在VP上，一直不肯启用本土人才，美国佬还是有着他们的戒心的，而李斯特毕竟是个美国人，拉拉觉得自己失言了，有点不好意思。

李斯特倒没在意，他诡秘地说："拉拉，对Tony来说，还不是有没有机会做VP的问题，公司马上要做大的架构调整，把商业客户部一拆为二，分为A部和B部，业务额各占公司业务总额的30％和25％，Tony将只会负责较小的B部。"拉拉这回可吃惊了："那不是又恢复到以前了吗？"

李斯特点点头说："是呀，中国不是有句话叫'分久必合，合久必分'吗？"

拉拉说："那Tony不是要很不高兴吗？他怎么说也是立下功劳了，不给升官，反而实际上是重要性大大降低了。"

李斯特哼哼了一声说："要的就是这个效果！你想，要是公司真把生意全交到Tony手上，他不就有了很大的筹码和公司谈条件吗？从这次年度加薪水就看得明白，南区、中区的大区经理不是Tony的嫡系，他就把这两个大区的预算扣下来，主要转给了北区，这明显是在培植他自己的势力，你以为何好德是傻瓜吗？——Tony明目张胆地拉帮结派，还动不动和公司讲条件，他犯了忌讳了。"

拉拉恍然大悟道："原来是这样。我还真没多想他干吗非要那么安排加工资。"

李斯特对Tony林有意见,一下子没忍住在拉拉面前说得太露骨了,他有点不安,赶紧又补台说:"当然,这样的安排其实也不能说是针对Tony的,从组织的安全来考虑,把业务全部集中到一个人手上,是不合理的。万一这个人发生变动,或者和公司闹矛盾,公司就被动了。"

拉拉点头道:"那也是。只是公司不是总说要结构扁平化吗?"

李斯特说:"扁平有扁平的好处,也有它的坏处。主要还得看组织发展到不同阶段的实际需要了。"

拉拉想到实际的问题了:"那Tony知道了吗?"

李斯特说:"新VP估计下个月就到了,这两天何好德就该和Tony他们几个销售、市场总监谈话了。"

拉拉担心地问:"那Tony会不会不高兴了,然后就跳槽呀?"

李斯特说:"有这个可能。不过,Tony是受到公司的栽培迅速成长起来的,他在DB的机会算优于市场平均机会的了——以他的资历,在市场上也不是那么容易找到一个满意的新职位的。这年薪一两百万的职位,毕竟在市场上是有限的。"

拉拉说:"那他也可能因为面子问题,赌气跳槽呀。"

李斯特说:"明智的跳槽是因为有更好的机会,不仅仅是因为目前的机会不够好,否则就成了为跳而跳。做人很多时候要忍一忍的,Tony是聪明人,他应该明白这一点。"

李斯特又想到了什么,不满地说:"Tony的薪水到底是多少,说起来,连我这个HR总监都不知道。他确实太特殊了。"

拉拉也听说过这个事情,当初商业客户A部和B部合并的时候,Tony林的薪水有了惊人的加幅,以至于何好德和柯必得都觉得让HR总监李斯特看到Tony的薪资数字怕影响不好,因此,经过DB亚太的协调,做了特殊的安排,Tony林的薪水,有一部分是在DB母公司在中国的另一个业务公司名下发的,这样,李斯特就只能部分知晓Tony林的报酬。

王伟也听到了风声,晚上问拉拉:"你们李斯特没跟你说说新VP是男是女,哪儿人,啥背景?"

拉拉一问三不知,王伟怀疑说:"就算李斯特没跟你说,何好德也没

房间里暖气开得很足，暖洋洋的。拉拉甩下外套换上拖鞋，嘴里嚷嚷着："房间里真舒服呀！"

杜拉拉升职记

A Story of Lala's Promotion

提过？"

拉拉说："这种大事,何好德觉悟最高,嘴比谁都严。"

王伟不以为然道："他嘴严,那你是怎么知道的,我是怎么知道的？"

拉拉不接他的话茬,把头凑到王伟面前问："哎,王伟,Tony 的势力要被削弱了,你就没点感想？比如某种幸灾乐祸的感觉？"

王伟拍了一下她的头说："你把我看成什么人了！我跟 Tony 之间没啥竞争关系,他做他的商业客户,我做我的大客户,即使他升不了 VP,反正也轮不到我升,我就安心赚我这年薪一百万,他是赚两百万还是一百五十万,我还真不介意。"

拉拉不禁感慨道："那你是单纯的技术型人才,你这样的人有你这样的人的好处,比如心地会相对单纯些,不会那么阴险。"

王伟得意道："就是。哎,拉拉,你的味道吧,比什么香水都好闻,香喷喷的,肯定好吃。"

拉拉轻轻拍拍王伟的脸说："总监同学,我把你的话给录下来,明天拿到公司去放,看你还每天西装笔挺,人模人样的。"

王伟抓住她的手说："那太好了,咱们干脆过了明路。"

39．充满变数的时期

何好德和几个销售总监分别谈了话。Tony 林事先自然也多少听到些风声,等正式证实了,还是感觉郁闷极了,表面还得装没事人一样,知道都瞅着他呢。最让他没面子的是,他得去和手下的那帮大区经理说。

Tony 林也知道,到了他这个级别,满意的工作市面上不好找。虽说找工作是肯定要做的动作,但是,首先还是得在新 VP 上任前的这一个月里,尽快做好准备工作,占据有利地形,以便把在 DB 的损失降到最小。

他开始了紧锣密鼓地调兵遣将。他和大区经理逐个谈过话,进行了一番打气鼓动工作,然后把能力强的二线乃至一线经理大批地悄悄往未来的 B 部产品线上移。何好德们自然都看在眼里,但是眼下商业客户部还没有正式分

拆，Tony 林在自己的管辖范围内做动作，他们还不好多说什么。

后来，Tony 林有的动作实在太过火了，何好德不得不让李斯特去找 Tony 林谈一次。结果 Tony 林说，相关大区经理对这样的人员变动没有意见，如果大区经理有异议，他可以考虑重新安排。

李斯特只好闭嘴，私下里气哼哼地和拉拉说："那个大区经理现在还是 Tony 林的手下，让我去问他有没有异议，不是白问吗？人家敢有异议吗？现在可是充满变数的时期，都说不准以后谁会是自己的老板，哪个敢乱说乱动呀？"

拉拉笑着说："Tony 就不怕公司忽然说不要他负责 B 部，让他负责 A 部了。"

李斯特也笑了说："那就好笑了，能干的都已经被他调到 B 部去了，到时候想往 A 部转回来都来不及。你别说，这种可能性不是没有。"

分管销售和市场的新 VP 罗杰，40 岁出头，新加坡人，来了没几天，对手下的几个总监，就开始不给好颜色了。他老训斥他们，不管他们说什么都说他们不专业，几乎所有报批的东西都被他驳回，他要求总监们补充各种各样的说明材料。

罗杰的太太总说自己身子弱，时常对他说骨头疼或者脑袋疼，他的两个小孩也比较闹人，家家有本难念的经，罗杰在家里的日子有点暗无天日，哪里比得上在公司里爽，他便天天加班。

罗杰这一加班不打紧，小到助理，大到总监，都不好走。罗杰没事就把总监们叫到房间，咄咄逼人地问十万个"why"（为什么），当下在 DB 中国赢得"十万"的荣誉称号。

一天两天还好，连着个把月下来，这"十万"都没啥变化，几个总监很快就被折腾得气色差了不少，他自己的助理则辞职跑了，害得李斯特到处给"十万"找助理。VP 的助理本来就是个不太好招的职位，李斯特还得想法找个特别能忍耐的（免得就算把人哄来了，人家很快又要跑），这个要求在上海可是个很困难的要求，因为上海哪怕在全球都算得上是个女性地位很高的城市，李斯特出价月薪一万，猎头还是找不来合适的。李斯特无奈，只好做何好德的助理吕贝卡的思想工作，请她先顶一顶。

183

Tony林倒感觉稍微好了一些,因为人的快乐或者痛苦,很多时候是对比而来的。既然另外两位和他平级的销售总监也都很痛苦,他的痛苦感就减轻了一些。

原先他以为新VP一来就要着手拆分商业客户部,毕竟风声都放出去了,上上下下就等着正式分家了。早点拆了也好,在这么一个充满变数的组织架构中,都没有心思干活了,不落实组织架构,"聚焦中国"真要烧焦中国了。

不光Tony林这么想,几乎所有销售和市场团队的人都这么想,特别是经理级别以上的人。

可VP罗杰就是半天不拿出方案来。既然用了他,何好德也不好多干涉他职权范围内的事情,只得耐着性子等罗杰了解了DB中国的人员和业务状况再说。

这一等,三个月一晃就过去了,眼看着荒废了多少生意。

几个销售总监里,数Tony林最小心侍候,无奈罗杰是个喜怒无常的,弄得他一会儿充满希望,一会儿又心灰意冷。他把重兵都布局在B线了,现在不知道该怎么好,因为罗杰实在是个没准的角儿。Tony林像一个股市里的散户,眼看着大盘高位震荡中,面临向下反转或向上突破不明,他既不敢满仓死扛,又害怕轻仓踏空。

王伟也和拉拉抱怨说:"哪儿搞来这么个新加坡佬带销售,公司要被他折腾惨了。"

拉拉不解地问李斯特:"既然罗杰还要慢慢地看怎么摆架构,为什么这么早就放出风声要进行组织架构变动呢?搞得现在个个都没有心思做生意了。"

李斯特分析说:"恐怕这事情也由不得何好德,他是聪明人,嘴又严,肯定也不想八字还没一撇就走漏风声。"

拉拉惊讶地说:"是亚太那边要这么做?"

李斯特沉吟道:"这就不好说了。何好德是已经调到欧洲市场去的克里斯提拔起来的。他和新上任的亚太总裁'萝卜'现在不知道磨合得怎么样,每个老板有每个老板的想法。"

拉拉听了老李的分析,才想到何好德恐怕在新的顶头上司"萝卜"那里不受信任。

这个题目对她来说难度太高了些,她只好先抛开不想。倒是 DB 中国的新 VP 罗杰,是她可以谈论的,她怀疑地和李斯特说:"听说销售总监们送给罗杰批的东西他总是不批,明明有据可依的事情,他非要人家补充这个报告那个说明,更好笑的是,人家照他要求补给他了,他根本不好好看,又要人家补充新的报告。是他这人特别不好说话,还是他根本不懂行,不敢做决定呀?"

李斯特点点头说:"这种可能性也是有的。以前没有做过中国这么大的市场,现在心虚也正常,需要做决定又不敢做决定,只好不断挑战下属,让他们补材料。"

拉拉担心地说:"销售团队现在氛围这么不好,何好德知道吗?"

李斯特叹了口气说:"都看在眼里了。有一点,这位销售 VP 罗杰的 leadership(领导力)肯定是有点问题的,动不动就教训手下的总监不专业,在他口中,DB 中国几乎所有的人都是不专业的——这不对吧? 如果大家都不专业,那我们在中国的领先地位是怎么来的?"

拉拉附和说:"老板您说得对。起码,对于这么高的职位而言,他也太情绪化了。就是一个普通员工,也不可以在工作场合那么情绪化嘛。动不动就教训人,一点也不尊重员工。我们可是美国公司,公司文化是倡导尊重每一个员工的!"

李斯特给拉拉的话提醒了,他说:"可不是吗,现在员工普遍反映这一点上对他感觉很不好,罗杰在 DB 中国的个人威望很成问题呀——有机会要反应给亚太。"

拉拉着急道:"今年的指标这么重,第一季度的销售数据非常不好。再不赶上来,可真没救了。"

李斯特说:"亚太新总裁'萝卜'到任后,商业行为准则推得很厉害,我们中国区的财务 VP 柯必得是个胆小的,只顾自己安全,不管何好德的死活,什么事情都抱起商业行为准则来量。最近正在谈呢,以后公司各部门,不管做什么事情,只要涉及金额超过五百元,他就要人家的合同让法律事务部看过才能签。"

拉拉惊讶地说:"这也不符合中国国情呀。要是非这么办,至少得专门雇几个律师来才行。"

李斯特说:"我看柯必得的架势,销售那边做生意会越来越难。一个罗杰就已经把销售折腾得够呛了,柯必得再推行这样严厉的内控政策,会让销售更难受。控制费用当然是财务的本色,不过他给人的感觉是,只要他自己的官位不出问题,至于销售做不做得出来,他就完全不理会了。"

拉拉不满地说:"那何好德管不了了?"

李斯特说:"何好德又不是柯必得的老板,柯是向亚太区的财务 VP 报告的,他等于是在钱上负责看着何好德的。"

拉拉不服地说:"那亚太不看销售数据吗?销售做不好,罗杰得负责!"

李斯特不屑地说:"他负什么责,他可以说自己是刚来的,责任要由以前在管的人负责。"

李斯特最近也被罗杰教训过"不专业",越说越觉得气闷,他沉默了一下,忽然和拉拉说:"这样下去不行!我要和何好德谈一次,让他好好 coach 罗杰和柯必得一次!如果他们不改正,就都该被炒掉!不然 DB 中国就要被这两人给折腾得翻不了身了——这是我作为 HR 总监的职责,我有义务向公司报告他们俩的表现。"

拉拉听了吓了一跳,忙劝阻说:"老板,还是小心点。现在谁都不知道公司架构会怎么发展。咱们还是谨慎点,以免站错队。"

李斯特马上醒过神来,感激地点点头说:"你提醒得对,这是充满变数的时期。changing management(变革管理)很重要。"

40. "有过"和"同步"

拉拉最近不在上海,这日王伟正自己躺在沙发上看电视,有人敲门。他从猫眼往外一看,迟疑了一下,开了门,对来人说:"阿宝,你怎么来了?"

被王伟称做阿宝的来客居然就是岱西,她得意地笑道:"没想到吧,给你个惊喜。"一面就径直走进房间。

王伟关上门问她说:"有事儿吗?"

阿宝不悦地哼了一声说:"没事情,就不能来吗?"

她脱下外套,把自己扔进沙发,使劲舒展了一下身子,才打量着四周说:"还是老样子,没变化。"

王伟站着问她:"喝什么?"

阿宝说:"不用你招呼。"

一面就自己起身到厨房开冰箱找东西喝。

阿宝回到客厅,见王伟坐在单人沙发上,手里捧着杯茶沉思的样子。

阿宝在他旁边的三人沙发上挨着他这头坐下,笑着打量他。

王伟被她看得不自在起来,说:"怎么了?"

阿宝意味深长地说:"你身上好像有点变化。"

王伟没有表情地说:"我能有啥变化。"

187

阿宝含笑不说话。过一会儿,她挪开点身子,轻拍着身边的位子,要王伟坐过来。王伟装傻道:"有什么事情吗? 怎么不打个电话就上来了?"

阿宝有点不高兴了:"怎么我就不能上来了?"

王伟解释说:"不是这个意思,我是说万一我不在家呢?"

阿宝撒娇道:"你坐过来嘛。"

王伟拗不过,只得倒腾屁股,勉强坐到她身边。他一落座,冷不防,她就抱住他在脸上轻咬一口。

王伟躲闪不及,招架道:"哎,别闹!"

阿宝松开手,幽怨地看着王伟,又趴在他肩上,王伟叹了一口气说:"别这样。"

阿宝难过地转过脸去说:"你就不能不这么冷淡吗? 我都大半年没来了!难道我是陌生人吗?"

王伟看到阿宝眼里闪着的泪光,心里也不舒服,他劝道:"阿宝,看你说的,我不是这个意思,你别多心。可你我已经不是从前的关系了,你要我对你做出亲热的意思,我做不到。我要真那么做了,也不是为你好。"

阿宝转过头来说:"王伟,你别说了。今天怪我,不该上来。本来这都大半年了了,我不也都好好的吗——你放心,我今天真就是偶然路过,以后不来了。”

王伟不知道说什么好，身子僵硬地坐在那里，走开也不是，不走开也不是。

阿宝看他的样子，压抑着失望笑道："行啦，你坐那边去吧，我本来就是顺便来看看的，都说了以后不来了，你至于吗？"

王伟换个话题说："你吃饭了没有？一起在附近找个地方吃晚饭吧。"

阿宝摇摇头说："不啦。我晚上有约会。"

王伟听了感觉一阵松快，连忙说："那我送你下楼。"

阿宝先起身，王伟相跟着，准备替她去拿外套。阿宝忽然转过身来抱住王伟，她玲珑起伏的身体，紧贴着他的身体，一面热烈地吻着他。她摸索着伸出手去关了墙上的灯开关，颤声说："我带着 condom（避孕套）呢。咱们做吧，和什么都无关。"

未几，王伟把床头的灯拧亮，站在地上穿上衣服，心里的滋味很复杂。

阿宝坐起身，看他的样子，也很不是味道，身体彼此熟悉，但是心灵的距离越来越远，把握不住的飘忽。

阿宝故作轻松道："别想歪了，这只是什么意义都没有的偶然事件。"

王伟勉强笑了一下说："你现在还好吗？"

阿宝一面穿上衣服，一面尽量自然轻松地说："挺好的。有时候我都忘记我们俩好过。"

她起身到自己的包里拿出一串钥匙递给王伟说："那，你不是老追着问我今天有什么事情吗？其实是为了把钥匙还给你。以后，你请我来我都不来了呢。"

她说罢，调皮地看着他笑了。看到她轻松的样子，王伟惭愧地松了口气，他接过钥匙真诚地说："看到你好，我挺高兴。"

这时候，王伟的手机响了，他看看手机屏幕上的显示，没有接。

阿宝说："你接吧，我不说话。"

王伟犹豫了一下说："不用管他。明天再说。"

手机响了好一会儿，不响了。王伟把手机拿起来揣进口袋，手机马上又响起来。阿宝做了个让他接电话的手势，自己轻手轻脚走出卧室，随手带

上门。

王伟等她走出房间,才接电话,低声说道:"喂。"

趁着王伟关在卧室里接电话,阿宝迅速地在王伟的公寓里巡视了一圈。她推开客房门,看到梳妆台上有一套兰蔻的护肤品,心顿时觉得揪紧了。她扑过去,拉开梳妆台下面的抽屉,看到几件女性的内衣。阿宝关上抽屉,转身又打开衣柜门,一眼就扫到挂着的一条蓝色的 NIKE 女式休闲长裤。她咬了咬牙,把一样东西塞进那条裤子的口袋里,又赶紧关灯闭门,跑回客厅坐在沙发上装着喝茶看杂志。

等王伟接了电话出来,阿宝笑着说:"我得走了,还有个约会。"

毫无觉察的王伟说:"行,我送你。"

走到门边,阿宝忽然问:"怎么这双女式拖鞋不是我原来穿的那双?"

王伟愣了一下,尴尬地解释说:"那双旧了,我让阿姨买了新的换上。"

189

阿宝没有多说什么,微笑着告辞了。

飞机停稳,拉拉一开机,王伟的电话就进来了。拉拉说:"刚落地。"

王伟说:"我在出口等你。"

拉拉一出来,就看到王伟,她笑着埋怨:"不是说了让你别来接嘛。"

王伟没有多说什么,接过拉拉的行李就走。自从阿宝那天的来访后,王伟一直有点像一个受了委屈的孩子,他盼着拉拉早点来上海。

拉拉不知就里,只当他怕在机场给人碰上,也就跟着他快速上了车。等王伟把车开出停车场,拉拉才笑着问他:"怎么了? 又给罗杰修理了?"

王伟笑笑不说话。

拉拉摸摸他的头发说:"人家 Tony 都能顶得住,你瞧你。"

拉拉只当王伟工作压力太大,便有意叽叽呱呱地和他说些笑话,逗他开心。

拉拉说:"从前,有个光头俱乐部,这俱乐部特别有档次,有很多有趣的活动。他们有一条规矩,就是非光头不得入内。为了确保规矩能被严格执行,他们聘请了一个门卫。这门卫是个盲人,他特别忠于职守。每个进去的人,他都要先摸一遍人家的脑袋,确认是光溜溜的以后,才放人进去。有一个特别好奇的家伙,他一直想溜进去看看新鲜,可总得不到机会。有一天,他瞅了个没人出入的空档,飞快的跑到那门卫面前。他扒下自己的裤子,把屁股送上给门卫检查。门卫认真地摸了一番,你猜他怎么说?"

王伟想了想说:"是光溜溜的,符合要求呀,放人进去。"

拉拉忍住笑说:"门卫严肃地说啦:'一个一个来,别两人一起挤上来'。"

王伟听了就笑了。拉拉追着问好听不好听?

王伟说:"好听,你以前不是说要给我讲一千零一个笑话吗?"

拉拉调皮地说:"干吗? 听完了就杀我呀?"

王伟说:"什么呀,我是想,你要是早点嫁给我,我听笑话就方便多了。"

拉拉哼哼道:"我还想再往上升呢,咱们回头再议。"

晚上,两人在沙发上看电视,王伟忽然说:"拉拉,要是哪天你肯嫁给我了,咱们去买个新房子。"

拉拉说:"现在这个房子我们自己住着挺好呀。再买新房的话,资金占用很厉害的,上海房子太贵了,你看得上的房子,少说也得两百万吧。"

王伟说:"中介老给我打电话,问我要不要出租或者卖掉现在这个房子,出手很容易,你不用担心资金占用问题。"

拉拉还是不赞成,她说:"就是因为这个小区好,所以租售才那么容易嘛,我们何必另外花钱买房子。再说了,你在北京还有一套不错的房子呢。要不要把钱放一些在别的投资上呢? 像股票、基金什么的?"

王伟执意坚持:"咱们买个新的。你喜欢哪个路段? 找个时间,我挑个楼盘带你去看房子。"

拉拉感觉出了王伟的反常,她捧起王伟的脸说:"是不是工作压力太大了? 别理罗杰,他这样下去没准啥时候就得走路。咱们可得熬住。"

王伟只说:"拉拉,挺想你的。"

王伟半夜醒来,闻到一股若有若无的植物的清香围绕在他的周围。他一侧脸,想起拉拉在边上。王伟用嘴轻轻碰了碰拉拉柔软的嘴唇,情不自禁地搂过拉拉柔若无骨的身体。

拉拉睡得正香,被他吵醒了,瞌睡得很,迷迷糊糊中不满地嘟囔道:"干

吗？不知道人家睡眠不好吗？"

王伟哄道："不睡了,明天请假。"

拉拉不理睬,翻个身,给王伟一个脊背。

王伟对她的恶劣态度采取忽略战术,两手不停歇地继续抚摸着那个温香暖玉的身子。

拉拉终于给鼓捣得睡不成了,转身恼怒道："你是我老板吗？ 只顾自己快乐的人！"

王伟见拉拉扣这么大帽子,只得作罢。

拉拉迷迷糊糊地哄他道："明晚明晚。"

阿宝走进移动的营业厅,找了一台自助机子里输入王伟的手机号码,她想了想,在密码里输入了一串数字,一次成功了。她随即打印了王伟最近三个月的通话记录清单。阿宝把清单带回家仔细研究了一番,着重研究了晚上的通话号码,她把拉拉的手机号码用荧光笔 hightlight(标识)出来。

第二天,阿宝找了个磁卡电话,打拉拉的手机。拉拉接了以后,阿宝并不说话。拉拉连着问了几声："请问你哪位？"

阿宝听出来这是谁的声音了,她感觉到心突突直跳,随即挂上了电话。

拉拉正忙着,手机响起来了,拉拉一接,对方说："拉拉?"

拉拉奇怪地说："是,您哪位?"

对方说："我是岱西。我们谈谈好吗?"

拉拉马上明白了,说："行。"

岱西说："南昌路上有家西餐馆,叫'不一班',菜做得不怎么样,不过环境挺舒服。你知道那个地方吗?"

拉拉说："知道。"

岱西说："中午我能请你在那儿吃饭吗?"

拉拉爽快地说："行。"

两人在"不一班"西餐馆碰了面。

这家西餐馆很有点丽江的小酒馆的味道,木楼梯踩上去咯吱咯吱地响,上得二楼,就见阳台伸出阁楼,阳光透过树阴,星星点点斑驳地洒在藤椅上,让人想懒洋洋地在这里暂时忘却时光和俗事。从阳台往街对面望,也是一家小酒馆,门框上写着:为人民服务,不过我收费。

两人点了菜后,拉拉就问岱西:"谈什么?"

岱西在一张纸上画了一个房子的平面图,说:"拉拉我知道装修方面你是专家,这儿有一张平面图,想请你看看,装修得准备多少钱?"

拉拉接过来一看,就明白了,岱西画的正是王伟的房子的平面图,她还把房内的摆设都大致画出来了。如果她不是很熟悉那房子,是画不到这么准确的。

拉拉冷静地说:"那不好说,各人的标准不一样。全看自己了。"

岱西笑一笑道:"你说的有道理。拉拉,别看你个子不高,腿很长的,NIKE今冬的休闲裤款式,设计得最合你这样腿长的人穿了。"

拉拉等着她再说点啥,但是岱西没有再说什么特别的话,两人顺利地把点的菜都吃完了,居然没有浪费一点食物。

晚上,拉拉和王伟如常吃了饭,才去洗澡。她换上那条NIKE休闲裤,马上感到口袋里有东西。她慢慢把东西掏出来,看了脸色就变了。

拉拉把手中的东西给王伟看:那是一个花花绿绿的小四方塑胶袋,一看就是装避孕套用的,撕开了,已经空了。

拉拉觉得嗓子眼发干,她咽了一下口水问王伟:"这是什么?"

王伟一看那空壳,脸色马上变了说:"拉拉,你不会指望我三十几岁的人没有过女人吧?"

话一出口,王伟就知道自己这话说得不对了。

果然拉拉点点头道:"您老见教得是。"

她把那个装避孕套的空壳扔到茶几上,转身回房收拾自己的行李。

王伟跟进去说:"拉拉,我错了。"

拉拉不说话。

王伟又说:"拉拉,不是你想的那样。给我一个解释的机会。"

见拉拉只顾自己收拾东西,王伟急了,上前想扳过拉拉的身子,拉拉一下挡开他的手冷冷地说:"麻烦你让开些。"

192

王伟站在那里,自尊心受到极大损伤,又觉得非常愧对拉拉。

他沮丧地走回客厅,过了一会儿,又转回来对拉拉说:"拉拉,就算判刑,我也有个替自己辩护的权力吧?"

拉拉收拾得差不多了,直起身子说:"那东西是你用过的不是?"

王伟想解释,拉拉举起一只手做了个阻止的手势说:"你只需要说'yes'or'no'就行了。"

王伟只得说 yes。

拉拉又咄咄逼人地说:"不是和我一起用的吧? 我们不是用的这个牌子,对吧?"

王伟郁闷得答不上话来。

拉拉说:"那不结了。时间段也很清楚,在我上次来上海和这次来上海之间,就是这一星期里发生的事情。"

王伟无话可说。

拉拉说:"王伟,你刚才说得对,你是个三十几岁的男人,而且,你的条件很好,你不可能没有过女人。不过,这是两码事儿,现在不是'有过',而是'同步'。"

王伟着急地说:"我错了,我刚才那话很愚蠢,请你原谅。我发誓不是同步。"

拉拉跺脚道:"人家中午都在'不一班'请我吃午饭了! 还想骗我!"

王伟这才知道还发生了很多事情,他郁闷得转过头去说:"没想到她会这么做!"

拉拉冷笑道:"我不也没想到你会这么做吗? 王伟,我跟你说,你们以后爱干啥干啥,麻烦你让她以后别再找我!"

拉拉拿上外套,拉起行李就走。

王伟挡住拉拉说:"拉拉,我都认错了——我向你保证,以后再不会有这样的事情了!"

拉拉悲愤地说:"以后? 你们俩一直在拿我开涮是吧? 我问你,你们都用的是哪张床?"

她扔下行李和外套,冲进主卧室,一把扯起铺在床上的床单,尖声嚷道:

193

"是在这张床上吧？对吧？"

她一边使劲地用手撕扯着床单，一边哭得上气不接下气。

王伟心里也不好受，见拉拉哭得要晕过去一样，他慌忙把她扶到沙发上，情急之间胡乱表白着："拉拉，我真错了。我向你发誓，我都想卖了这个房子了！你这次一来，我不是就和你说，我们去买新房子。这半年多，她真就只上来过这一次！"

拉拉哭着说："说得好！就只一次！"

王伟坦白说："拉拉，这次是我不对，谁都不怨，就怨我自己——可这都是过去的事情了。一年多前，我就和她说清楚了，我和她结束了。"

拉拉猛地坐起身子质问王伟道："一年多前就结束了！我问你，你回北京的时候，谁在开你的车？"

王伟愣住了，他一下明白过来，原来拉拉心里藏着这许多疙瘩，难怪追她追得这么辛苦，自己还真以为就只是因为同在一家公司工作的原因，王伟沮丧地挠了挠头叹气说："拉拉，我全都如实交待了吧。"

拉拉眼泪还挂在脸上，一听王伟要交待，她很想听，又放不下面子，只得把声音降低八度继续哭。

王伟绞了一个热毛巾给拉拉抹脸，一边交待说："一年半前，我和她开始交往。当时，她很主动，我这不是为自己开脱，总之，我自己也是愿意的了，不然，她再主动也没用——那时候，你正在做上海办的装修项目——我们交往了三个月，最初的热乎劲过去后，我就觉得不合适，价值观太不一样了。到公司搬家她和你吵架的时候，我已经正式和她提出来分手。她同意了，但是很痛苦，要我给她一点时间，有时候陪陪她，给她打打电话，我无法完全拒绝。有时候我回北京，她提出借用一下车，我也不好太小气。这样，一直到半年前，她终于慢慢平静下来，这半年里，我有时候觉得好像我就没有和她交往过，我真心希望她能过得好。"

王伟说到这里，看看拉拉好像平静了些，他接着说："上周三晚上，她突然说路过，来还钥匙给我。我发誓，当时我真的很规矩地接待她的。可能太冷淡了些，她有点难过。走的时候，她忽然把灯给关了。"

拉拉看了王伟一眼，王伟很尴尬，硬着头皮说："我说不清是想补偿她还

194

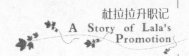
是什么别的原因,总之怨我——可是请你相信我,我真的很后悔,那天以后我天天盼着你来。"

拉拉想起来了:"那天晚上我打电话来,你半天不接,是和她在一起吧?"

王伟老实点头承认。

拉拉被好奇心分散的悲愤又恢复了,一想到她在那头傻乎乎地给他打电话,他却在这头和另一个女人偷欢,她的感觉差极了。

拉拉站起来说:"王伟,谢谢你告诉我这些。我现在心里很乱,你要我说出什么大度的话,我实在做不到。我累了,想先找个酒店住下来。"

王伟恳求说:"拉拉,我知道我混蛋,可是现在太晚了,明天一早我送你去找酒店行吗?"

拉拉转过头去,眼泪忍不住像断了线的珍珠扑簌簌地往下落。

王伟帮她把眼泪擦掉,又哄着说:"别哭了拉拉,我错了。下次再不了,啊?"

拉拉还是决定马上离开王伟家,王伟不好再勉强,只得开车送拉拉去了衡山宾馆住下,自己快快不乐地回家了。

过去王伟只是在岱西的事情上感觉有点压力,但是从没有把她往坏处想,因此也从来没有想过要防着她。

自从岱西把避孕套的空壳塞进拉拉那条 NIKE 休闲裤的口袋里后,王伟就开始防着岱西了。

王伟想,自己和拉拉一直行事谨慎,岱西是怎么准确地知道要去找拉拉谈判的? 联想到拉拉告诉他,事发当天,曾经有人打电话到她手机上又不说话,王伟猜到是自己的手机密码上出了问题。

他马上把密码给改了,又想到是不是该把家里的钥匙给换掉,但是,一来拉拉手里也有套钥匙,他还盼着她哪天回心转意用这套钥匙开门;二来有点嫌麻烦。

王伟这样的人,聪明是聪明,心地也比较好,同时,他又有种与生俱来的天真。他希望通过这次避孕套事件,岱西就算报了仇,从此大家两清,互不相干。

他甚至乐观地想,这事儿有好的一面,从此对拉拉不用再藏着掖着,拉拉的心病也都解开了。虽然眼下拉拉还在闹脾气，长远看，未必就不好。

拉拉有时候对他冷冰冰的，这让他不太好受，但是也让他觉得事情总会过去。反而有时候，她好像不再不高兴了，在工作中平和自然地和他打交道，倒让他有点不安。

王伟担心他们俩的感情还不算太深，拉拉也许说解脱就解脱了。

另一方面，两个人的事业都有很多需要他们专注的地方，确实没有太多的精力放在恋爱上。

王伟有时候想想觉得很茫然，他在感情上比较晚熟，过去，他对成家的欲望并不强烈，有点可有可无的意思，工作向来是他的头号兴趣点。

由于条件好，身边一直不乏追逐他的女性。他本来喜欢的是个子高挑皮肤白嫩的女性，一定要特别漂亮才行。但是处了几个下来，总是很快就没有了最初的兴趣，他也说不上来问题在哪里。按拉拉的说法，就是他情商太低。

论说，拉拉本来并不符合他的要求，虽然身材不错，但是不算高；皮肤倒很光洁，又谈不上白；而且，似乎太过聪明了点，喜欢走上层路线，有时候还爱说几句刻薄话。

可王伟就是特喜欢带她出去吃饭喝酒的感觉，看她胃口很好地吃这吃那，喝多了就开始活灵活现地说笑话。

王伟有时候坐飞机看到杂志上各种服饰化妆品之类的精美广告，就想买给拉拉。

过去，王伟觉得拉拉老在何好德边上打转，打心眼儿里有点看不惯，现在他却从内心感到骄傲，因为她能脱颖而出得到总裁的器重。

不在一起的时候，王伟一不小心就会想拉拉。每次拉拉从广州飞来上海，王伟到机场接她，一看到她走出来，他就想上去搂住她。看到她，他就高兴——"如果不曾相恋，就不会受相思的熬煎"，王伟算是明白了这层意思。

王伟决心努力挽回拉拉。为此，他决定尽量与岱西和平相处，否则，就只有找机会炒掉岱西了。

在王伟那方面，和岱西的最后一次关系乃是出于西方式的绅士风度而发生的。

但岱西并不领情，她在这方面的感受是非常东方而经典的，王伟刚从床

上下来，就接听拉拉的电话，让岱西深深地仇恨。

人一旦觉得自己受了侮辱，就容易变得疯狂。

岱西明白，这事情和拉拉其实关联不大，只要她杜拉拉一退出，就基本没有她什么事儿了，岱西就是冲着王伟来的。

那天之后，岱西留心观察两人，很明显看出来两人情绪都不高，而且拉拉下了班就自己走了，王伟在拉拉走后只得也走自己的路。

岱西想，刚开始肯定是这样的。她自己和拉拉吵过架，知道拉拉有脾气，要是拉拉不给王伟脸色看反倒奇怪了。岱西就担心过一阵子，王伟又把拉拉劝得回心转意了。

不过，岱西也知道，哄人是王伟的弱项，要是换了 Tony 林，这样的困难就会容易解决得多。

拉拉回广州了，一走就是一个月。王伟有工作上的事情找她，她该干什么就干什么，态度自然，但是一下班就关机找不到她人。有时候她不在广州，王伟也不知道她到哪里去了。

拉拉到昆明参加商业客户部南区的一个会议，住进"海逸"。

晚上她洗了澡，把头发用毛巾包起来，穿着酒店的毛巾睡袍爬上床去，靠着枕头胡乱看着电视。手机响了，她看看是王伟打来的，就不接。

过一会儿，床头的座机响了，她估计还是王伟打来的，仍然不接。

手机显示有短信进来，是王伟发的："你要是不接电话，我就上来敲门了。"

拉拉叹口气，等王伟再打进来，只好接了说："什么事儿？这么晚了。"

王伟说："我想上来。"

拉拉没想到他也在昆明，愣了一下说："不方便，我已经换了睡衣了。"

王伟说："我等你换好衣服再上来。"

拉拉说："我要不肯呢？"

王伟沉默了一下说："拉拉，我特别想你。"

拉拉听他嗓子也哑了，不由得心一颤，不说话了。

王伟央求说："拉拉，我喝多了，头特别晕，让我上来吧。"

拉拉硬着心肠说："喝多了就快点回房间休息吧。"

197

王伟说："我在大堂，让我上来吧？"

拉拉听了吓了一跳，这天 DB 在"海逸"开会，不少同事都住在这个酒店里，拉拉怕王伟喝多的模样在大堂给人看见不好，就说："你上来吧。"

不一会儿，王伟真的来敲门了。拉拉把人放进来，看他明显瘦了，不由得感到一阵心疼。

两人什么也没有说，就默默地拥抱在一起。拉拉哭了，王伟也有点百感交集的意思，他说："都怪我不好，惹你伤心了。"

过一会儿，王伟说："拉拉，周末回上海吧，我买了新床。"

他觉得自己这话说得不太好，但又找不到更好的表达方式。

拉拉果然翻了他一眼，不说话。过一会儿，她想起来了，往王伟身上上下一顿狂嗅后质疑道："你身上一点酒味都没有！"

王伟老实道："不那么说，怕你不给我进来。"

拉拉哼了一声道："你怎么也在昆明？"

王伟解释说："本来要过两周才来的，知道你这两天在昆明参加商业客户部的会，临时调整了行程。"

41. SOP 的多种功能

最近拉拉烦心的事情也多。原先李文华的位置招到了人，新来的招聘经理人童家明，加入 DB 之前，服务于著名的 500 强欧洲公司 NJ，NJ 来自北欧，那里曾经盛产海盗。海盗或许已经成为历史，彪悍者的血液却至今在后辈们的血管里流淌。NJ 的公司文化向来以彪悍的挑战而著称，他们在全球各国招人的时候，就专挑些聪明绝顶而又人格彪悍的人。NJ 的经理们开会的时候，若不同意别人的意见，虽然不至于朝人家扔臭鸡蛋，还真没准他就能从手上的面包撕下小团，当场掷向对方——这在别家公司会被视为粗鲁，在 NJ 则是彪悍人格的体现。童家明从北欧公司 NJ 乍到典型的美国公司 DB，也知道要注意尊重他人些，然而他的骨子里刻着的依旧是北欧式的聪明与海盗般的彪悍。

本来负责区域招聘的 HR 团队向总部 HR 的招聘经理报告，在组织架构

中也是常见的,但是在 DB 的架构中,为了 cost saving(省钱),负责区域招聘的拉拉同时兼管全国的行政事务,她是直接向李斯特报告的一个全国经理,这样一来,想大展一番拳脚的童家明,就觉得拉拉很碍事了。

毕竟童家明人在上海,在老板面前说话方便,时不时地在李斯特面前告上拉拉一状。而李斯特呢,不知道是童家明的话听多了,所以对拉拉有点意见,或者他只是想让两个经理掰腕子,好教他俩时常想到他老李作为裁判的重要性——总之,拉拉现在固然得紧着和老李多沟通;童家明其实也不轻松,老担心拉拉冷不防给他下绊子。拉拉虽然没有吃多少亏,但是拉锯多了,难免郁闷,干这些,原本不是她强项。

岱西和童家明坐在花坛前的长椅上,不知道童家明说了句什么,岱西笑得前仰后合,风把她格格的笑声送到很远,几个晒太阳的老人都看了过来。过了一会儿,岱西又拿手遮住嘴,附在童家明耳边十分活泼地叽叽咕咕,童家明显然很是受用,嘴都笑歪了。

近来童家明和岱西间的友情发展势头汹涌迅猛,细心的拉拉一一看在眼里。两人老约着一起出去吃午饭,吃了午饭就沿着广场边上的花坛散步,有说有笑的,老有说不完的话,也不知道是谁主动——这成了拉拉的一块心病,生怕岱西哪天把她和王伟的事情捅给童家明,他要得到了这等素材,断然不会浪费的,他能在李斯特面前说出啥来还真没个准。拉拉觉得心特累,有时候夜里想到都睡不踏实,却只闷在心里,没和王伟说。

总监们近来对何好德很有意见,因为他越来越不愿意做决定了。遇到事情,他总是让人家不断地做分析,要他做个小小的决定,他也要先问:做了预算没有?公司相关政策是什么?再不然,就叫总监们自己和柯必得、罗杰先去讨论出个结果出来。

他的做法变得和李斯特的风格简直如出一辙,遇到困难他就授权,需要做决定他就思考——以前他可不是这么个人。

总监们又郁闷又纳罕,李斯特也在拉拉面前说了几回:"这个总裁怎么搞的,整天都不做决定。什么事情都要集体讨论,全部人同意后,他才签字。"

199

只有销售 VP 罗杰感觉比较爽,因为何好德凡事不驳他的面子,基本上,只要他罗杰不同意的事情,何好德就绝对不会签字,而只要他罗杰想办的事情,不管总监们多么强烈的反对,何好德也不出声。

有时候,总监们和财务 VP 柯必得在 mail 上激烈争论,何好德一个字的评论也不发表,特别安静。反正柯必得说 ok,他就签字,柯必得不签字的东西,总之也流不到他何好德的桌子上。

拉拉们并不知道何好德的遭遇,自从新来的亚太总裁"萝卜"上任后,他的日子就不好过起来。做总裁的,都是充满权力欲的主,哪个不希望自己很POWER(强权)地做出种种重大决定?权力让人充满光荣和体面,可是一旦做了决定却被挑战甚至驳回,就极其没有面子和光荣了。在连续几次遭遇这样的不光荣后,何好德就明白自己的处境了,他不再轻易地做决定,尤其是他身边有个自己的顶头上司"萝卜"钦点、天天批评 DB 中国"不专业"的销售VP 罗杰,和一个毫不体谅他难处只顾自己职业安全的财务 VP 柯必得。

越是高处越不胜寒,何好德没有人可以倾诉或者暗示他的难言之隐,他也担心一旦被手下这帮总监们看出自己的处境,则自己的个人权威将会更加受到威胁。

但是,总是什么事情都拿不出个主张也不是个事儿,眼看着销售总监们无心操持生意,多少指标都耽误在罗杰和柯必得的双簧里,何好德在想着对策。

何好德有一次和拉拉说:"我们把公司的 SOP(标准操作流程)全方位地健全起来。大家想办任何事情,哪个级别有权利做决定,可以办还是不可以办,该怎么办,由谁来办,多长时间内得办好,在 SOP 里全都规定好。还有,别忘记在 SOP 中规定特批的程序,对未尽事宜的审批办法设定好解决途径,因为总会有特例存在。"

何好德进一步说:"这样,任何人之间都不用发生争论乃至对立,做决定的人也有依据,凡事都以 SOP 为行事标准,我批准什么,是依据 SOP,不批准什么,也是依据 SOP——大公司嘛,就应该尽量避免太多个人化的决定,让制度来管理公司才是正道。"

拉拉觉得何好德说得很对,她推荐了一位特别适合协调主管 SOP 的同

事给何好德,何好德点头认可,柯必得和罗杰也没有话说,于是管理层首先批准了一个SOP——关于如何规范SOP的SOP,拉拉奉何好德之命,和财务部负责SOP管理的同事一起,在全国各办事处宣讲这个SOP的内容。

DB中国上上下下掀起一股SOP的热潮,美国公司的SOP是当今世界上最专业而严谨的SOP,且五花八门丰富多彩。结果发展成,基本上,一个人在DB想走路,先抬左脚还是右脚,每次抬多高,每步花多长时间,都可以在SOP里查到依据。

虽然这有些搞笑,但是也是很有效的一个办法,遇到事情起码有个共同的游戏规则,办事的人能拿到决定好去办事。

拉拉也从SOP中获得现实利益,童家明再去找李斯特投诉拉拉的时候,就不方便了许多,拉拉一切按SOP操作,不符合SOP的操作,在DB也难得有条件发生。

拉拉又学到一个职场经验,就是关于SOP的多种用途,它不但能提供解决问题的方法和做决定的依据,还能避免人与人之间的不同意见,从而规避个人矛盾和职业风险。

42. 专业的秘书

就像人们常说的 time flies(时光飞逝),日子在销售VP罗杰乐此不疲地对DB中国上上下下的"不专业"的挑战中过去,连清洁阿姨都看出来罗杰是个光说不练的假把式。

DB中国的业绩越来越差,基本上,完成指标的愿望成为泡影,而到年度结束后,DB在中国的行业排名会由前三名跌出多少位以外,没有人敢去想。

Tony林们的痛苦倒解脱了。他们本来是最追求不断进取的人群,但他们也是最具有适应力的人群,既然发现不混日子白不混,Tony林就乐得不紧不慢地拿他的高薪,并开始不断地怠慢罗杰,结果发现罗杰拿他没有办法。公司找不到合适的人来负责商业客户A部,所以组织架构的重组方案就一直拖着。

和罗杰对着干的人除了Tony林以外,还有他的助理。

罗杰的助理约兰达是个上海女孩,二十八九岁的年纪。约兰达念大学的时候学天体物理,能说一口流利的英文,人很聪明,说起来永远不高不低不紧不慢。她的漂亮不是典型的上海式漂亮,天冷的时候,脸上的皮肤白里透红,娇嫩得一掐要冒水,披着一条水红色的羊绒长围巾,外面套件黑色的长大衣,背着价值两万多元的LV大手袋,飘逸又沉静地走过写字楼前面的广场。

李斯特面试的时候,看看约兰达的眼神,就知道是个厉害角色,不适合罗杰。怎奈罗杰挑三拣四,又怪李斯特"不专业",老李不耐烦了,不怀好意地把约兰达推给罗杰看。

罗杰来中国以前,这辈子都没有享受过现在这样的待遇,约兰达这样飘逸沉静又冷又水的主,得在又冷又湿的水土上才养得出来,在新加坡那样热的地方不容易碰上,"十万"一时不知死活,就要了约兰达。面试的时候,罗杰装出一副nice(好)的大老板做派,约兰达便来了DB。

过不了多久,罗杰和约兰达就开始不愉快了。

罗杰太太有一回让约兰达订机票,约兰达照她要求给订了后,罗杰太太哭哭啼啼地打电话给罗杰说,满飞机的人都不用转机,就是她带着两个孩子要转机,太劳顿了,心脏都要跳不动了。

罗杰向约兰达要解释,约兰达就找来公司的机票供应商解释,供应商回复邮件中说他们是按约兰达的指令订的票。约兰达就在供应商的邮件上进一步解释说,她是按罗杰太太的意思下的指令。

罗杰太太看了约兰达的邮件非常愤怒,她觉得人犯了错不要紧,但是错了还狡辩就不能饶恕。

两人发生了口角,约兰达干脆挂了罗杰太太的电话,然后跑到罗杰办公室门口,笑吟吟地用一贯沉静的口吻和罗杰说:"罗杰,可不可以回家跟你太太说一下,请她以后不要再给我打电话?DB雇我来是给VP做助理的,不是给你太太做助理的,对吧?"

她说话的时候,也不进罗杰的办公室说,就站在他办公室门口的走道上,用不高不低的嗓音说,在附近办公的员工们都把她的话听得一清二楚,约兰达说完,就自顾自没事人一样回座位上干活去了。

很快有人把事情告诉了李斯特,李斯特说:"得,DB助理门事件。又要麻

烦我开始给他找助理了。"

约兰达喝下午茶的时候,手里捧着精致的茶杯,微笑着和吕贝卡说:"我又没有发 MAIL 给全体员工,我是和自己的主管直接沟通嘛,这样做是专业的呀。"

事情的发展出乎李斯特的意料,不知道是出于崇尚专业,还是别的什么原因,总之罗杰根本就没有找他提换助理的事情。

约兰达也没有辞职的意思,她每天照旧沉静而有条不紊地干活,该和罗杰笑就笑,不该和罗杰笑就不笑。透过罗杰办公室的玻璃隔墙,大家能看到两人一起对着电脑屏幕讨论的神态,和 DB 任何其他的老板与助理一起工作的样子没有分别。

只是之后一周,罗杰的眼袋很大,一副睡眠不足的样子。好事者议论说,他八成是在家里搞不定太太,在公司又搞不定助理,夹在当中压力太大,所以失眠。

拉拉却意外地发现这种说法至少是不全面的,她注意到,连着两个晚上。罗杰在加班过了八点后,又花了差不多两个小时和岱西谈工作,这么谈,铁打的人也要疲劳了。

拉拉是受过何好德栽培的人,这种越级的夜谈她经历过,她知道这样的夜谈如果能持续,岱西就会有一定数量级的收获。

拉拉隐隐地感到不安,在王伟面前提了两次。

王伟心中掂量过,觉得岱西不过是一个业绩比较出色的小区经理而已,罗杰再怎么器重她,她也不掀不起大浪。

王伟就宽慰拉拉说:"世界上没有 VP 会为了小区经理去得罪总监的道理,就算'十万'再不按规矩出牌,他终究是个 500 强的销售 VP,基本的职场常识想必他不会违背。"

拉拉认为王伟对此事的发展趋势过于乐观,但是她也没有更好的预防办法,除了劝王伟小心外,只有走着瞧了。

203

43. 偷听者

避孕套事件后,等拉拉离开上海,王伟和岱西约在桃江路的一个餐馆谈了一次。

旧爱变新仇,王伟见了岱西,半天才憋出一句:"真没想到,你还能干出这号事儿!"

岱西冷笑说:"你没想到的事情多了。"

王伟问她想怎么样。

岱西低头欣赏着自己修剪后显得十分修长的指甲,刚涂的指甲油在灯光下银光闪闪,她垂着眼皮不紧不慢地说:"那要看你王伟的表现怎么样了。"

王伟气得说:"我怎么样和你有什么相干?"

岱西瞪眼道:"你怎么样和我不相干是吧? 那我怎么样就和你相干了? 你不觉得你霸道了点吗?"

王伟只得耐住性子说:"岱西,我们都是成年人,能不能用成年人的方式解决问题?"

岱西点点头说:"行,叫了一年多'阿宝',我又回到'岱西'的位置上来了。"

王伟克制着心中的不耐烦说:"说这些有用吗?"

岱西把面前的茶杯一推说:"那就说说有用的——王总监,你要明白江湖规矩,出来混,迟早要还的。"

王伟试图引导她谈判:"我们都是做销售的,这世界上就没有什么不能谈的,不行谈到行,你有什么要求不妨提出来我们一起讨论,能满足你的条件,我就满足。"

岱西直截了当地说:"行呀! 让我做东大区经理!"

王伟给她气得要发笑,两人不欢而散。

拉拉知道谈话结果后,劝王伟近期内要尽量避免再刺激岱西。

拉拉说:"时间是最好的良药,日子久了,岱西心中的那根刺或许就能慢

慢消除。她挺漂亮的,等有了如意郎君,自然就消气了。"

当下两人商定,在公司里能不说话就不说话,尽量不一起出现在公共场合。

岱西只是东大区下属的一个小区经理,在工作上,和王伟中间还隔着个东大区经理,所以两人其实很少需要直接打交道,实在碰上了,王伟尽量自然平和地相待,暂时倒也不见岱西再有什么动作。

这天,拉拉脱项链的时候,不小心跌落了链坠,她蹲下身去床下找,忽然发现床架下用透明胶布粘着一个东西在暗中闪着红光,她十分奇怪,小心地把那东西取下来,是一枝类似笔又有点像遥控器的东西,灯亮着,显然在工作中。

拉拉研究了一下上面的英文,觉得是个录音装置。

等王伟回来,拉拉把东西给他看,王伟大吃一惊,明白非换门锁不可了。

拉拉第二天把东西带到公司,找了卖音像设备的供应商请教,供应商说:"这个是索尼产的录音笔,记者采访的时候爱用这个。这东西的好处是能连续录音 48 小时,不过,只能在比较安静的环境中工作,太吵闹的环境录音效果就不好。"

拉拉问:"那这东西能不能遥控,多远的范围内能遥控?"

供应商说:"这个倒没有遥控装置配套的。"

拉拉听了才放心些。

晚上拉拉把供应商的话告诉王伟,两人一起听了听录音笔里已经录下的东西,有不少两人关于公司各种事务的谈话内容,中间还夹着两人在床上亲热的过程,直听得两人面面相觑,不禁有些毛骨悚然,又有些哭笑不得,拉拉更是脸上一阵红一阵白连羞带气,恨不能找个地洞钻进去。

半晌,拉拉担心道:"不知道她录了咱们多少次了?"

王伟生气地说:"这都可以报 110 了!"

拉拉埋怨王伟说:"别惹事了,都怪你! 上海这么大,你怎么偏找这样的偏执狂谈恋爱! 害得我现在一点安全感都没有!"

王伟郁闷得说如果自己去买彩票可以中大奖了。

拉拉忧心忡忡地说:"咱们在家又讲'十万'的坏话,又讲 Tony 林的坏话,不知道有没有被她录去? 你还数落何好德的不是呢——这些东西真要落在她手里,恐怕有麻烦。"

话说完了,拉拉担心房子里还藏着别的录音笔,忙和王伟一起把房子里外搜了个遍,两人累得躺到床上,拉拉喃喃地说:"我不敢来你这儿住了。"

王伟闷了半天说:"我明天找她谈一次,她再不停止骚扰我们,我就要报案了。"

拉拉听到"骚扰"二字,猛地坐起来说:"她这是性骚扰啊!单相思者采取行动,给对方造成困扰——完全符合性骚扰的定义哎!你报告公司她对你性骚扰吧,公司可以炒她的!"

王伟哭笑不得道:"拉拉你真幽默,跟公司说一漂亮的女下属对我实行性骚扰?"

拉拉点点头说:"也是,没准人家反告你始乱终弃,然后公司让你俩一起走路。媒体再一曝光,这就热闹了!'外企总监始乱终弃,公司炒人双双走路'——我文采不够,记者肯定能把标题起得更好。"

王伟说:"真难听!你就没好话!"

拉拉继续分析说:"始乱终弃要是搁在一普通员工身上吧也没啥,因为公司确实没有相关政策限制始乱终弃,既然可以谈恋爱,就保不准谈了后觉得不合适要分手的。麻烦就在于你可是个总监,不处理你难以正视听。"

王伟有点生气了,警告说:"拉拉,你再胡说八道我可生气了啊。"

拉拉正色道:"王伟我跟你说,我觉得岱西这人有点变态,咱们还是躲着点的好。你别去找她谈了,谈判那是对于有理智的人才用得上的方式。"

王伟想了想说:"行。明天我先找人来把锁全换了。"

虽然王伟马上让人把锁全换了,拉拉心里还是觉得不安全,她经常在房间里检查来检查去,晚上睡不好觉做噩梦,第二天就抱怨王伟,有时候还发脾气。

王伟也郁闷得不行,拉拉好歹还能朝他抱怨,他满腹郁闷总不能找岱西去抱怨吧。眼看着拉拉憔悴了不少,王伟觉得对岱西的忍耐到了极限。

这天,拉拉在卧室的床头柜旁看到一张废纸巾,团成一团扔在地上。拉拉顿时生了疑心,她小心地把纸团捡起来展开,看到上面印有鲜红的口红印。拉拉心里一沉,马上在房间里搜了一遍,当她打开一个抽屉,本能地感觉有些

异样,她双手有点颤抖地慢慢展开自己的一件真丝内衣,赫然发现,衣服被人用剪刀恶狠狠地铰成了几缕。

拉拉受不了了,她打电话让王伟马上赶回来。王伟听到她话音发颤,心一沉,赶紧开车往回赶。

他一进家门,拉拉就把那件铰破的内衣递给他看,一面含着眼泪质问说:"这是怎么回事儿?你不是换了钥匙吗?"

王伟觉得莫名其妙说:"不可能呀!她又不是职业小偷!怎么进来的?"

拉拉尖着嗓子嚷嚷说:"明明是你自己带进来的,还装!"

王伟急了说:"我要是带她进来我就不是人!

他脱下西装,仔细检查防盗门和木门,却没有发现任何被破坏的痕迹。他又打电话给管理处询问白天是否有人来找过他,也没有得到任何有价值的信息。

拉拉沉默了一会儿说:"王伟,对不起,我太累了,工作上的事情已经压力够大的了。这些乱七八糟的事情我受够了——我们分开一阵吧,我想冷静冷静。"

王伟劝慰说:"要不,我先送你去住酒店。我们这周就去世纪公园看房子好吗?有合适的马上就买下。"

拉拉摇摇头说:"再说吧,我觉得不是买个新房子就能解决问题了——生活在别人的仇恨里真是件可怕的事情,我这好像是在演恐怖片。"

王伟沉默了半晌道:"拉拉,我不好再拦你,对不起。等我把岱西的事情处理好,再把你接回来。到时候,我们搬到新房子去住。"

拉拉冷静了一下,她从心里相信王伟是无辜的,可事情也是明摆着在那里。她想了半天百思不得其解,问题到底出在哪里呢?不管怎么样,离开使她获得了暂时的宁静,起码她能睡得踏实点,不用整天在房子里找录音笔什么的。

这天,岱西在客户那里开完一个会,疲惫地回到办公室。坐下后,她厌恶地看着电话,足足看了五分钟,终于懒洋洋地拿起电话听取自己分机上的留言。

她不想听阿姨在电话里絮絮叨叨地和她讲话,因此规定阿姨有事要报告的时候就在分机上给她留言。

每回听到阿姨在留言中说:"宝小姐,那个女的又来上海了! 住在王先生这里,他们睡在一张床上",或者"今天,王先生带那个女的去买了很多东西回来,王先生吃饭的时候一直给那个女的夹菜"之类的,岱西就像万箭穿心般痛苦。有时候,她真想命令阿姨闭嘴,但是她没有这么做,而是一直坚持笑眯眯地给予阿姨精神和物质上的鼓励,说她做得很好云云。

今天,岱西终于在录音中听到,阿姨用吹响胜利号角般的嗓门报告道:"宝小姐,那个女的走了! 她的东西都搬走了!"

天色小黑的时候,一个发髻梳得光溜溜的五十几岁的阿姨贴着墙匆匆地在人行道上走着,只见她目露精光,薄薄的嘴唇则紧抿着,像是在刻意使劲这样做。小风掀起她白色的衣角,她青筋暴起的手腕上套着一个温润浑圆的玉镯,和主人有棱有角的瘦削形成了鲜明对照。

阿姨走进"避风塘",她站在门口张望了一下,看到一个丰满白皙的女子在窗边的一张台子上朝她招手,她就迈着小碎步紧走了过去。

女子亲热地喊了一声"阿姨",问她想吃什么。

阿姨说她还不饿,随便吃点点心就好了。

女子不肯,点了好几样,不一会儿店家就端上盘盘碟碟,摆满了小桌面。女子给阿姨夹菜倒茶,阿姨长阿姨短的。

阿姨吃得很开心,叹气道:"宝小姐,你妈妈生了你这个乖女儿真是有福气,又漂亮又能干,人又这么好。王先生真是鬼迷了心窍,你这样天仙似的美人他不珍惜,倒被那个狐狸精给迷住了。那女的有什么好? 皮肤不如你白,个子没有你高,赚钱肯定也没有你多吧?"

这宝小姐正是岱西,她听了阿姨的话笑笑说:"阿姨,他们以后怎么样可难说。"

阿姨很仗义,说:"就是! 宝小姐,你可要想办法把王先生抢回来,我支持你! 男人嘛,一时糊涂也是有的。王先生的人品条件,在这上海滩,算得上是千里挑一的。"

阿宝笑道:"阿姨,他就是万里挑一的,我也不要了。"

阿姨不信道:"当真? 你舍得?"

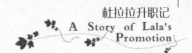

阿宝咬牙道:"就是倒贴给我,我也不要了!我在上海滩也是千里挑一的,为什么要他一棵树上吊死!"

阿姨不解道:"既然这样,那你为啥还要……"

阿宝冷笑一声说:"其实我懒得和他们搞,就是现在有空,给他们捣捣乱。"

阿姨眼睛滴溜溜地转着,求证道:"我们自己不要,也不能让狐狸精得了便宜对吧?"

阿宝笑道:"反正,你就照我交待你的去做就是了。"

阿姨有点晕,一时接不上话。

没等她想明白,那头阿宝娇声道:"阿姨,我新买了大房子,正在装修,过一段,你就去帮我做家务吧,我很喜欢你烧的菜呢。老觉得跟阿姨你特别有缘分。"

阿姨很受用,忘形之下,她伸出瘦兮兮的手臂比划着,嘴里吹嘘道:"宝小姐,不是我夸自己,搁在旧时候的上海滩,我这样的,够做大户人家的贴身老妈子的,那些笨的,只好做粗使丫鬟。"

阿宝并不爱听她的这套关于"大户人家"的沪上传说。说起来,王伟正是阿姨口中的"大户人家"出身;拉拉则算书香门第的大家闺秀,倒是世人眼中的门当户对;偏就她阿宝,是典型的小弄堂女儿,当初王伟跟她分手,正是借口"价值观不同"云云。

阿宝心里不悦,脸上并不屑对阿姨有半点显露,她笑着从包里拿出一张交通卡和一张超市购物卡,递给阿姨道:"天气不好的时候你就打打的士,喜欢什么就自己上超市去买,这购物卡里有五百元。"

阿姨推辞着不肯要,嘴里说:"宝小姐你对我这么好,前两个月我生日,你才给了我这个玉镯子呢,再给我这些卡就是拿我当外人了。"

阿宝说:"要是拿你当外人,就不给你了。"

推了几回,阿姨喜滋滋地收下了,当场拍胸表态道:"宝小姐,只要我能做到的,一句话!你就只管吩咐好了!"

两人分手前,阿宝叮嘱说:"阿姨,有事情还是照老样子给我留言。"

阿姨心领神会道:"有数。"

209

等送走阿宝,阿姨把那张含有五百元金额的超市购物卡捧在手里欣赏了一会儿,又惦记着印证一下阿宝给的另外那张交通卡到底是多少金额的,她便志得意满地上了公交车,迫不及待地掏出刚到手的交通卡,"嘀"地刷了一下,心里"哇"了一声,这卡里也有五百元呢! 阿姨乐坏了。

拉拉回到广州,一直在想,王伟买的锁可是质量非常好的天地锁,即使是职业小偷也不是那么容易不落痕迹就打开的,小区的保安又看得非常严——要么岱西是自己进了房间,那她得有钥匙;要么是有人帮她铰破自己的内衣,并把那张印有口红印的纸巾扔在卧室的地上,那么这个人也得有钥匙——到底是哪一种情况呢? 王伟在上海并没有什么亲友,特别是换了锁之后,只有她和王伟有钥匙。

拉拉靠在沙发上想得发呆,家里请的钟点工走来请示她:"晚上想吃什么?"

拉拉忽然想到,给王伟做卫生的钟点工阿姨也是有钥匙的!

她心突突跳着,跳起来打电话给王伟:"你那个钟点工阿姨是哪里来的?"

王伟诧异地说:"中介介绍的。怎么,你觉得阿姨有问题吗?"

拉拉忙问他此人是否与岱西认识。

王伟说:"认识。岱西以前对她不错。"

拉拉说:"我想了很久,只有这个钟点工阿姨有条件放岱西进来,或者她也可以干脆代替岱西做那些事情。"

王伟在电话中沉默了一会儿说:"我知道了,这事儿你别管了。"

44. 惊变

DB在中国的业绩退步得厉害,员工士气低落。

210

年度员工满意度调查报告显示:员工对老板们做决定需要的时间之长,以及公司内部流程之繁杂,极度不满,与市场基准对比,该项失分排在首位;对领导层带领全体员工达成业绩的能力的质疑,则排在失分项的第二位;认

为高层不尊重员工,排在失分项第三位。

这是 DB 进入中国以来,年度员工满意度调查得分最差的一年。

这时候,公司从美国派来了新的 HR 总监 ROY·C,中文名曲络绎。曲络绎和 Tony 林这些人年纪差不多大,三十五六岁,用李斯特的话说,都是七十年代生人。

公司决定由曲络绎分管组织战略、培训与发展;李斯特手上只剩下 HR 的日常行政事务,负责招聘、薪酬、员工关系——孰轻孰重不掉自明。

李斯特虽然有些许不开心,但是也非常想得开,他迟早要退休的人,能做一天是一天,曲络绎迟早要完全接过他手上的工作彻底取代他李斯特。

曲络绎给人的感觉既不是好人也不是坏人,他身上背着斯坦福和哈佛的双料博士学位,IQ 果然特别高,不少人对他充满了期待,Tony 林这些总监们更是小心翼翼地观察着他的一举一动。

211

曲络绎一方面乒乒乓乓就招来了组织战略经理和培训经理,一副准备做事的架势;另一方面也算善待老实站好自己地头的李斯特,基本没有欺负老人的现象发生。

曲络绎平时看到李斯特手下的几个经理,总是不疏不近地打个招呼,这使得想往他那里靠拢的童家明颇费踌躇拿不准主意,王宏更加沉默,拉拉则很迷惘,都不知道该往哪里站好。

一日,李斯特和曲络绎两个美国老乡关起门来叽咕了半日,李斯特回到自己的办公室后还沉浸在兴奋中,来回踱着步。

拉拉这天刚到上海,过来问候李斯特,老李对拉拉的人品还是比较信任的,就抓住拉拉感慨说,自己到中国这么些年来,第一次这么严重地想履行 HR 总监的职责,他要联合新来的 HR 总监曲络绎和何好德谈一次,必须好好辅导罗杰,甚至有必要的话,公司应该考虑炒掉现在的销售 VP 罗杰和财务 VP 柯必得。

拉拉听了大惊失色,她已经感觉到何好德近来越发不肯做决定,背后必有隐情,和他说这个不是白让他为难么?这可是没有 SOP 可以做依据的事情,而李斯特已经是第二次在她面前说要炒罗杰和柯必得了。

拉拉劝李斯特说,这事非同小可,曲络绎什么来头大家尚不甚明了,还是慎重为要。至于销售VP"十万"和财务VP"老葛",不如让曲络绎和派他来的人去决定这两VP的去留好了,拉拉说:"老板您在DB服务了这么久,啥事儿没有经历过?谁不说您是好人?就功德圆满好到底吧。"

李斯特听了竟有些惆怅,他拍拍拉拉的肩膀,不再嚷着要炒"十万"和"老葛"了。

何好德知道拉拉来上海了,马上让助理吕贝卡把拉拉找来,问过她近来工作方面的情况,又如常给了些指点。

拉拉暗自观察何好德的气色,感到他没有前一阵那么疲劳,精神似乎好了不少。拉拉信风水,她觉得一个公司的当家人气色好,公司的生意才能做得好。为了让何好德高兴,她就把她的发现说给他听,何好德果然爽朗地大笑起来,他有一段时间没有这样开怀大笑了,搞得拉拉也很高兴。

何好德反常地邀请拉拉一起吃午饭,饭后还和拉拉一起到附近的草坪上散了会儿步,他没有再谈工作上的话题,只赞美11月的上海天气宜人。拉拉趁机劝说道:"您该多散散步。"

拉拉近来很迷惘,种种迹象表明李斯特的退休是分分钟都会发生的事情,新来的HR总监曲络绎是个不摸底的,而向来的靠山何好德则沉默得像冰山。

她虽然不再责备王伟,但一直对他若即若离,王伟晚上给她打电话,她总是情绪不高,不愿意多说话,让王伟心里不是滋味。

岱西像颗没有排除的定时炸弹,王伟一方面觉得自己对她忍无可忍,另一方面又一时想不到合适的解决办法,不好贸然动手。

王伟又是整整半个月没有见到拉拉了,他事先知道拉拉这天到上海,很高兴。王伟的部门在沈阳有个小区经理职位的空缺,他约了北大区经理一起面试几个应聘者,准备等拉拉在上海的事情一办完,就拉上她一起到沈阳面试,也好借机让拉拉散散心。

对于这样的安排,拉拉无话可说,横竖都是她的活,两人便一起从上海飞沈阳。

飞机一停稳,王伟习惯性地马上打开手机,收到一条伊萨贝拉发给他的短信,通知他进办事处参加下午两点的总监级电话会议。王伟看看手表都已

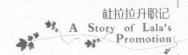

经三点了，不由得皱起眉头。

两人下了飞机，一过廊桥，拉拉就嚷嚷着要去洗手间，一溜烟跑开了。王伟看着两人的行李，一面打电话回上海问伊萨贝拉是什么紧急的事儿。

伊萨贝拉说不知道，又说亚太总裁"萝卜"忽然来了上海办，还带来了好多大官。

王伟听了心头一紧，高官到访却不通知总监这一层，这是从来没有过的事情，发生什么大事了？他不安地挂了电话。

拉拉一出洗手间，就看到王伟神情有些恍惚地站在那里。

等她走近，王伟说："你快开机看看公司有没有发短信给你。"

拉拉诧异地摸出手机开机，没等她查短信，就有电话打进来，她听完对方简短讲了几句，便呆呆地收线了。

拉拉放下电话，王伟问："公司来的电话？"

拉拉看看手表，简单地说："公司把何好德给炒了，刚开了总监以上级别会议宣布了，再过半小时，就向全体中国员工宣布。咱俩怕是赶不上这个员工会议了。"

王伟楞了一下道："谁给你的信息？"

拉拉说："不是李斯特告诉我的，但是错不了。"

两人各怀心思出了机场，一路无话。一进沈阳办，王伟就找地方去给Tony林打电话，拉拉也找了房间打电话给李斯特打听这事儿。

李斯特说："是宣布了何好德离开，但是并不是公司炒他。据说是他自己有了更好的发展而主动离开的。"

拉拉不知道说啥好。

李斯特又说："公司已经安排好了接替何好德的人选，是从DB欧洲某国调过来的齐浩天，比利时人，齐浩天今天也跟亚太总裁一起过来和中国员工见面了。暂时就这么多信息。"

拉拉追问李斯特道："据您看，曲络绎事先知道这个事情吗？"

李斯特说："他告诉我，他也是昨天晚上才知道的。看样子，像是真话。"

电话那头的李斯特一面说，一面也在心里悄悄擦了一把汗，还好没听曲络绎的去和何好德说什么炒罗杰和柯必得的话，这才过了几天呀，罗杰和柯

213

必得待得好好的,何好德倒宣布要走了。

拉拉不知道李斯特心里在想这些,只顾追问自己关心的内容道:"那罗杰有什么变动吗? 他听说这个事情有什么反应?"

李斯特说:"他的职位没有变动,他和柯必得也是今天才知道何好德要走,都很惊讶吧。估计罗杰有些失望——一般公司派来管销售的 VP 都是未来的总裁后备人选,他本指望明年春天接何好德的班的,这下公司派来了新总裁,新总裁任期可是四年,罗杰的总裁梦明显没戏了。今天在新总裁面前,罗杰的态度收敛了很多;柯必得非常沉默,一个字也不肯多说。"

拉拉心说,要是"十万"能做总裁,简直没有天理了。

拉拉想想,问李斯特:"亚太不挽留何好德吗?"

李斯特说:"挽留了,但是他坚决要离开——这事情已经谈了几个月了,只不过非常保密,大家都不知道。估计亚太总裁'萝卜'过去在工作上对何好德不太支持,现在后悔也来不及了,何好德管中国市场还是很合适的总裁人选呀,可惜了。"

拉拉心说"活该"。

李斯特又感慨道:"走了也好,今年的业绩太难看了,掉得一塌糊涂,令人痛心呀! 可惜!"

拉拉看李斯特除了"可惜"再没有别的消息说,就收了线。

她神游天外地和王伟一起胡乱做了面试,两人都没有心思和北区的大区经理合计结果了,打了个招呼,就匆匆收摊早早回酒店各自的房间。

拉拉躺在床上想了半天,跳起来给何好德打电话,他的助理吕贝卡接的电话,说他走开了。

拉拉说:"那我啥时候打过来他方便?"

吕贝卡说:"要不他一回来,我告诉他给你回电话吧?"

拉拉说:"行。"

拉拉感到很烦躁,她穿上大衣,戴上大大的羊毛围巾,一个人走出酒店,沈阳的 11 月已经下大雪了。

不一会儿,她感觉到大衣口袋里手机在振动,她一接,传来何好德的声音:"拉拉?"

漫天大雪中,拉拉叫了句"howard",就再说不出来什么,她感到那熟悉的男中音特别的温暖。

何好德用中文说:"拉拉,我很抱歉,不能更早地告诉你。其实我希望是我自己来告诉你的。"

拉拉说:"我能明白。"

何好德说:"我把 email 地址留给你,等过三个月,我给你电话。"

拉拉结巴了一下说:"我不知道现在该说什么,这样的反应不够专业,对吧?"

何好德马上说:"不,不会的。拉拉,谢谢你一直以来对我工作的支持。"

拉拉想,自己该说谢谢何好德对自己的培养,但是她说不出来这样的话,最后只问:"您下周在上海吗?"

何好德说:"我马上回纽约休假了,两周后回上海。你安排一下,那时候到上海来吧,我们见个面。"

拉拉答应着记下,又说:"您的中文已经说得不错了,以后要是不用,可别忘了。"

何好德用大老板的方式爽朗地大声笑起来:"不会忘,那可太浪费了,我还记得你在飞机上教我认的那些汉字呢。我不会放弃中国市场的,拉拉,也许很快我就能重回上海。"

拉拉怀疑道:"您不是去了竞争对手的公司吧?您可是和 DB 签有竞业禁止协议的(竞业禁止协议,指企业和高层员工或者掌握企业核心技术以及其他商业机密的员工之间签定的、规定员工在离开本公司后,不可在若干时期内到竞争对手公司服务的协议)。"

何好德说:"那当然,我的新东家肯定不会是 DB 的竞争对手。"

他压低嗓子改用英文道:"拉拉,for your information(让你知道一下),我并没有离开亚太,尤其是中国。"

拉拉接完电话,也不想散步了,她马上转身回酒店。一进房间,拉拉就摔掉大衣和围巾,只穿着袜子踩在地毯上,她走到窗前信手拉开厚重的窗帘往外看,天空中还在飘舞着大雪,真正的鹅毛大雪。

拉拉打开挎在"小黑"里的 MP3,童安格年轻时金属一样的男声,像鹅毛

215

雪片一样覆盖向她的身体:何不让这场梦,没有醒来的时候,只剩你和我,直到永远……

拉拉想到,何好德没有完成他的四年任期,提前离开了DB,离开了他的栽培,还没有来得及在DB占据好最有利地形的自己,以后会难很多。和李斯特之间现在虽然感情很好,但他也是快退休的人了,在公司的地位又非常弱势,多半指望不上了。

拉拉正想心事,王伟来摁门铃。她把人放进来,懒洋洋地去泡茶。

心事重重的王伟一落座就问:"拉拉,何好德事先也没有给你透点口风?"

拉拉头也不回地说:"他干吗要透口风给我?我又不是'萝卜',他走又不需要我签字同意。"

王伟不理睬她的恶劣态度,追问道:"你对新总裁齐浩天了解多少?"

拉拉说:"就知道他是比利时人,和那个大侦探波罗一样。"

王伟诧异地问:"哪个波罗?"

拉拉鄙视道:"吓,没看过'尼罗河上的惨案'吗?"

王伟说:"听说齐浩天来我们公司前在ZM做过亚太地区一个国家的销售头,ZM的档次可是大大不如DB。"

拉拉不接他的话,把泡好的茶放在王伟面前的茶几上,自己在地毯上来回走着,又使劲活动着修长的双臂。

王伟没心思欣赏她的手臂,就说:"拉拉,你的翅膀已经够硬的了,别在那里煽来煽去啦。"

拉拉"哼"了一声,幸灾乐祸地说:"我没有关系,我只是个经理,离president(总裁)差了N级呢,我的顶头上司李斯特又没有变化,总裁换人冲击不到我。我翅膀是不够硬,那我就继续养着呀。你就不同了,你可是直接向总裁报告的,一朝天子一朝臣,这会子你心里没准多敲鼓呢!"

王伟言不由衷地说:"我紧张什么,谁来做总裁,不都需要把销售做好呀!"

拉拉得意洋洋地说:"反正,一个经理找工作,比一个总监找工作要容易得多。"

王伟心虚道:"得!没准齐浩天比何好德更容易沟通呢!"

拉拉假笑着说："没准,他把罗杰干掉,用你做 sales VP(销售副总裁)呢。到时候,我还得多巴结巴结 VP wang(王副总裁)。"

王伟随口道："行,你要是态度好,可以考虑指派你个美差。"

拉拉听了立马不高兴了,翻脸说："你小心死得很难看! 没准哪天我又巴结上齐浩天了。"

王伟说："你这人怎么这么不善良呀! 你看我都说我要是做了 VP,就要提拔你,你却说你巴结上老大,就要我死得很难看。"

拉拉道："我就这么不善良,要说大公司的企业文化,见过提倡诚信的,见过提倡创新的,还真就没见过哪个大公司的企业文化提倡要善良的。"

两人情绪都不好,拉拉说话像吃了枪子,王伟也没有心思哄她了。沈阳之行充满了迷惘和惆怅。

45. 我只要发现你骗我一次,你就是个不值得信任的人

齐浩天的风格和何好德完全不同,比如何好德走到哪里都喜欢和各层级的员工握手交谈,又一直很积极地学习了解本土文化,他走前已经 basically(基本上)能用中文表达自己的意思了;而齐浩天则令人想到没落的贵族,他皮肤白皙,手指修长,举止优雅而忧郁寡言,经常一个人关在房间里,上任伊始,除了罗杰和柯必得,没瞧见他找谁特别谈话,中文这类东西,他是 totally(完全)不会,也 totally 不想学。关于他的中文名字,他甚至没有在意公关部替他起的"浩天"二字到底是啥意思,人家解释的时候,他假装笑着夸奖说"i like this name"(我喜欢这个名字),其实,叫他"齐浩天"固然好,叫他"锄大地"他也无所谓——而公司里别的老外一般都会问,为啥人家要给自己起这么个中文名字。

不要以为这样的老板就不是好老板,这得看他所处的组织有着什么样的特点。齐浩天有三个好处,第一是授权——他认为,既然罗杰是他的副手,他就要信任并支持罗杰;第二是敢于拍板——假如你找到他,告诉他你需要他做一个决定,他就给尽快给你一个决定,让你有明确的方向去做事;第三个好处是他经常把酷爱繁杂流程的柯必得抛在一边,从而让大家在流程上少了许多痛苦。

自从何好德离开后,他在后期不肯做决定、凡事都要罗杰和柯必得同意后才肯签字的谜底就揭晓了,原来他做了决定也白做,与其样样受"萝卜"的挑战,不如啥事都让"萝卜"派来的罗杰和看门神柯必得拿主意。

齐浩天就不一样了,他是"萝卜"的嫡系,对于他的副手罗杰,只要是其职责范围内的事情,齐浩天不太干涉;而对于柯必得,齐浩天就简单地把他的财务部定位为 supporting function(支持部门),什么看门神不看门神的,齐浩天根本不理会,柯必得你给我好好地照规矩尽到财务的本分就是了,business(此处指关键业务)的事情不需要你 involve(参与)做那么多决定了。

柯必得看到几次比较大的决定,齐浩天只是知会他,并没有要先得到他同意的意思,心下就明白了,他本来就内向,变得更沉默了。不单柯必得看明白这个变化,中国 DB 上上下下全看明白这个变化,人都是聪明的,遇到难事,假如能绕得开罗杰,大家就都跑去找齐浩天做决定,更是把寂寞的柯必得凉在一边。

免不了有人利用这样的局面钻空子,比如有人找到齐浩天说需要若干钱办某事,齐浩天作为那么高级别的老板,自然先问:"有预算吗?"

那人告诉他:"没有预算,可是这事情确实是非办不可。"

齐浩天也不要人家提交分析报告,认为说的都是实情,他便很快做出判断:"OK,既然这事儿确实需要办,那就报亚太特批费用吧。"

这是他比何好德有本事的地方:何好德是明明手里有预算,方案报到"萝卜"那里,"萝卜"偏说这事不见得非办不可,愣不批;齐浩天是明明手上没有预算,可他能搞定老板,他就能在"萝卜"那里特批到钱。

问题是,这样的本事也害了他,季度末一结算,"萝卜"就找他谈话了:费用没控制好,业绩也不见得有回升。

资本家最重视的指标就是利润,利润好,啥都好谈,利润不好,谁都过不了关。

齐浩天总结了一下,注意到引诱他做这样预算外决定的都是些本土员工,罗杰和柯必得就从不要求他干这样的事情,他不由得生气了,一方面觉得以后做决定还是要多问问柯必得的意见,免得再上当;另一方面,他和公司管理层中的非本土总监们联系得比刚来中国时紧密了些,而对本土员工则更加疏远了。谁再找他做决定,就算是预算内的决定,他也要他们先提交各种分

析报告,或者先跟罗杰和柯必得说好再来。

但凡能做到总裁的,都是些聪明过人的角色,学习能力一流,很多东西都能无师自通,齐浩天的变化再次验证了这样的观点。

假如齐浩天有一个称职的副手,那么他会是一个非常好的老板,因为他尊重你的意见、赋予你权力、让你充分发挥自己的才干,而当你需要他的支持和决定的时候,他又能爽快地给你一个决定。

齐浩天的方式是典型的西方人的那一套:我不撒谎,我相信你也不撒谎;假如你撒谎,只要被我发现一次,你就是个不值得信任的人。我用你我就信你、support(支持)你到底,你要是好,我们一起好;你要是不好,我们一齐玩完;我若是足够幸运,在玩完之前发现你辜负我的信任,那我就干掉你。

对于 DB 中国来说,遗憾的是齐浩天的新加坡籍副手罗杰是一个糟糕的VP,而齐浩天又不愿多理睬罗杰手下对公司业绩至关重要的三位销售总监Tony 林、王伟等人以及唯一的市场总监约翰常,特别是他觉得本土员工欺骗、利用了他的支持后,更是凡事只听罗杰的,总监们近不了齐浩天的身,唯有仍然忍受着罗杰的折腾。

46. 要为下属的成长付出心血

对于混日子的人来说,有齐浩天这样一个总裁是他们的利好,反正大家就是个混,你做得再好,罗杰也说你不专业,你做得再烂,他也未必就能看明白你有多烂,而齐浩天反正只以罗杰的判断为准。

对于指望着新总裁来后能给罗杰专政的历史划上句号的人而言,就彻底心凉了。总监们固然在暗中小心翼翼地找新工作,经理中也不乏盘算着另谋前程的。王伟的东大区经理就在这个时期辞职离开 DB 了,王伟暗自叫苦,赶紧缠住李斯特张罗着招人补缺,怎奈行业里但凡够分量做大区经理的角色,哪个不是对行业信息了如指掌的主,都知道 DB 中国眼下正乱呢,谁肯这时候往 DB 跳呀。

齐浩天到任三个月后,DB 中国的架构改组方案终于敲定,沟通方案先发给总监们过目,王伟一看组织架构图,顿时觉得头大了两号,胸口一阵发闷,原来罗杰竟要升岱西做王伟的东大区经理,而他事先几乎没有正式地征求过王伟的意见。

王伟早风闻自从罗杰到任后,岱西就经常利用罗杰晚上爱加班的特点,没少在罗杰身上下功夫,拉拉也说亲眼见到过这样的事情。但对于岱西进攻罗杰的策略,王伟并没有很往心里去,毕竟大区经理是非常重要的职位,他就不信岱西那套能奏效。

前两个月罗杰曾两次非正式地问过王伟对岱西的看法,王伟对罗杰的用意不摸底,只如实说她目前业绩不错,但人际关系比较紧张,思想水平还有待提高。王伟从来就没有想过在内部提拔谁起来做东大区经理,更没有料想到罗杰这个王八蛋居然不正面和他讨论,就直接把这样一份组织架构图抛出来了。

王伟又气又急,稳了稳心神,马上打电话给罗杰要求谈一下。

王伟走进罗杰的办公室,罗杰照例神气活现地坐在大班台后高大的皮椅里,招呼说:"Hi,wangwei!take a seat!(王伟,坐!)"

罗杰其实能讲不少中文,但他一直不肯讲中文,并且假装听不懂任何中文,上上下下只得都用英文和他沟通,连清洁阿姨看到他,也按麦琪教的问候他"goodmorning,sir"(早上好,先生)。

王伟坐下,尽量平和地说:"罗杰,有件事情我有点意外,我看到新的组织架构图中,岱西将会升上东大区经理的位置,是这样的吗?"

罗杰十指交叉、胳膊肘撑在台面上说:"是的,我征求了齐浩天的意见,他那方面没问题,所以新的组织架构中是这样安排岱西的。"

王伟心说,那你怎么不来问问我呢,这个职位以后总是直接向我报告的吧。

他强压着心中的不快道:"岱西目前的销售业绩确实不错,态度也非常积极。不过,她有三方面的问题:一是个性太强导致人际关系比较紧张,她目前所带团队的人员流失率是东大区几个小区中最高的,让她带东大区这么大的团队会有问题,东大区目前其他的几个小区经理估计都难以服她;二是她和大客户打交道的技巧还有待提高,要让她去独当一面的管理区域级的大客户,分量还不够,客人是否能接受和认可她会是一个很大的问号;三是她看待拉拉感到很烦躁，她穿上大衣，戴上大大的羊毛围巾，一个人走出酒店，沈阳的 11 月已经下起了大雪。

杜拉拉升职记

A Story of Lala's Promotion

生意的思路还不够高级、眼界不够广,她在小区范围对业务的规划还是不错的,但以她目前的眼光和水准,要来规划东大区的业务计划,恐怕整个东区的业绩都会面临一个冒险——公司能否再考虑一下对岱西的任命?毕竟事关东大区这么重要的区域。"

过去的几个月里,在罗杰向岱西传授"专业"的过程中,作为优秀的销售人员,岱西显示了其出色的"聆听"技巧。对于像罗杰那样强烈地喜欢"说"的人而言,最能满足他的莫过于对他的"聆听"了。受到极大满足的罗杰,认为自己发现并培养了岱西这样的 high potiential talent(高潜力人才)。

在罗杰内心,现在不管王伟对他说什么、也不管他自己对王伟说什么,都不重要,重要的是他老罗已经决定了提拔岱西。既然王伟开口反对,还给了他三条理由,他总要在形式上也给王伟三个说法的,反正长篇大论他拿手,他便信口道:"岱西目前的业绩在全国同产品组中排名第三,销售嘛,永远是业绩导向的,没有业绩,人员流失率是零也没有用! 说到关键客户是否能接受她,这个我倒不担心,通过这几个月对她的考察,我对她'为客户创造增值服务'的能力以及'客户至上'的观念非常有信心。当然,我同意,她现在看待生意的眼光还嫩一点,带团队的技巧也可以有所改善,但谁也不是天生的大区经理,每个大区经理都是从小区经理做上来的,王伟,我们每个人都要为下属的成长付出心血嘛。另外,我和李斯特沟通了一下,你们在外部找人很困难对吗? 岱西还有不少可以继续改进的空间,同时应该看到,在公司整体业绩压力很大的现状下,她积极进取的心态正是目前我们的团队非常需要的——我看不出不升她的充分理由。"

王伟听到罗杰那个"要为下属的成长付出心血",只觉得自己快吐血了。他真想说:这个职位是向我报告的,为什么你不经过我同意就决定这件事呢?

但是他明白和罗杰说这个,就是自己和自己过不去。王伟脑子飞快地转了一下,装出只得接受的样子说:"罗杰,我明白你的考虑了。既然这样,那我就抓紧提交她的升职申请给 HR,她也好早点到岗。对了,按照公司的人事政策,对于内部提升的高级经理职位,都需要通过 assessment center(评估中心)的评估才能正式提升。我去联系 HR 吧,请他们安排岱西过 assessment center。"

罗杰倒真忘了这茬了,就说:"OK,你和李斯特打声招呼,抓紧安排。"

47 . Assessment Center（评估中心）

自从发现真丝睡衣被人铰破后，受了惊吓的拉拉搬出王伟的房子，再也不肯回来。何好德的离开，童家明的作梗，都使得拉拉近来情绪不高。王伟本来觉得岱西的事情不该再去烦拉拉，但是眼下这事不和拉拉商量又实在没有旁的人可以商量，他还是打了电话找她倾诉。

拉拉听王伟大致一说，想了想道："我觉得这事儿也许是件好事儿——市面上能有多少大区经理的职位呀，大部分大区经理可都是到了三十五岁以后才谋到这样重要的职位，她才三十二岁吧？能有这样的位置，肯定会很珍惜。以后，也许就不和你捣乱了，她得为她自己的职业安全考虑呀。"

王伟却不同意这样的观点，他解释说："拉拉，职位越高，对企业的核心机密就知道得越多，接触的客户更重要，掌握的资源也更丰富——危险性就更大。岱西那样不讲游戏规则的性格，先不说于公，她真的还不够格；于私，让她当大区经理，对我来说，非常不安全，就像颗定时炸弹，说不准哪天就炸。"

拉拉说："可是罗杰的决定，你是改变不了的。"

王伟说："所以我想在评估中心上打主意，按公司政策，罗杰不能一个人说了算的，岱西如果过不了评估中心这一关，他决定也白决定。"

拉拉沉默了一下说："我觉得你会失望的。评估中心按公司规定由四位相关部门的总监或者以上级别的成员组成，岱西这个情况，应该是你算一个；李斯特代表 HR 算一个；然后，和销售部关联最紧密的要数市场部，所以市场部总监约翰常算第三个；第四个，可以是销售培训部的总监，也可以是罗杰自己——这样的四人小组中，你自己自然投反对票；约翰常我看他本来可能也不同意升岱西，可你俩是对头，既然你反对，他八成就偏要投赞成票；李斯特是无所谓反对赞成的，他会投个从众票；剩下的关键一票，销售培训部的总监来参加评估中心的话，你还有希望获胜，可岱西肯定会怂恿罗杰来的，这一票不也就很明确了吗？"

王伟说："罗杰中文不行，岱西英文又不太好，我估计她过评估中心，罗杰就未必来了，免得岱西有语言压力。"

拉拉不满地说："哼，就这英文程度还可以当大区经理，真是没话讲了。"

她忽然想到什么道："李斯特也不会中文呀，她还是得讲英文。到时候，英文这关，就让她出洋相！"

王伟也高兴起来："对呀，忘记在英语上找她毛病了！还是你聪明。"

拉拉没接他话茬，认真地劝说道："王伟，万一不顺利，这事儿你得忍着点儿，小不忍则乱大谋，中国有几个你这么年轻的500强销售总监呀，犯不着为了挡别人把自己赔进去——我听李文华说起过，当年DB的销售总监之一彼得章，被何好德炒了离开DB后，至今一直在民营企业里混个所谓的'副总'当着，要钱没钱，要资源没资源，专业性就更别提了，走出去谈生意，哪里有当年在DB的派头！见过他的人都说他老了许多，显得很失意。我们在大公司做惯了的人，受不了那些处处都要抠着算费用的公司。真落到那样的地方工作，不说别的，单是和你共事的人，都是些素质比现在的同事差很多的人，就要让你郁闷了。现如今，罗杰再不好，他到底不是土包子，Tony 林这样的peers（指平级的同事），总归是些你看得起的有本事的人，公司给你配着奥迪A6用着，你有伊萨贝拉这样素质不错的助理，这都是福利的一种形态呀。"

偷塞进自己裤子口袋里的避孕套、床下的录音笔和被绞破的真丝睡衣，这些刺激都让拉拉担惊受怕又有压力，她既害怕生活在别人的仇恨里，内心深处也不太愿意搅和在与岱西有关的这些乱七八糟的事情里，工作上的压力也让她没有足够的精力和兴趣在蹊跷多多的感情之事上过多纠缠，下决心从王伟家搬出来后，拉拉这几个月说不清是有意还是无意，渐渐地和王伟疏远了一些。王伟这方面，觉得自己没有解决好岱西的事情之前，再勉强拉拉也不合适，只得眼看着拉拉一天比一天疏远自己。今番听出拉拉对自己的关心，王伟心中有些高兴也有些感慨，他没多说什么，只笑道："知道了。你别担心，我会处理好的。"

出乎拉拉和王伟的意料，李斯特当天因为不太舒服没有来参加评估中心，曲络绎去新加坡开会了，李斯特和罗杰打过招呼后，临时指派童家明代替自己；而罗杰果然自己来参加评估中心，还开了金口讲中文；王伟的老对头、市场部总监约翰常，果然如拉拉所料，照例和王伟唱反调。结果岱西以三比一的优势顺利过关，只有王伟自己投了反对票。

拉拉事后听王伟讲了岱西在评估过程中的回答，心中很怀疑是不是童家明事先给岱西做了辅导，否则以岱西的水平，不可能对那些问题回答得那么高明流畅。她没敢对王伟说出自己的怀疑，摊上岱西这么个大区经理，王伟的心情很不好。

其实，李斯特一看组织架构图的草案，就注意到对岱西的人事安排了。他事先完全没有听王伟提过这样的意向，就知道王伟肯定不会赞同这个提升，只是罗杰的意思罢了。

李斯特本人也以为岱西不够格，罗杰对这么重要的任命不和相关人员讨论就独断专行，令老李也深为不满，但是既然曲络绎屁都不放一个，他也就不便出来和罗杰对着干，又不愿意昧下 HR 的良心，才不得已在评估那天装病——这是拉拉万万没有想到的。

48. 什么叫"不道德"

王伟出差到了广州办，海伦告诉他，拉拉和他的南大区经理邱杰克都在参加"商业行为准则"宣讲会。

王伟把会议室的门轻轻推开一道缝，听到有个销售代表正在高声发问："公司是资方，我们是劳方，不同的阶级有不同的道德观，到底什么是不道德的？"

拉拉负责主持会议，正和财务部以及法律事务部的同事一起站在会场前面，听了这个挑战式的提问，她请 Tony 林手下的南大区经理和王伟手下的南大区经理邱杰克来回答，他们却都笑着推拉拉回答，说 HR 回答这个是最专业的了。

DB 的"商业行为准则"上并没有关于"不道德"的明确定义，王伟不由得也很有兴趣看拉拉要怎么回答。

拉拉见推不掉，只得出头做答道："在我个人看来，不管你是属于哪一个阶级的，有的东西是有共同的原则的。有人说，只要自己的良心感到安宁，就不涉及'不道德'，这个我倒有点异议，因为每个人的良心的承受力不同，同样的事情，也许你的良心会不安，而他的良心未必不安——我个人以为，如果你知道你做的某件事情,明天要合法地见报,你会因此感到不安,那么这件事情就是'不道德'的;如果你做的某件事情,你的母亲知道了会感到羞耻,那这件事情就是'不道德'的。"

有人对那个提问的销售代表说:"明白了吧,你自己的良心不感到不安未必就是道德的,因为你的良心可能承受压力的能力特强。如果媒体要报道会让你不安,那你就是干了不道德的事情了。"

众人都笑了起来,王伟站在门边,脸上也露出一丝笑意。

王伟和邱杰克一起跑了两天南区的市场,走前两人关在邱杰克的办公室里谈了半天。邱杰克对市场部总监约翰常在南区的一些市场策略很不满,认为按照约翰常的做法来,到时候肯定钱也花了,客人还不满意,白浪费公司资源,对销售帮助不大。他和王伟谈了自己的看法,王伟觉得他说得有道理,但是两人都知道无法和约翰常取得共识。

邱杰克把身体凑近王伟一点,压低嗓子说:"老板,您看这样好不好……"

王伟听了心中暗吃了一惊,连忙打断他说:"这不行!搞不好要违反公司的商业行为准则的,你别和我说这个。"

邱杰克悻悻然道:"这还不算违反吧?顶多是个擦边球。"

王伟看了他一眼,他只得闭嘴了。

两人沉默地对坐了一会儿,邱杰克叹道:"头儿,完不成指标也是个死。像约翰常那样的做法,您说我们可能完成指标吗?市场资源都在他手上握着,我们拿他没办法。"

王伟说:"Jack,我只能跟你说,公司的规矩肯定是要遵守的,指标也是一定要做出来的。这中间的度,你自己把握吧。"

邱杰克赌气说:"行,左右是个死,就看要道德的死还是不道德的死,反正我良心的承受能力强,我妈已经去世了,我就不信媒体有那么灵通管到我的不道德来了。"

王伟看不是个事儿,训斥道:"你这像是个大区经理说的话吗?"

邱杰克道:"哎,这标准不是我说的,是人家 HR 的拉拉说的。"

王伟被他逗乐了,走前又不放心地交待道:"你自己把握好度,别乱来。"

邱杰克发过牢骚,正经道:"您放心,我怎么也是受大公司培养多年的,不

会乱来的啦,不道德的事情我不做就是了。"

49.埋伏

王伟最近心情好了一些,一方面是因为他在和约翰常的斗争中暂时占了上风,几次开会,齐浩天都站在他这一边,罗杰也没有发表旁的意见,几个回合下来搞得约翰常有点灰头土脸的意思,大客户部的市场资源基本按照王伟的意思在运作;二来,他下面几个大区的生意增长曲线都挺漂亮,罗杰和齐浩天表扬了他。

岱西带的东大区虽然人员流失率较高,但是业务额冲得挺猛,抢了竞争对手不少市场份额,把罗杰美得不行。

王伟心里明白,就凭岱西的本事,按公司商业行为准则的要求正经做生意,她休想做到这个市场份额,她这八成是有带金销售的行为了(指给客户非法的现金利益作为其给予生意的回报)。

但是王伟却不便点穿,一来没有证据,不好乱说;二来,做销售的,这些花招见多了,去抓带金销售这样的事情是有忌讳的,生怕拔出萝卜带出泥——他要是抓岱西,岱西肯定得倒过来揭发邱杰克这些人,来个要死大家一起死。

王伟对邱杰克在商业行为准则方面并没有十足的信心,时常要在这个方面敲打他,尤其是本年度。

不管怎么说,邱杰克也是他王伟手下一员得力干将,他凡事要考虑到邱杰克的利益;况且,他手下一共就三个大区经理,要是岱西有问题,邱杰克也有问题,那他王伟作为总监的控制力就很值得怀疑,他还能做这个总监吗?

所以,王伟投鼠忌器,其实也不敢真去查岱西的带金销售证据,只能是哑巴吃饺子,心里有数。

就是罗杰傻乎乎,还真以为岱西被他的"专业"教导得本事大起来了。岱西有了罗杰撑腰,对王伟更加一副目中无人的态度,有时候王伟和大区经理们开会,她当着另外两个大区经理的面,就对王伟顶顶撞撞。

这样的事情次数多了,王伟心想,不是忍不忍的问题了,岱西此人必除。

当下拿定主意,只等合适的时机动手,却不和拉拉透露一点意思。

这日,财务部送来上月的部门费用报告,王伟特别留心地研究了岱西的费用,这一研究,在一个不起眼的地方让他看出问题来了,他发现了一笔他并没有签过字的费用在财务部顺利付款并做账了。

王伟的记性非常好,他确定自己并没有签过这张单子,而按公司的相关流程,财务部一定要看到他的签字才能给岱西的单子付钱,这里面一定出了问题!

王伟马上给柯必得手下的应收应付经理打电话询问,对方说单子上面肯定有他的签名,并答应把原始单据找出来给他看。

王伟把伊萨贝拉叫进办公室,准备交待她去财务部取回那张单子,却忽然多了一个心眼,胡乱说了件其他的事情让她去办。

等伊萨贝拉一出房间,王伟连忙打电话给应收应付的经理,说自己会亲自过去拿单子,让对方暂时不要告诉任何人这件事情。

王伟把单子取回来,研究了一番,心里明白是有人仿造了他的签名。

财务部马上拿出王伟签名的底单比对,确实仿造得很像,但是还是有区别的。这下财务部慌了,他们有责任核对所有报账上的签名是否是总监们本人的签名。

王伟安慰对方说:"财务部又不是银行管信用卡的,不关你们的事儿——麻烦你们把岱西升大区经理后,她所有的费用,逐笔列出来发给我一下。请注意保密。"

应收应付经理知道出大事了,一个劲儿点头说:"我马上自己到系统里调记录,保证保好密。"

王伟查了两天,发现大约十来笔合共二十万元左右的报销是有问题的,要么干脆是仿造他的签名;要么是在他签字后,再改动金额——DB是美国公司,报销单上的最终金额只填写阿拉伯数字即可,并不填写中文大写数字壹贰叁肆之类的,这就非常方便涂改,比如总监签名的时候报的金额是2万1千多元,等他签字后,再改成2万9千多元。从涂改动作本身来看,不算困难。

根据DB的流程,各项费用根据其金额大小,在直接主管和有相关签字权的老板们签字后,部门总监的助理会负责把所有的单据汇总做好费用登

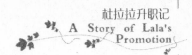

记，然后每月一至两次统一将单据送财务部审核支付。也就是说，理论上，岱西的费用应该是经伊萨贝拉的手送到财务部的。

王伟和财务部查询后，证实每个月的单据确实都是由伊萨贝拉交给财务部的。由于有问题的次数不少，基本上，岱西不可能避开伊萨贝拉自己独立完成改单和冒签的动作，而且，每个月财务部做账后，都会把费用清单发回给各部门，这时候伊萨贝拉需要协助王伟再核对一遍明细，如果发回的数字和送出去之前登记的数字不符，不可能那么多次她都没有发现，所以应该是两人串通了。

总监们一般每个月也就是看看大致的数字，不会去核对细节，尤其像王伟这样的销售总监，手上哪个月不签出几百万元的费用，如果不是盯着看，他不太会发现岱西每个月那些零敲碎打的小几万元的猫腻来。王伟估计岱西和伊萨大约是赌他不会有那么好的记性和那么充沛的精力。

王伟和拉拉一分析，拉拉惊得目瞪口呆。她刚加入 DB 的时候，就是任职销售行政助理，登记费用、统一将原始报销单据送财务部、每个月和财务部核对部门费用以协助大区经理监控预算，是她当时每月必做的功课——因此她非常清楚王伟说的是对的，伊萨贝拉和岱西串通做假了。

伊萨贝拉模样斯文，皮肤白皙得可以看到下面蓝色的毛细血管，她的身子柔弱无骨，又喜欢穿质地飘逸的衣服，正当得古人词中"弱柳扶风"四字，平时说起话来总是细声细气，是个典型的上海女子。伊萨的脑子很清楚，考虑事情细心周到，责任心也不错，尤其数据方面颇有天分，做王伟的助理已经三年多了，工作上和王伟向来默契，哪里想得到她会做出这等大事来。想想王伟身边居然埋伏着这么个助理，两人都惊出一身冷汗。

50. 筹码

拉拉拿不准这事下一步怎么办好，该私了还是公断。

王伟说："财务部已经知道这些事情了，应收应付经理应该已经报告了柯必得。不单是有二十万的金额牵扯在这里，主要性质很恶劣，事到如今，由不得我不报告。我也就是写个 MAIL，说说事情经过，具体由 HR 去处理好了。"

拉拉想想，只有如此了，便说："我让麦琪马上安排工程部把你房间所有的锁都换掉。你自己最好把所有进公司系统的密码也都马上换掉。"

王伟做的第一件事情是分别打电话给下属的南大区经理邱杰克和北大区经理，告诉他们发生了什么事情。不用王伟再多交待，两人听了都心领神会，这事儿一出，公司多半也会查他们的费用，两人立马分头去自查半年来自己团队的费用。

王伟又找到齐浩天和罗杰，先口头报告了一下此事。齐浩天向来最讨厌人家骗他，一旦发现谁骗他，下手决不留情！因此他态度很干脆——退钱，炒人。罗杰很惊讶，事实摆在那里，他说不出什么来，只得同意齐浩天的意思。

王伟回到自己的办公室就马上写了相关邮件，发给齐浩天、罗杰、柯必得、李斯特和曲络绎，请 HR 协同销售部处理此事。

员工关系归李斯特管，他先和王伟沟通过，知道这件事情要让岱西承认并不难，关键是估计她会扯一些别的事情来要挟公司，一个大区经理，还是知道一些公司的核心信息的——所以，李斯特估计最后就看公司怎么和她谈判一个合适的价钱下来，好打发她走人。

李斯特自己出马找岱西谈话，因为岱西的英文不太好，李斯特本来想让童家明做翻译，但童家明平素和岱西要好，不太愿意干这个差使，就推拉拉来做这个翻译，说自己可以去和伊萨贝拉谈话。李斯特想想也好，就同意了。拉拉听了暗自叫苦，又不好推脱，只得硬着头皮上，她打定主意尽量不说话，免得岱西冲着自己来。

谈了不多久，岱西就很干脆地承认，涂改数字和仿造签名都是她干的，是她趁伊萨贝拉不备，在每个月王伟签字后、伊萨汇总数据前，把单据弄出来涂改完再塞进去的，一切和伊萨贝拉无关。

伊萨贝拉那边，显然和岱西串供了，坚决咬死自己完全不了解这些事情，只是有点失职罢了，并且算不上很大的失职——因为王伟每个月都会看财务部送给他的上月费用报告，部门总监尚且一直没有看出来，自己只是一个小助理，公司对自己的要求不该高于对一个总监的要求。

虽然明知道她们说的是假话，因为一次两次还有可能，十几次，伊萨贝拉那么细心的人，哪有可能让岱西得逞，但两人都咬死就是这么回事情，李斯特

只好把是串通还是单独作案这个话题先放到一边,谈退赔二十万的问题。

岱西就说了,二十万虽然通过各种途径都到她的个人账户上了,但是最终全都用于公司的业务了,她把钱全花在某些大客户身上了。

李斯特和蔼地说:"岱西呀,公司给销售人员提供必要的正当的交际费,像请客户吃吃饭,买些200元以内的小礼品,大的方面更是有合理的市场销售费用预算,为什么你不使用这些预算呢?"

岱西赖皮说:"是呀,我很抱歉,我确实违反了公司的商业行为准则了,我给客户提供了现金类的利益,可我不这么做,就完成不了公司给我的指标,DB要求的业绩增长率可是高于行业平均水平的,照公司的规定来投资,我花了钱客人也不见得买账呀,谁不知道最有效的办法就是给客户现金利益呢?我完全是为了公司的利益才不得已出此下策。"

李斯特说:"我们的商业行为准则写得明明白白的,我们要合法地经营公司业务,你这样做完全是你个人的行为,我恐怕只能由你自己来承担责任了,岱西。"

231

岱西叹气道:"李斯特,DB培养了我多年,我也明白您说的这个道理。要不这样,二十万可不是个小数,我只有找客户把钱要回来,然后才能退还给公司。"

李斯特一听就明白,岱西这是在要挟公司呢,她负责的那些可都是公司的大客户,她真要去找客户麻烦,以后谁还敢和DB做生意呀。

况且,这里有一个非常敏感的问题,岱西正在把"个人贪污"往"商业贿赂"上转:DB是美国公司,受严厉的"FCPA"的(美国《反海外腐败法》)的约束,要是公司被咬进这样的事情,就算最后洗清了,总归麻烦不小,光是想办法搞定媒体,就令人头大。

说到美国《反海外腐败法》,这是最具争议的美国法律之一。该法规定,为了开展业务而贿赂外国政府官员属于违法行为。它不单针对美国公司,甚至适用于约束有股票在美国上市的非美国公司及其个人的行为。

一旦触犯《反海外腐败法》受处罚,公司可能被课以200万美元罚款,而公司高管、董事、股东、雇员及代理商可能面对长达5年的监禁。

岱西的致命处是个人贪污;而对DB来说,则很忌讳被扯进商业贿赂的丑闻中去。

李斯特不得不暗自承认,岱西还是很有策略的,她不单利用公司不愿意给客户带来麻烦的心理,坚称二十万都花在客户身上了,意图使公司投鼠忌器不好索回二十万;而且,她显然想抓住公司不愿意卷入商业贿赂的忌讳做筹码,反过来试图要挟公司——李斯特估计,岱西下面十有八九要提出来 DB 倒赔给她一笔精神补偿费了。

李斯特知道不能示弱,只得走一步看一步地说:"岱西,我很理解你的工作压力,但是,事实上,除了你取得二十万的方法本身是违背商业操守和触犯法律的,你甚至不能证明这二十万究竟花费到哪里去了。"

岱西赞同道:"您的问题非常合理,我当然需要证明这二十万确实是花到客人身上了,不然,我要是把钱都放到我自己口袋里了,那不是贪污嘛——这里有一张清单,我现在交给公司。"

李斯特把清单接过来,是中文的,他看不懂,便递给拉拉,拉拉看了使了个眼色给他,李斯特就宣布休会。

李斯特找到王伟一起看,那张清单上列着一些大客户的姓名,送给他们的礼物和金额,比如,IBM 某型号手提电脑一台,两万七千元,并随附发票号码、机身号码等信息。

王伟看了就头大,他告诉李斯特,既然岱西能提供这些信息,估计还真有可能有这样的事情。王伟心里清楚,那二十万,岱西应该是和伊萨贝拉分了,恐怕还不止这些。至于给客人的好处,如果真有,岱西十有八九是从市场部给的费用里另外洗出来给客人的,比如公司规定可以赞助客户开学术交流会,然后预定的会议并没有真的举行,只不过另外搞了些发票假充会议费用,从公司报销出现金而已,拿到钱后就用来买了手提电脑送给客户——这自然是公司的商业行为准则和法律都不允许的。但王伟不敢挑这个话题,怕把事情复杂化,公司要是较起真来,恐怕邱杰克也得走路,都走了,剩他王伟一个也别做了。对此,李斯特心里也估计到了几分,只是不便点破。

再开谈的时候,李斯特和岱西说:"有一个事实放在这里,岱西,你取得那二十万的途径确实是非法的,事实上,公司这方面是有诉讼的权利的。"

岱西不慌不忙地说:"我同意,那样我可能得吃官司,除非我积极退赔,并主

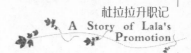

动检举揭发。不过,希望公司能考虑到我确实是为了公司利益才不得已那样做的,销售指标放在那里,我不完成,就要被炒的,要说我这也是职业风险,是谁带给我的呢? 是DB——况且,也不是我一个人会想变通之道的,就说我们部门的南大区经理邱杰克吧,他是个很机灵的人,恐怕比我办法还多。王伟,Tony 林,甚至已经离开的前总裁何好德,一个比一个精明,他们有什么想法,他们有没有身体力行地去做,可不好说。您可以说我一个人的行为不是公司行为,难道他们这么多身为高级管理人员的,他们也全都是个人行为吗? 要是他们都算个人行为,那DB就该把他们全炒了,再处置我,我没话说;不然的话,就说明他们的行为是公司行为,DB就得受美国《反海外腐败法》的制裁!"

岱西索性撕去最后的面纱,恶狠狠地一气把关键筹码正面抛给李斯特了。

李斯特是老鸟,自然没有那么容易给岱西吓倒,但是他也看明白岱西疯狂的眼神了,他想最好不要再用诉讼这个砝码来和岱西谈判了,便说:"岱西,现在你这二十万是有事实依据的,你自己也承认了的。至于你提到DB的几位高级管理人员也有和你一样的想法,这个我想,基于推断和基于事实,是两个概念。"

岱西像是早等着他说这话,笑了:"李斯特,做销售的喜欢用业绩说话,我们是最注重结果的行业,我向来注意收集事实和信息——我的同僚邱杰克的变通之道,我自然是有事实的,您如果需要,我随时可以提供。而且,关于我刚才提到的几位高管、前总裁,他们的想法,我也是有录音信息可以和您分享的,相信这些录音能很好地支持我的说法。当然,您不能说人家想想都不行,法律是只制裁行为,不制裁人们心里的想法的,可是,毕竟他们是堂堂DB的高管,要是他们如此的想法见诸媒体,DB会有什么样的社会形象呢? 谁还愿意用DB的产品呢? DB亚太和DB美国总部还会信任DB中国的领导层吗?"

李斯特听明白了,岱西那意思,要连齐浩天也一起兜进去,而且她随时准备提供证据支持自己的说法,她也暗示了向媒体曝光的可能性。这个人,是打算用自己的致命之处,和DB的致命之处来赌一把了。

岱西说到录音的时候,深邃的眼睛瞟了拉拉一眼,她用英文问了拉拉一句:"拉拉,你同意我说的,对吗?"

她说完,不等拉拉说话,转回脸对着李斯特说:"李斯特,我是个踏实的人,我说的一切都是可靠的,只要公司想好了,我随时和公司配合。"

李斯特知道不能显出想要她手中的东西,以免她坐地起价,就语气平和却又干脆坚决地说:"岱西,公司解决问题是基于事实和公司的政策,对任何人都是公平的,谁违背了法律和公司的政策,他就要为自己的行为负责,不管他是谁。如果你觉得公司哪位高管有违背公司政策的行为,你可以向公司检举揭发。但这和你的事情,是两码事。"

岱西研究了一下李斯特的脸说:"李斯特,我不想让公司为难,毕竟公司培养我多年。我也是为了解决问题嘛。"

李斯特笑笑说:"我欢迎你的态度。你觉得怎么样才能解决问题呢?"

岱西叹气道:"哎呀,发生了这么多事情,我也是没法再在这里工作了。我建议公司要么让王伟辞职,要么就赔偿我80万——您知道,这件事情对我来说打击很大,放在谁身上,都受不了呀,我不知道我什么时候才能恢复元气。"

李斯特心说,好家伙,终于正面把价钱亮出来了,他耸耸肩道:"岱西,听我说,你刚才提到解决问题,这很好——既然要解决问题,我们就要真诚现实,才有可行性。你说对吗?

岱西说:"我这是良心的建议。"

李斯特说:"基本上,我可以给你一个建议,这事情和王伟扯不上。我建议你把注意力放在有可行性的解决方案上。"

岱西说:"希望公司慎重考虑我的建议。"

李斯特做不耐烦状说:"好吧,岱西,我知道了,今天先谈到这里。鉴于目前的情况,你从现在起暂时不用来上班了,有事情公司会通知你的。"

等岱西出去,李斯特对拉拉一摊手说:"得,齐浩天是让我来讨还20万的,现在我不但收不到钱,还得付出80万。"

齐浩天听了李斯特的报告,生气了,说:"我最恨人家要挟我!80万!我就是给媒体也不给她!那个邱杰克,让内控部马上开始查他最近十二个月的费用,王伟下面北大区的费用也一起查!"

罗杰从来没有这么低调过,他躲得远远的,把自己搞得消失了一样。

曲络绎和李斯特讨论过后,也觉得对岱西这种人不必太迁就,但是还是要考虑一下策略,最好不要搞得闹到媒体那里,一旦事情超出公司范围,只怕

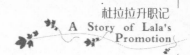

解决起来就被动了,两人就私下里劝了齐浩天一下,齐浩天还在生气,说:"王伟和 Tony 林如果真的有事,我就重新招两个销售总监。"

曲络绎心想,老板昏了头,要是查出来费用都是在他齐浩天来的这半年里有问题,那还不知道是谁走呢。闹到亚太和美国的话,起码人家要问,两个最重要的销售总监都有问题,你齐浩天这个总裁怎么当的?

曲络绎和李斯特不免又劝了一番,齐浩天松口说:"我的底线就是那二十万也不追究了,免得给客户找麻烦。岱西必须消失!"

最终讲定,先凉快岱西几天,等她气焰下去一点再说。

李斯特和曲络绎从齐浩天办公室出来,一起到柯必得这边商量了一番,本来李斯特担心柯必得的财务式的呆子气要冒上来,所幸柯必得听说齐浩天对那二十万的意见后,倒没有多说什么,只点点头。三人说定,让内控部着手查查邱杰克的账,既要查出点问题,让销售部和市场部都收敛一点,又不要查得太深,以免搞得都没有心思做生意了,伤的还是公司的业务。

235

51.高参

DB 内控制部奉命开始在小范围内核查销售及市场费用,巴不得 DB 内部鸡飞狗跳的岱西闻听内控部干活拖拉手法温和,很不耐烦。

这天广州的天空布满了灰蒙蒙的云层,但是太阳照样厉害,晒得人眼前白晃晃。

王伟手下的南大区经理邱杰克在二沙岛的"新荔枝湾"请客户吃过午饭,一出酒店的大门就感到一阵燥热。笑眯眯地送走客户后,他按捺着烦躁,先脱下西装搭在手上,看看手表,便匆匆走向停车场。

邱杰克走到他的帕萨特前,正准备开车门,猛然感到身后有人。他背脊上一阵发寒,马上转过身来,一个长相毫无特点的男人冷冷地对他说:"邱杰克?"

邱杰克下意识地点了点头,又看了看另外两个一左一右包抄上来的中年男人。

说话的那个男人掏出证件给他看了一眼，然后说："请你跟我们回去协助调查。"

邱杰克似乎有点难以置信地问道："现在？"

那个男人虽然没有接触他的身体，但是用代表国家机器不容反抗的口气道："对，下午你上不了班了。"

另外两个男人沉默着用威慑的目光盯着他。

邱杰克算是明白过来了一大半，冷汗"蹭"地顺着他的发梢往下淌，他脑子飞快地转了起来道："我可以通知一下公司吗？下午本来要赶回去参加一个重要会议。"

那男人冷冷地说："先跟我们上车再说。"

邱杰克松了松领带，坚持道："如果我没有请假就消失了，公司没准会报案的。"

男人说："你发个短信好了。"

他警告地冲邱杰克点了点食指，命令道："不要说出你去哪里，只说有急事需要请假。"

邱杰克不敢违抗，依言编辑手机短信，他一边输入信息一边急速地盘算着，短信是发给自己的头儿还是发给 HR？

他想，对方一旦收到短信肯定会马上打电话过来追问究竟，但是他什么也不方便说，又担心头儿的电话不知道有没有给监听；发给 HR 呢，就算把事情捅到公司管理层那里了，可是自己也许过几个小时就能顺利出来，何必白白在公司内部把事情闹大——他在一分钟内拿定主意，如果真需要公司来搭救自己，宁可让自己的头儿去操心吧，至少还多一点主动。

邱杰克一编辑好短信，那个男人马上接过去过目，确认内容无异后，才让他发出。

到了地方，坐下后，男人问的第一句话是："你知道自己为什么会到这里吗？"

邱杰克无辜地摇摇头："不知道。"

男人沉着脸道："你做过什么自己最清楚。"

邱杰克刻意保持弱者的身份，低调地说："我没有干什么呀。"

男人一拍桌子："没干什么那你怎么到这里来的？"

邱杰克心说，不是你们让我来协助调查的吗？嘴上还是特别诚恳地说："我真没干什么呀。"

男人身子往前探了探道："我们手中没有证据是不会把你请来的。现在给你一个机会，让你自己说出来。"

邱杰克申请"仔细想想"，十五分钟后，他用迷惘的眼神望着男人道："我确实想不到有什么事情呀。"

来来回回折腾了几个钟头的车轱辘话后，男人说："你在公司的年收入多少？"

邱杰克据实道："税前五十万上下，个人所得税都是由公司代扣代缴的。"

他又补充说："据我所知，行业里同档次的 500 强外企，我这个级别的在华经理，都差不多这收入。"

男人又说："那你下属和上司的收入情况呢？"

邱杰克小心地说："公司薪资都是保密的，我不知道上司的收入。下属一线经理的收入一般在 25 万左右，具体要看他的业绩表现，不排除个体差异有点大。"

男人说："那就是说，你们的收入和你们的业绩表现关联很紧密咯？"

邱杰克道："可以说是的，做销售，哪家公司都这样。"

男人说："为了达到销售目标，你们都采用了哪些手段？"

邱杰克斟词酌句地说："我们是根据公司的市场策略，来进行销售的。过程中，不仅遵守国家的相关法律，公司还有严格的内控制度来约束规范我们的销售行为。"

男人一拍桌子道："你是不见棺材不落泪呀！"

邱杰克做痛心疾首状，掏心掏肺道："要不您给提示个方向，我实在想不起有啥特别的事情。"

边上一个一直没有怎么说话的男人开口劝道："外边天都要黑了，你还是赶紧招了吧，省得在这里受罪，招了就能回家啦。你看人家隔壁的，早就快快完事儿回家了。"

邱杰克委屈地说："我也不想耽搁您几位下班，可我真想不起来有啥事儿,没法配合呀。"

那男人用让坏蛋胆战心惊的经典方式笑笑说:"想不起来是吧,那就再仔细想想,你有的是时间,夜长着呢。"

两个男人站在走道一端活动身子。

乙问甲:"你看还要等多久?"

甲喷出一口烟道:"最多捱到凌晨一两点,他就差不多了。知识分子嘛,最差劲的了,招得最快的就是这些读书人。"

乙笑道:"可不是! 前些天,老朱他们请回来一个,还没怎么的,就吓得全招了。本来老朱他们就知道些皮毛,没想到他给挖了一堆的大个萝卜出来,那叫一个竹筒倒豆子,滔滔不绝呀,说的老朱他们都听不下去了——就是这么个斯文的主。"

拉拉身子往后仰靠在高背椅里接着电话,她的脸色越来越不好,半响道:"咱们先托关系打听打听到底现在他在哪里。如果 24 小时后人没有出来,你还是和公司说实话吧,想办法把人捞出来要紧。希望是受别的事情牵连——不过,多半是那人捣的鬼,别的可能性不大。否则,检察院和公安一般不会轻易来动管理规范的 500 强外企。"

王伟在电话那头沉吟了一下说:"不等 24 小时了,如果明天早上人还没有出来,我就和公司打招呼了,让政府事务部去想办法。"

拉拉"嗯"了一声,女性憋不住话的劲头上来了,忍不住追问了一句:"邱杰克到底做了什么事儿? 是不是做生意没有遵守公司的商业行为准则呀?!"

王伟应付着答应了声道:"他能做什么。"

拉拉劈头抢白道:"没做什么就给请了进去,那要做了什么还不知道该怎么样了!"

话一出口,她就后悔了,觉得傻女人才在这种时候提这么多问题。为了弥补一下,她言之无物的补台道:"他向来 smart(机灵),应该不会出啥大事儿。"

两人说好保持联系,拉拉道:"我晚上开着手机,有急事你就打我手机。"

王伟说:"好。你把手机调成振动吧。"

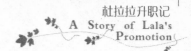

拉拉道:"没事儿,我们再怎么着也比里面那个舒服多了。"

拉拉请一个做律师的大学同学帮忙打听邱杰克的下落,晚上约了人家一起吃饭,几个精致的小菜一上桌,她马上脆弱地联想到,邱杰克在里面不知道人家给他吃饭了没有。

她说给同学听,律师笑道:"没你想得那么严重!渴了给水饿了管饭,中间还能插花上上厕所。"

拉拉不爽道:"你就没点同情心?大家都是读书人。"

律师道:"读书人也有社会分工呀,比如我吧,就做不了诗人,只能做做律师。再说了,你呢,是平常看受苦人看得太少,偶然见到谁吃了点苦头,又是个认识的,没准平时还对你特客气,你心里就不自在起来。像我,天天看,要是也像你这么善良,心脏早出毛病了。"

律师胃口很好地吃将起来,又劝拉拉尝试,兼顾着夸厨子的手艺,十分忙碌。

拉拉自己请了律师同学来吃饭,不好怪人家吃得太投入,只得叮嘱道:"明早要是有消息马上给我电话。"

律师咽下一口汤,气色十分的红润,冲拉拉点头道:"马上马上。"

拉拉没有情绪地嘟囔了一句:"上午还看到他好端端地在办公室里和人说话呢。"

同事了几年,念及邱杰克的种种好处,又想到平时那么精明神气的一个漂亮人物,开靓车住靓房,现在没准多狼狈的样子,人家管你什么高级白领,恐怕啥尊严都没有了——拉拉心里总有点不舒服。

凌晨,拉拉感觉身上一阵冷一阵热,难受得醒了过来,她摸摸额头,看来是发烧了。窗外正是雷雨交加,搅和得天地间乱糟糟的。

拉拉晕头涨脑地起床找出药吃了,看看表,已经四点多了,手机上还是什么消息都没有。

拉拉心想:可怜见的,这会儿不知道怎么样了,反正人家肯定不会让他睡觉。

天边透出淡青的天光,拉拉迷迷糊糊地醒来,雷雨不知道什么时候已经停了。她一把抓过枕边的手机,还真有短信进来,她打开短信:人已回家。

239

拉拉马上打电话过去追问:"怎么样了?没啥事儿吧?"

王伟说:"应该没有什么大问题了,算是扛过去了吧。不过,人也快要虚脱了,我让他先回家睡觉。下午再和他联系。"

拉拉说:"那就好。想来没有什么大事儿,不然不能在 24 小时内就放人了。"

放下电话,拉拉对着镜子苦笑了一下,根据几个月来的斗争经验,她判断那个始作俑者决不会就此善罢甘休,后面一准还有麻烦。只是不知道她又要使出什么出人意料的招数来。

正是岱西,因为对 DB 内控部温吞水一样的检查费用不满,使个法子,往检查院检举邱杰克。

其实,岱西心里清楚,邱杰克这号,要说他们在销售中多少有些违背公司商业行为准则的动作,那是一查一个准的事情,只是程度轻重数量多少的问题而已;可要说到有大的违法行为,多半也是不敢的。

她之所以要这么干,就是要吓唬吓唬 DB,好让老外们趁早和她岱西合作——她估计,邱杰克要是进了检察院,多少会扯出几个大客户,那可都是些有头有脸的人物,虽然最后不见得有啥严重后果,总是一番有分量的惊吓,果真如此,今后业内谁还敢和 DB 做生意呀?老外们再呆,还是知道不能给客户惹麻烦的。

听说邱杰克果然给请去协助调查,岱西高兴坏了,只可惜邱杰克成功过关,不到 24 小时人就出来了,过了两日又如常上班,气得岱西在家里跳着脚骂检察院的人是"港督"(傻瓜),一面又想别的法子准备新的战斗。

过了几天,"萝卜"找齐浩天训话来了,原来,岱西天性是勇敢的战士,面对挫折而不屈不挠,被凉快的这些天她一直没闲着,她发了邮件给亚太的高管们,检举 DB 中国在销售中存在某些不符合"DB 商业行为准则"的不规范行为,王伟首当其冲地被列在检举名单上,Tony 林也没能幸免。

这一招岱西算是失了算。本来她还有可能和李斯特谈判下去,多少拿到些经济补偿,既然闹到亚太那里去了,她就一分钱拿不到了,还面临被追那二十万的可能。因为亚太总裁"萝卜"是个没法理解中国国情又不听劝的主(公

司找人教过他亚太各国的风俗民情,可他从来没有真正吸收过),他只知道要是触犯了"反海外腐败法",很可能会砸掉他"萝卜"本人和齐浩天的饭碗;为了不冒这个危险,即使不得不炒王伟或者 Tony 林也在所不惜,充其量也就损失点 DB 在中国的市场;至于岱西,无论如何不是公司谈判的对象。

岱西本来就缺乏耐心,往亚太检举后没有马上看到成效,她索性又把邮件发送给 DB 所有经理级以上的员工。

这一来,人多嘴杂,媒体开始给公关部打电话,好在 DB 早有准备,公关做得不错,压下了媒体的报道,又和各大网站打了招呼,岱西一贴贴子,人家就给删了。

拉拉也收到岱西发给经理级别以上员工的邮件,她反复考虑了很久,叫来麦琪交待道:"你到计费系统里,把这两个月各部门经理级别以上员工的通话明细打印给我,我要抽看一下经理级别以上的电话费用情况。"

麦琪快嘴快舌道:"你想看费用,那我把所有经理以上员工的话费数字给你就行了,为啥还要通话记录呀? 会有好长的单子的哦。"

拉拉不耐烦道:"怎么你也想当'十万'吗? 那么多'为什么'!"

麦琪见势不对,不敢再多啰唆,赶紧依言调来数据给拉拉。

她离开前,拉拉又阴着脸吩咐道:"记住不要出去多嘴。"

麦琪点头表示知道了。

拉拉先把所有的高级经理和总监们的通话记录粗略看了一遍,然后用荧光笔,把所有与岱西手机通话的记录标注出来,一个与岱西的号码间通话频率和时长都很突出的分机号码跳入她的视线。

拉拉揉了揉突突直跳的太阳穴,把那个分机的通话清单收了起来。

面对岱西不断挑起的新战事,李斯特和曲络绎商量,事到如今,不如找律师出面,干脆把岱西手上的录音拿来看看到底是个什么压箱底的宝贝,总不能就凭她在那里嚷嚷着说手上有录音就把两个总监给干掉吧? 真有问题,再该怎么办就怎么办。

拉拉闻讯,马上想起曾经在录音笔上听到的自己和王伟亲热的片断,还有两人私下里议论"十万"等人的交谈,她顿时花容失色,连忙告诉王伟,律师准备去找岱西要录音带了。

王伟看看拉拉，夕阳照在她六神无主的脸上，却无法让她发白的嘴唇稍增血色，王伟愣了半晌，下定决心说："没想到事情发展到这个地步，这对你不公平，事情因我而起，还是该由我来 pay for it（付出代价）。"

拉拉沉默地看着王伟。王伟笑着说："我今天就交辞职报告，马上去和李斯特谈，我一分钱也不要 DB 赔，前提是 DB 永远也不去要什么录音带了。岱西自己和公司开条件的时候说过，要么我离开 DB，要么 DB 给她 80 万她就走人——只要我一走，这事情就算 over（结束），拉拉你好好在 DB 做下去。"

拉拉眼眶一红，半天才说了句："不值得。"

王伟哄她说："我本来就懒得伺候罗杰了，反正现在齐浩天看到我也没有个好脸色，就连 Tony 也跟着受累，我乐得走了轻松，只是邱杰克怕是保不住饭碗了。"

王伟和李斯特的谈话非常顺利，李斯特最后和王伟握手说："王伟，如果今后做 reference check（指王伟找新工作时，新东家对他的过往背景做调查）有需要，任何时候，你让他们找我！回头我把我的私人邮箱地址留给你。"

王伟和邱杰克很快离开了 DB。

至于岱西，由李斯特出面通知她，考虑到她多年的服务，DB 可以不追究二十万元的事情，前提是她必须从此放弃任何敌对行为。岱西没想到王伟和邱杰克都那么爽快地离开了 DB，她没有了要挟的筹码，只得认栽，毕竟那二十万对于她来说是有诉讼风险的，她不敢太闹腾了。

岱西最后和李斯特说："杜拉拉和王伟关系不一般，他们一直在对您和公司隐瞒。"

李斯特想起曾经在一个下雨的晚上，看到拉拉坐在王伟的车上，他发自内心地笑笑说："我觉得他们很般配。如果他们最后真能走到一起，我会很为他们高兴。"

李斯特打发人把拉拉找来，拉拉坐下后，李斯特关心地说："拉拉，你的气色很不好，要不要休休假？"

拉拉的黑眼圈很明显，反应也有点迟钝。李斯特笑着说："你需要去做做脸了，听说街拐角那家美容院很不错，你可以去那里放松放松。"

拉拉不好意思地笑了笑,没有说话。

李斯特说:"在想什么?"

拉拉抬头说:"李斯特,我在想,岱西写给亚太的邮件中,英文显得很纯熟,用词非常专业准确,这绝不是岱西的英文程度能达到的;再者,她发给亚太的邮件,那么多高官的邮件地址,她都能准确无误地拼出来,——事实上,其中大部分人的名字,我也是第一次见到,以岱西的级别,她怎么能清楚地知道那些人的名字呢? 还有,她在邮件中提到的几件事情,算是高级别的机密内容了,她怎么会知道得这么清楚? 说得鼻子是鼻子嘴是嘴的,我总觉得这是一个总监级别的人才能清楚掌握的信息;此外,她找来的都是些最重要的媒体的名记,以岱西的思想水平,我认为她就算有这个见识,也未必有如此全面的信息。"

李斯特听了拉拉的分析大吃了一惊,他暗自思忖,拉拉说得对呀! 就问:"依你之见,是谁在给岱西当高参呢?"

243

拉拉冷静地说:"我觉得这个高参是约翰常。其实还有一个疑点,论说,市场部手上掌握的费用可比销售部多多了,可这次岱西写给亚太的邮件中,只字不提市场部的费用疑点,她连和她毫无厉害关系的 Tony 林都扯进来了,为什么单单不点市场部总监约翰常的名? 这不是一条更大的鱼吗?"

李斯特非常清楚王伟和约翰常的对头关系,他沉吟道:"拉拉,没有证据这不好乱说。你先不要和其他人再提这件事情了。"

拉拉说:"知道。"

她想了想,又说:"IT 那边应该可以查出点东西的,当时岱西发的东西可不少,约翰常再小心,保不住他们使用公司邮箱交流过,只要在公司的服务器上查查最近一两个月的 mail 备份就行了,并不费多大的力气——我在公司的电话计费系统软件中,偶然查看了约翰常的直线和分机的费用清单,意外发现这一个多月他和岱西有一些长时间的通话记录,通话频率也不低,其中绝大部分,是发生在公司让岱西停职后。"

拉拉说罢,和李斯特打声招呼,出去取来那张做了标记的通话清单给他看。

李斯特足足看了三遍,又愣了一会儿,才问道:"你和王伟说过这些怀疑吗?"

拉拉说："没有。我只对您一个人说了这些。我认为,要是只是和王伟之间有私人恩怨还好说,可这次把媒体都扯进来,这对公司是很危险的,这样做,是在破坏公司的利益。"

李斯特想了想,没有正面表态,只又叮嘱一遍道:"你千万不要和别人提这件事情。"

拉拉保证道:"当然。"

李斯特解释道:"根据王伟和约翰常向来的关系,不排除约翰常有做高参的动机,但是单从通话清单上看,只能表明他有嫌疑,仍不足以证明他和岱西到底谈过些什么。如果 mail 上能证实,才好作为证据,而通常用 mail,大家都知道要很小心的,就怕公司的服务器里里未必有证据。"

拉拉点点头,很有信心地说:"我感觉这次他多少会使用过公司的邮箱。"

她从李斯特的房间告退出来,沿着走道慢慢走过约翰常的办公室,他正皱着眉头盯着电脑屏幕思索着什么。这约翰常和岱西一样,头发也是自然卷,身形高大且骨节突出,五官漂亮而隐含凶气,相书上说与这种人相处需谨慎。近年来的得志与嚣张,越发成就了他不容侵犯的霸者风范,然而,此刻他虽然西装革履,却遮不住印堂发暗、脸色灰黄。

拉拉走过约翰常的办公室,不动声色地扫他一眼,心中轻蔑地笑道:我肯定你会在 mail 上犯错误的,你太活跃了! 久做必犯!

李斯特找齐浩天婉转地说了对岱西背后有高参的怀疑,齐浩天也是绝顶聪明的人,一听就明白了李斯特的言下之意,他当即让吕贝卡找来 IT 总监,交待了几句。

IT 很快查来结果,证实拉拉的分析是正确的。约翰常聪明一世,一时不慎用了公司的邮箱做此等事情,也是该他有事。

不久,约翰常黯然离开了 DB,DB 对此没有任何解释,甚至没有发一个通常都会有的官样文件来宣布他的离开。

52 . 如何处置这样的"三期"员工

童家明这边却还没有搞定伊萨贝拉。

当初事情一发,岱西就请伊萨贝拉在梅龙镇一家有名的馆子吃饭,席间岱西点了"佛跳墙"给伊萨补补身子兼鼓舞士气,又订立攻守同盟道:她自己反正是赖不过去的,不如一并应承了下来,绝对不会供出伊萨来的,他们没有证据,总之奈何不了伊萨。

岱西是这么说的,也是这么做的。岱西或者缺乏很多东西,但向来不缺乏凶悍和斗志,基于岱西的执著,伊萨对自己的安全还是有信心的。

伊萨对岱西的义气投桃报李,低声告诉岱西说,自己怀孕了。

岱西不关心这个,只敷衍战友道:"侬啥辰光有小宁啦?(你啥时候怀孕的呀?)"

伊莎说:"计划外的。还没想好要不要。你不要和任何人提起,我要在最需要的时候拿出来做武器。"

岱西恍然大悟道:"这办法好。小孩来的正是时候!"

那场谈话中,伊萨一直很低调,细声细气地说话,斯文地消化"佛跳墙",这物件对她单薄的肠胃来说,太肥腻了些。

岱西则不时牛 B 哄哄道:"DB 这帮人不要惹我不高兴了,我手中可是保管着不少'好东西'的。我跟李斯特就讲,要是我哪天心情不好,不小心从口袋里把'好东西'掉到地上给工商局捡走,我就对 DB 不好意思了哦。"

伊莎斯文地问了一句:"你的'好东西'是哪里来的?"

岱西察觉自己说多了,胡乱应一声道:"我在 DB 这么久了,哪个部门没有和我要好的?"

和岱西确立统一战线后,伊萨对付童家明的策略很明确,不管童家明说什么,她软硬不吃,一口咬死自己在保管报销凭证上确有失职,但其他一概不知,大有练就刀枪不入的金刚不坏之身的意思。面对她柔中带刚的临危不惧,童家明很是挠头,只怕这样下去最后反要拿钱打发伊萨了。

245

及至岱西到处发 MAIL，她那边成了风暴中心，伊萨索性托病不出，以便从容观望局势，她打定主意，假若岱西能拿到八十万，她伊莎也要趁势拿到二十万。

不料王伟和邱杰克很快离开公司，情势急转直下，岱西的事情有了定论，眼看着公司不再追讨 20 万，岱西也没有捞到一个子儿，伊萨感到要靠自己了。

她病歪歪地坐在童家明对面，细声细气地提出：发生了这么多事情，她无法继续在 DB 工作下去了；她的名誉受损，公司应该要给她赔礼道歉；这段时间公司给她的精神压力太大，导致胎儿流产了，公司应该给予赔偿，她要求的金额是税后二十万，一口价，不讲价。

童家明向来不知道她有孕在身，当下吃了一惊，看着伊萨给他的医院开具的流产证明，知道这下棘手了。

童家明和蔼道："不知道你这二十万的根据是什么？"

伊莎说："劳动法对'三期'（指孕期，产期，哺乳期）内的女员工是绝对保护的！假若孩子还在，DB 要终止合同，总归要我本人同意才行，不然公司就得养着我到哺乳期结束，也就是说，得等到孩子满一周岁。我在 DB 的前十二个月的平均月现金收入是八千多元，你们 HR 自己算一算，加上我的各项福利费用，是不是要二十万才够养我到那时候？"

童家明抖着手中医院的证明，说了句蠢话道："现在孩子没有了呀。"

伊萨满面怒容质问道："孩子是怎么没有的？我快三十岁了，老公都三十五了，两边老人天天盼着有孩子，好不容易怀上了，就是你童家明！三番五次找我谈话，逼我承认我没有干过的事情，我压力太大，才导致孩子流产的。那名目要是承认了，我不是就要进局子里去了？你还有脸说'现在孩子没有了'！"

童家明一听这帽子大，赶紧往外摘自己道："我从来没有逼你承认什么呀，我只是根据我的职责和你的职责，循例向你了解情况。伊萨贝拉，你要理解一下，任何人处在我的位置，都需要做这些事情的。"

伊萨冷笑一声道："童家明，你这么说就没有意思了，你的那些话是循例了解情况吗？你还当我是员工吗？你根本就是拿我当疑犯！你又不是公安局的，你有什么权力对我这么说话？我告诉你，你和我的谈话我都做了录音的。"

她说着说着就娇喘吁吁起来，跺着脚，像《白毛女》里的喜儿控诉黄世仁那样，食指中指并拢指着对方，怒目道："你和DB，都跑不了！二十万，我还不愿意要了呢，你们赔我孩子！杀人凶手！"

她一面控诉，一面涕泪滂沱，直哭得披头散发，上气不接下气，扶着桌子，呈几欲昏厥状。

"黄世仁"虽然不信她危言耸听，但是知道老外都害怕这样的事情。他自己不便上前扶她，又怕影响不好，也不敢叫别的女员工进来圆场，只得又端水又递纸巾，口中连连好言相劝道："你不要着急呀，你有什么要求先提出来，我们可以慢慢商量嘛。"

"喜儿"用去半盒纸巾，觉得脸蛋儿给擦拭得生疼了，就停下说："我头疼得厉害，先回家休息，你和你们李斯特商量商量，尽快给我个回音。"

临走又和"黄世仁"说，家属对DB的HR不断给她施加压力，导致孩子流产非常愤怒，准备上告。她好歹在公司服务三年了，不希望最后以这种方式收场。

童家明郁闷得把脸拉得有驴脸那么长，左思右想，不敢隐瞒，带着医院的流产证明去找李斯特报告。

老李闻听，哭笑不得道："岂有此理！"

他来回踱了一会，交待童家明道："这种事情要小心处理，不然会有麻烦。要不，让拉拉协助你一起和伊萨贝拉谈，怎么样？女经理总归方便点。"

童家明正巴不得。

拉拉站在走道上朝王伟曾经的办公室这面望过去，他的门口是伊萨贝拉的座位，一支摄像枪的镜头从走道的中间扫过来，如果有熟悉的人出入伊萨贝拉的座位，能在录像上大致上辨认出其身形。

拉拉站了好一会儿，转身要找麦琪，想了想没有叫，自己走去机房，登入门禁管理系统，先查出岱西和伊萨贝拉的门卡号码，调出两人半年内在非正常工作时间同时出入办公室的记录。她把明细打印出来看过后，仔细标注出其中发生在月中、月末各部门将报销凭证送交财务期间的出入记录。

第二天，门禁系统的维护商如约派了工程师登门，和拉拉一起看了前几个月指定时间段的监控录像，拉拉果然看到录像里岱西和伊萨贝拉一起在电脑前晃动的身形,心都要从喉咙口跳出来了。她让工程师把这几段录像复制了一份,自己收好。

拉拉把录像给李斯特和童家明看过,童家明说:"录像上看不清楚她们具体在哪张单据上做什么动作,还是不能做为证据呀。"

拉拉说:"确实。但是毕竟做贼心虚。她们俩每次总是在王伟签过名后、凭证送财务部之前这段时间里,选择下班后碰在一起,在一堆报销凭证上动作,她就算能解释过去,应该也吓得够呛了。"

李斯特想,HR这样代表公司去问员工是有风险的;若不用这个办法呢,则只有报案了;那就势必要扯出岱西,而公司是和她有协议的,不好再去找岱西的麻烦;给伊萨二十万,当然就没有这些问题了,但那太荒谬,问都不用去找齐浩天问,无谓给曲络绎笑他李斯特老糊涂。

李斯特最终让两个经理小心些,客客气气地和伊莎贝拉谈录像的事情。

没等拉拉童家明们把伊萨贝拉请回来,保险公司的业务员打电话给拉拉,提供了一个新情况,经核查,原来伊莎流产不全行流产术是真,然而,流产不全乃是流产药物所致,也就是说,是她自己先服药流产,流产不全后,再上医院行人工流产术的。

拉拉马上告诉李斯特和童家明这个信息,大家都觉得是个利好,尤其是童家明,放心不少。

伊萨贝拉毕竟反侦探技巧不够专业,看了录像上标着的日期和小时,她和岱西在一起忙活的镜头,就冒冷汗了。

等放了一半,拉拉停下录像,说暂时看到这里,问她有什么解释。

伊萨贝拉虚弱无力地解释了几句,拉拉打断她说:"伊萨,这件事情你至少屡次有严重失职。孩子的事情,公司也很难过,毕竟之前公司对此毫不知情,公司对你绝无恶意,否则,公司报案的权力还是有的吧?我们不是一直在内部处理吗,童经理已经耐心地和你谈了两个月了吧?"

伊萨失神地点点头。

248

拉拉和童家明交换了一下眼神又说:"你上次和童经理提出,你不愿意在DB继续工作了,我觉得你现在刚流产,养养身体也好——考虑到你在DB服务了三年多,现公司根据劳动法,同意一次性给予你一笔补偿金,相当于你过

去十二个月的平均月收入的四倍,外加相当于你目前一个月基本月薪的通知金,DB和你马上签署终止劳动合同协议书,协议书并规定,你和公司之间,在签署该协议书后,互相永不诉讼——你看是否接受?"

伊萨动了动身子,嘴里喃喃地发出几个没有实质内容的音符。

拉拉和蔼道:"要不这样,协议书的草稿我先打印一份给你,你带回家和家里人商量商量,请在三天内给公司一个答复。"

她又和颜悦色却立场强硬地补充道:"如果三天内没有收到你的答复,这份协议就作废。你再仔细想想,公司是希望善意的解决问题,但这只是公司的一厢情愿,你要是不愿意,那公司的美意就只能落空了。"

伊萨试图就补偿金额做出最后抵抗,重提起传宗接代的千秋大计。

拉拉见童家明不发言,就一副认真负责的态度说:"关于流产的事情,公司给全体员工买有补充商业医疗保险,如果你坚持的话,我们可以请承保的保险公司去核实医院的证明,向医院了解详情。"

拉拉说到这里,有意停顿了一下,才接着说:"流产的原因也有多种多样,有时候如果孕妇怀孕过程中吃了不该吃的药,或者孕妇自身条件问题比如习惯性流产,都可能是流产的原因。假如保险公司和医院核实后证明,你的情况确属精神压力导致的流产的话,你可以申请从公司的集体紧急救助金中获得适当补偿——要不你回去和家里人商量商量,需要的话,就提交一份书面申请给HR吧。"

拉拉的一番话说得伊萨心乱如麻,不敢正面作答。

童家明接受教训,在一旁基本没有发言,乐得让拉拉说话。

过了两天,伊萨贝拉回公司签了劳动合同终止协议书,没有再提流产补偿的事情。

事后李斯特和曲络绎都表扬拉拉处置得体,和平解决了伊萨事件。童家明虽然妒忌,终究觉得拉拉至少是帮他解决了一个棘手的麻烦事,就在会上也跟着客气了两句。

拉拉完成任务,准备离开上海回广州。在走的前一天,李斯特请她吃晚饭。饭后,李斯特邀请拉拉一起散散步,他告诉拉拉,他正式退休了,下个月就要离开上海回美国。

拉拉感到很突然，愣在那里。

李斯特接着说："我告诉曲络绎，虽然你做 HR 时间不太长，但在专业上进步很快，同时，你是个很有潜力的经理，尤其你有优秀的品格，是个值得信赖的人——曲络绎告诉我，通过过去大半年对你的观察，他完全认同我对你的评价。"

李斯特说罢，张开双手，拉拉踮起脚尖，和李斯特深深地拥抱，李斯特拍着拉拉的背慈祥地说："拉拉，我希望你和王伟幸福。工作毕竟只是工作。"

王伟离开 DB 后，他的手机一直是关机状态。开始，拉拉猜想，也许他心情不好希望清静一段时间，便不去打搅他。过了两周，还是关机，拉拉觉得不对劲了，赶紧去了一趟王伟的住处，结果发现他已经把房子给卖了。

王伟从此在拉拉的生活里像水蒸气一样挥发消失。拉拉时常想起来都不敢相信，再听不到王伟和她说："我错了。"也听不到他说"我们去世纪公园看房子"了。

拉拉出差的时候好几次出现幻觉，王伟突然打电话给她说："我就在楼下大堂，我喝多了，让我上来吧。"她当时正在沐浴，恍惚间听到电话铃响，慌忙湿漉漉地就一脚踏出浴缸，却发现房间里什么动静都没有，原来只是自己的幻觉。

拉拉终于恐惧地想到，王伟是觉得没有意思了，是自己的矫情让他觉得没有意思了。

头几个月，不肯死心的拉拉经常会尝试拨打王伟的手机，号码一直是有效的，但是永远在冰冷的关机状态中。渐渐的，拉拉就尽量不打他手机了，实在不能自我解脱的时候，她才偶而发条短信给他，却一直没有任何回音。

世事如此，当人在你眼前的时候，你和他亲昵，你责怪他，甚至有意冷落他、折磨他，他总跟你应和，或快乐或痛苦，哪怕他不理睬你了，也是一种与你有关的他的态度；当他消失了，你所有的亲昵和冷落，忽然就都失去了着落，从此你的思念或者后悔，他都无从知道了。

53. 自由自在地活

李都在浦东机场的候机大厅等着登机,手机在西装口袋里振动起来,他懒洋洋地把手机掏出来看了看来电显示,是个不认识的号码。

他随手摁下接听键,说了句"哈罗"。

对方说:"请问是李都吗?"

李都简单地说:"是,哪位?"

对方说:"李先生,您好,我是 BL 的崔纽约。我们以前讲过电话,您记得我吗?"

李都想起来了,这崔纽约是著名的猎头公司 BL 的一个顾问,三年前自己在 MF 的时候对方曾经想把他卖给 BS,不过没卖成。

李都笑了:"哦,记得。"

崔纽约说:"您方便吗? 可否占用您 15 分钟?"

李都说:"行,不过我在候机大厅,有点吵。"

崔纽约说这次的委托方是欧洲某著名 500 强公司,他简单地介绍了一下职位情况,然后煽动说:"李先生,我觉得这个职位和您的匹配性特别好。您瞧,到了那里,技术的头就是您了,再也不用为您的上司是'克莱顿大学的博士'而郁闷了!"

李都不由佩服这崔纽约的记忆力,"克莱顿大学的博士"是他三年前对香港上司的调侃之言,对方居然这么久还记得他李都放的厥词。

猎头的嘴就是媒婆的嘴,李都向来这么认为,不管对方说得如何天花乱坠,都只能是先听听再说。

他看看手表说:"知道了,我考虑考虑。我现在要准备登机了,等我回北京再联系吧。"

崔纽约说:"行! 那等您回北京我再联系您。"

李都的座位在飞机后舱,他坐定后看看四周,看来这趟航班很满,大部分位置都坐上了乘客,倒是他自己身边的座位还空着。

最后一批的几个乘客上来了，李都一眼注意到其中一个女子，因为她不但身段好，尤其动态非常不错。她的年龄估计在三十出头，看着像个级别较高的白领。

她上着一件 NIKE 浅蓝色紧身套头运动衫，领口挂着一付大墨镜，下着一条 NIKE 的深蓝色休闲长裤，下垂感很强的布料质地和修身的剪裁恰当地表现了她匀称修长的美腿，李都立马暗中给人起了个绰号叫"蓝裤子"。

"蓝裤子"匆匆地拖着行李箱一直朝后舱走来，李都不由得希望她的座位就是自己身旁的空位，他觉得满飞机就自己这样又帅又聪明的人物最适合坐在此等佳人身边，要不简直就是浪费资源。

"蓝裤子"一边走一边往两边的行李舱上张望着，她走过李都身边一点，随即发现了一个位置可以用来放箱子，就停了下来。

李都估计像她这号的多半有个手提电脑放在行李箱里，那箱子对她来说应该重了一点。他想最好"蓝裤子"主动请他 do her a favor（帮她一个忙）把行李箱托上去，结果人家没请他帮忙，李都脸皮又不够厚，屁股犹犹豫豫的就没有动。倒是一个体面的中年男人主动站起来帮"蓝裤子"把箱子托了上去。李都听到"蓝裤子"向人家道谢，简单的几句话，他就从用词听出人家是个专业的白领来了，声音还特性感，李都心里直埋怨自己屁股太沉，愣是没有离开座位去帮人家托那个箱子。

"蓝裤子"跟人道了谢，就走到李都身边，请李都让她进去，原来人家的座位还真在李都的座位旁边。

"蓝裤子"坐下后，把随身背着的 LV 手袋放到挨着窗的一边，系好安全带便熟练地开始睡觉，她好像很累，睡得东倒西歪，可就是不往李都身上倒。李都想，看来飞得不少，机上睡觉技术很纯熟。

飞机一飞平，开始送餐饮的时候，"蓝裤子"就醒了。刚睡了二十分钟，她的气色显得好了很多。她安静地看看餐车，没有吱声。

等空姐问她要什么，她用刚睡醒还有点松弛的嗓音说："麻烦给我桑果汁，加冰块好吗？"

空姐说"好的"，倒了递给她，她自己小心地接了，李都还是没有找到机会 do 她一个 favor（帮一把手）。

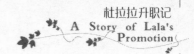

"蓝裤子"喝了加冰块的桑果汁，又不说话了，她不要餐食，只安静地翻看座椅口袋里的杂志。

李都也不吃，他飞得太多了，闻到机上餐食的味道胃就不太舒服，尤其是胡萝卜的味道，他猜测着"蓝裤子"是不是同样的原因不肯吃。

等乘客们都用了餐，空姐也把餐盒收得差不多了，李都瞥到"蓝裤子"手里的杂志正翻到一篇西部游记，就搭讪说："您也喜欢西部？"

话一出口，他就觉得自己的开场白一点也没有绅士风度，又不生动有趣，总之毫无亮点。

"蓝裤子"听了，恬静地点点头说："还行。"

李都活泼起来，自我介绍说："我叫李都。"

"蓝裤子"只简单地说了声"嗨"。

李都等了一下，看她"嗨"过并不打算交换姓名，就又进一步介绍说："我是搞技术的。"

"蓝裤子"点点头说："是，我看出来了。"

李都听了有点好奇："这还能看出来？"

"蓝裤子"说："你们分售前售后吗？"

李都说："分。"

"蓝裤子"说："那你是做售前支持的吧？"

李都惊讶了，说："根据呢？"

"蓝裤子"说："感觉。"

李都说："你会看相？"

"蓝裤子"笑道："会一点儿。"

李都想了想说："那你觉得刚才帮你托箱子的那个男人是干哪行的？"

"蓝裤子"回身看了看人家，牛哄哄地说："国营单位的处长，移动或者电信的，但不是电力的。"

李都觉得她这说得有点太悬了，不由得回身看看那个中年男人，却又觉得还真像是她说的那么回事儿，他好奇地问："介意我问您是干哪行的吗？"

"蓝裤子"说："那你也猜猜。"

李都说："销售？"

"蓝裤子"笑笑。

李都看她不像肯定的样子,又猜道:"市场部的?"

"蓝裤子"还是笑笑,李都没有信心了,说:"你在一家欧洲公司工作。"

"蓝裤子"纠正他道:"美国公司。"

李都不服地说:"欧美企业都差不多。"

"蓝裤子"神气地说:"不,有区别。比如你就在欧洲公司工作,对吧?"

李都老实承认说:"对。区别在哪里?"

"蓝裤子"还是笑笑,没有回答。

李都来劲了,追问道:"那您到底是干哪行的?"

"蓝裤子"说:"你不喜欢我干的这行。"

李都说:"难讲。"

"蓝裤子"说:"HR。"

李都听了心里就皱眉头,挺好一个"蓝裤子",怎么干 HR? 整人的行当。

"蓝裤子"得意地笑了:"我没说错吧?"

李都哄她道:"怎么会,女孩子干 HR 挺好的。你是个 HR 经理?"

"蓝裤子""嗯"了一声,李都就说:"难怪呢,看人样子就能猜出人家是干哪行的。"

"蓝裤子"笑道:"我们是俗称'面霸'的,老做招聘,阅人无数嘛。"

李都马上想起登机前崔纽约的那个电话,就说:"我有个事儿拿不准,想请教一下。"

"蓝裤子"说:"干吗,想跳槽?"

李都说:"嘿,你真神了!"

他把事情大致一说,临了,又臭显性质地补充道:"我其实也不是特别上进的主,只想有一个恰当的活法,越早退休越好,就喜欢个自在——本来现在的位置上待得好好的,猎头却总在耳边煽动,这不,搞得有点拿不准主意了,到底怎么样的职位才算好职位,才能有利于我早日实现恰当的活法。"

254

"蓝裤子"澄清道:"你觉得怎么样才算'恰当的活法'? 早点赚够保障退休生活的本钱,保持良好的生活质量?"

李都说:"是这个意思。早点退休,爱干嘛干嘛,自由自在地活——这是

眼下最时兴的一种'中产阶级'的活法。"

"蓝裤子"抱着杂志笑了起来:"原来是中产阶级最时兴的活法!从今往后,我也要奔着您说的'恰当的活法'去努力,要不,人活一世,到头来也没搞明白怎么算活得恰当,回首往事,只好悔恨虚度年华了。"

李都看她笑得活色生香,不由得对自己的人生标榜也很满意,他得意道:"明智的人就应该自由自在地活。"

蓝裤子笑着回他道:"从中产阶级的阶级特征看,这是活得最累的一个阶级,你看——没有特殊背景,靠个人奋斗获得成功,奉公守法,过体面的日子——凡此种种,哪里和'自由自在的活'挨得上?"

李都认真地说:"就是因为中产阶级太累了,所以才向往自由自在地活,也正因为中产阶级的勤奋和成功,他们才可能比别人早日获得财务自由,从而真正实现'自由自在'的梦想。"

255

"蓝裤子"收住笑,正色道:"关于'恰当的活法',i totally agree with you(我完全同意你的观点),只是你的行业我不了解,跳不跳还得你自己拿主意。至于什么样的职位算好职位,倒是有些通用的原则。"

李都一听正中下怀,就递名片给"蓝裤子",指点着上面的 mail 地址说:这是我的邮箱地址,可否日后方便的时候发邮件给我指点一二?

"蓝裤子"接过名片看罢,一面收到 LV 手袋里,一面说道:"不好意思,我身上没有带着名片。"

李都瞧出她胡诌,怕不讨人喜欢没敢揭发,只得装傻说:"怎么称呼您好?"

"蓝裤子"说:"拉拉。"

李都追问道:"什么(姓)拉拉?"

"蓝裤子"笑道:"什么'拉拉'都可以,反正难得再碰上。"

下了飞机,"蓝裤子"说有人接她,冲李都点点头,一溜烟先跑了。

李都戴上墨镜一个人朝出口走去,忽然瞧见起飞前帮"蓝裤子"托行李箱的中年男人正和接他的几个人热烈握手呢,李都发现这伙人中有一个小伙子手里抓着个接人用的大牌子,赫然上书:XX 电信 XX 处长。

李都摘下墨镜惊讶地对自个儿说:嘿,神了!还真是个电信的处长!

李都回到北京不过两天，还真收到"蓝裤子"的邮件，里面有个 WORD 附件。

李都打开一看，题目是：**早日实现退休理想——你需要眼光和资格**

正文如下：

机上遇一男人，操北京口音，三十二三，婚否不详，容貌体面。

优势：技术好，聪明，没坏心，乐观。

劣势：有点懒，自傲，责任心与意志力指数一般。

其所谓"恰当的活法"，即早日退休。自称懒得跳槽，却每遇猎头怂恿，对好职位的标准心生疑惑。

要早点退休，没有办法，除非早日获得财务自由。说来说去，还是个钱字。获得钱的路子很多，要合法的多赚点钱，谋个好职位、打份好工是条路子。

怎么才能谋个好职位呢？首先，得搞明白什么样的职位算是个好职位；然后，你得让自己有足够的资格去谋取那个职位。

一、关于什么样的职位算好职位。

1. 你得找一家好公司。

什么是好公司？

1) 产品附加值高，生意好，并且从其业务线看，具备持续发展的能力和前景；

2) 有专业的/聪明能干的/经验丰富的/并且为人现实的管理层，在把控着公司，并且有保证一贯这样用人的制度的公司；

3) 有严格的财务制度，对预算、费用和利润等与投入产出有关的内容，敏感并且具有强控制力的公司；

4) 崇尚客户导向/市场导向/结果导向/执行力的公司；

5) 有专业严谨全面的流程和制度，并且其执行有利于推动业务的良性发展，具有控制性和实操性兼备的特点；

——总结起来，就是一家具备持续赢利能力的牛 B 的公司

2. 你得找一个好的方向。

256

什么是好的方向？永远不要远离核心业务线。你得看明白，在企业中，哪个环节是实现利润最大化的关键环节。有时候是销售环节，有时候是市场策划环节，有时候是研发环节，有时候是生产环节，视乎你所在的行业而不同。

最重要的环节，总是最贵的，最牛的，最得到重视的，也是最有发展前途的部门。它拥有最多的资源和最大的权威——你应该依附在这样的核心业务线上发展，至少能避免被边缘化，而成为关键人才的可能性则更大了。

3.你得跟一个好老板。

好老板的标准很多，比如他愿意教你，对你很和蔼，不限制你，给你加工资大方等等。

但是，要想有个好前程，关键的是，你要设法跟上一个在公司处于强势地位的老板。他强，你才能跟着上。跟了一个弱势的老板，你的前程就很容易被跟着给耽搁了。

二、关于具备谋取好职位的资格

要具备怎么样的资格呢？一般情况下，你得是用人部门眼里的优秀者。

怎么样才算优秀呢？

1.对上级

1）你要知道与他建立一致性，他觉得重要的事情，你就觉得重要，他认为紧急的事情你也认为紧急，你得和他劲往一处使——通常情况下，你的表现和能力好还是不好，主要是你的直接主管说了算的；

2）你得具备从上级那里获得支持和资源的能力——别你干得半死，你的老板还对你爱搭不理的，那你就不具备本条的能力。

2.对下级

1）要能明确有效的设置正确的工作目标，使其符合 SMART 原则；

2）要能有效地管理团队内部冲突；

3）要能公平合理地控制分配团队资源；

4）要有愿望和能力发展指导下属，并恰当授权；

5）恰当的赞扬鼓励认可团队成员；

6）尊重不同想法，分享知识经验和信息，建立信任的氛围。

3.对内、外部客户

1)愿意提供协助和增值服务(不然要你干嘛);

2)善意聆听并了解需求(搞明白人家需要的到底是啥);

3)可靠的提供产品和服务,及时跟进(千万注意及时);

4)了解组织架构并具影响力。及早地建立并维护关键的关系,使这样的关系有利于你达成业绩(专业而明智的选择)。

比如你想取得一个内部职位,你得搞明白了,谁是关键的做决定的人物,别傻乎乎不小心给这个人留下坏印象。

比如你要去客人那里拿订单,你找了一个关键的人物A,可是你也别忽略做购买决定环节上的另一个人物B,没准B和A是死敌,本来B会同意给你下订单的,就因为A同意给你单子,B就是不同意给你单子。

4.对本岗任务

1)清楚自己的定位和职责——别搞不清楚自己是谁,什么是自己的活,知道什么该报告,什么要自己独立做决定;

2)结果导向——设立高目标,信守承诺,承担责任,注重质量、速度和期限,争取主动,无需督促;

3)清晰的制定业务计划并有效实施;

4)学习能力——愿意学,坚持学,及时了解行业趋势/竞争状况和技术更新,并学以致用。

5)承受压力的能力——严峻的工作条件下,能坚忍不拔,想办法获取资源、支持和信息,努力以实现甚至超越目标;

6)适应的能力——如适应多项要求并存,优先级变换以及情况不明等工作条件,及时调整自己的行为和风格来适应不同个人及团队的需要(工作重心会变化,老板会换人,客人也会变,别和他们说"我过去如何如何",多去了解对方的风格)

早日实现退休理想——你需要眼光和资格。共勉2007。

李都看罢全文,叹道:"我若早些看到此文,也早数年做老大了。难怪俗话说,找个好老婆,少奋斗十年! 果不吾欺!"

54. 执子之手，与子成说

这一年来，拉拉经常梦到王伟，每次都是把人给搞丢了，急得满头大汗慌慌张张地在茫茫人海中四处找人。

那些梦，都是漫长而细致的，让她充分体会大海捞针的绝望与茫然，拉拉每次醒来心里一片空落。

有那么一两次她觉得在机场碰到王伟了，他站在某个角落看着她，但是她回转身去却没有找到人。

一晃一年过去了，拉拉一直没有王伟的音讯。前两天她在从上海飞北京的航班上碰到一个男人，乍一看吓了一跳：这人和王伟真有几分神似，又聪明又骄傲的德性，一开口，同样的男中音，就连一口标准的普通话都像是出自同一个人，只是比王伟要年轻那么两三岁。

结果人家还主动和拉拉搭话，拉拉不由得在心里笑了：看来有类似长像的男人对女人的喜好也会类似。男人自我介绍说叫李都。

拉拉这次到北京出差，按计划是三天，明天就要回广州了。傍晚，拉拉走出建国门地铁站，这儿离她住的国际饭店，只不过隔了个"光华长安大戏院"，她在地铁口的小广场上找了一张椅子坐下，看着不远处几个孩子嬉闹，旁边几个老人正在闲聊。夕阳给拉拉全身镀上了一层金黄，她撸了撸被风吹散的栗色长发，忽然意识到就是这张长椅，两年前自己和王伟曾经一起在这上面坐过，只是那时候是冬天。那也是一个黄昏，他们逛街逛累了，就坐在这张椅子上休息，看到一对青年男女走过来，两人每走几步，就划一下拳，谁输了就背另外一个，显然是热恋中的幸福人儿。当时拉拉和王伟不敢效仿，怕给熟人碰上影响不好，十分的艳羡。

往事如烟，但愿不要散在风里，拉拉惆怅地掏出手机，发了一条也许永远收不到回复的短信给王伟："不管你在哪里，在做什么，希望有一天我们能在一起。"她把身子挨得离椅子更紧了些，仿佛椅子上还保留着王伟的体温，又仿佛这样就可以感觉到他的存在。

李都读了拉拉发给他的邮件，大为赞赏，正把玩呢，他刚从英国回来的表哥走进书房，一面在书架上找书，一面问他："琢磨什么呢？"

李都正特别想找个人说说飞行奇遇，就转身用诱惑的语气说："我前天回来在飞机上认识一美女。"

表哥看看他，笑笑不说话。李都说："哎，说句良心话，姿色吧，只能算中上，不过身材和动态真的不错，不但气质好，声音也性感，人又聪明，还特自然。"

表哥微笑道："有这么多优点？你就没和人家套套近乎？"

李都说："哪能呢！我再懒，有你这么个做销售的表哥，多少培养了点致胜心——这不，人家还发了 email 给我呢。写得真不错，你来看一眼。"

表哥瞄了一眼屏幕说："都写了些啥？这么长。"

李都热心地说："她是个 HR 经理——你来看一眼吧，内容真挺好的。"

表哥大致看了一下说："这个内容确实挺适合你，对你应该有帮助。"

李都抗议说："哎，你这话里有话呀，什么叫适合我，你的意思你水平比我高，这东西对你太简单，对我正合适？"

做哥的笑了说："我真觉得挺好的，内容实用，而且逻辑很好，一看就是大公司 HR 的出品——你没问问是哪家公司的 HR？"

李都说："婉转地问了，人家不肯告诉我，就说叫什么拉拉——我给她起了个绰号叫'蓝裤子'，因为她穿了一条 NIKE 的休闲裤，是深蓝色的，她穿那条裤子，挺酷的！"

王伟愣了一下，马上把 email 拉到下端，果然落款是"拉拉"，再看看发送人的邮箱地址，心里就明白表弟李都这是碰上谁了。

李都见状，惊讶地问："你认识她？"

王伟没回答他的问题，他压抑着怦怦的心跳问李都说："她看上去怎么样？"

李都说："刚上飞机的时候好像比较累，坐下就睡觉，醒来后精神还不错。"

王伟站起身，来回踱着步不说话，李都试探道："王伟，她是你以前在 DB

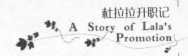

的同事吧?"

王伟没回答,反问道:"是前天回北京的航班上碰到的吗?"

李都说:"是呀,她看着像来北京出差,一个人。"

王伟点点头,撇下李都,走出书房。

李都站在那里,摸摸后脑勺,惊喜掺半地自言自语道:"我说呢,有钱有貌的一主,怎么老打光棍? 这就对了! 我做好事儿了!"

王伟回到自己的房间,从抽屉里取出一个仔细收藏的旧手机。他打开手机,进来一条短信:"不管你在哪里,在做什么,希望有一天我们能在一起。"王伟觉得喉咙口一阵哽咽。

王伟知道,拉拉每次来北京都喜欢住国际饭店,他马上打电话到"国际"的前台查询,对方帮他在电脑里搜索的短短的十几秒里,王伟的心七上八下,生怕查不到这个名字,或者是人已经离开了,等得知人还没走,他才稍稍放下心来,马上出门。

夜色不知不觉中一点一点笼罩了拉拉,她感到凉意的侵浸,终于慢慢站起身走向"国际"。

拉拉走进大堂,直走到底右转走向电梯口,忽然迎面不敢相信的看见,王伟正站在那里等着她。"拉拉!"他叫她,还是原来那个熟悉动听的男中音,并过来抱住她。

拉拉马上哭了,不说话。

王伟十分心疼:"都怪我,我以后再不丢下你跑了!"

不时有客人往来,微笑着看看他们便马上走开,拉拉很不好意思,又控制不住自己,就哭着走进电梯,按了楼层,一边还是哭个不停,王伟拥着她,半天想不到别的,只得说:"要不,以后你老关机,我跑全世界找你,行吗?"

秋天来了,金黄的落叶三三两两的飘落到长安大街上,这正是北京最美的季节。

读者评论

别说拉拉只是好运
安安的夏天 ★★★★★

关于这本书，在百度见了个帖子，LZ（楼主）无限羡慕拉拉的好运，我很想反驳，于是想到了那句挺老套的话：一千个人眼中有一千个哈姆雷特。

我从来不认为拉拉好运。从我第一次在新浪看这本书的节选到我自己买了书慢慢品味，我从来不认为拉拉好运。

我只看到了拉拉的勤奋、努力、好学以及对事对人的解决问题的方法运用的巧妙之处。我认为是这些细节决定了拉拉一步步的成功升职加薪（套用拉拉的话，就是升官发财，呵呵）。

王蔷会被公司 fire，后来之人拉拉却能坐稳广州办的主管之职，为什么？玫瑰装怀孕请假的时候，行政那么多人，李斯特为什么会说唯一有可能顶上来的只有拉拉？每天有那么多人和大老板见面，常驻地在广州且当时仅仅是广州办行政主管的拉拉却能得到何好德的待见，凭的是什么？一朝天子一朝臣，李斯特和何好德都离开DB后，拉拉凭什么又能在曲络绎那边继续受宠？

拉拉的好运，在于她有头脑，知道在什么时候什么情况下该做什么样的决定对自己最有利。

所以别老说别人好运或者好命，没有谁生下来就有幸运之神眷顾，你得看到别人为了今天的"好运"所愿意付出的、已经付出的和正在付出的。

智商与情商孰重？
芭拉(成都) ★★★★★

这本书的确是值得在外企生存的人作为借鉴，它像是开启了职场万千奥秘的大门。它不同于那些纯粹的励志书，大道理满幅却不容易消化，本书的定位就是一本小说，从故事中讲道理，让人能看得走；故事主人公的定位也不是什么财富排行榜的谁谁来讲他/她的发家史，而是一个最能代表大众的普通白领的成功故事，更有借鉴性。

智商与情商孰重？对那些在外国人手下拿钱吃饭、外表光鲜的白领们来说，做好本职工作、有出色的业绩固然是重要的，这是智商使然，但要想步步攀升，更重要的恐怕还是了解自己在职场中的定位、周边的竞争环境以及揣摩老板的想法（恐怕要适应美式思路，不过中心思想是一样的，就是要让老板也得益），练就又能 persuade 又能 confront 的本领，这就是情商使然了。

现在中国的外企白领们多是些大学毕业智商不低且自视甚高的佼佼者，书读得多了脑子也秀逗了，不是傻干的勤劳的"老黄牛"们，对办公室政治一窍不通，看不出老板与同僚的心思，比如海伦；就是自尊心颇强，不愿为"五斗米折腰"，宁愿不争什么利益以显得清高，甚至专与老板反着干的人，比如王蔷。这些都是失败的例子，都是情商不高的结果。

拉拉的成功在于，她不仅有出色的智商，更有出色的情商，这点表现在：

1. 勤奋。情商高的人在于，做事情有责任心，因为每件事情你认真做好了以后，最终的受益者将会是你自己。你的勤奋与执行力，老板（或者你都不知道以后会成为你的老板的人）一定会看在眼里，就算现在不给你任何好处，将来也保不准在你事业需要帮助的时候拉你一把；相反，如果事情做不好，现在可能省点力气，但是同时也葬送了你将来发展的可能。所以懒人的情商其实并不高。

2. 沟通力。拉拉说话的技巧算是一流，轻重缓急分明，对不同的人也采取不同的方法，能很清楚简洁地表达自己的意思。外企是个很讲求 networking 的地方，别人的时间，尤其是重要的人的时间都极其有限，有效沟通是任何成功者必须历练的地方。而如何在短短数秒时间内理清自己的思路、组织自己的语言并观察说话对象的神态意向以及层次，并用令人愉悦的语调语速语言讲出来，实在是要高的情商才能办到。

3. 正确的处事态度。该忍则忍，不能忍也要争取，争取不来也不认死理非要鱼死网破。灵活的处事态度不会成为拉拉事业上的绊脚石，也使她能有被 pay off 的一天。

有这样困惑的人，值得一看

sophie@ 回家真好(上海)★★★★☆

每本书都有它特定的读者，我就是《杜拉拉升职记》这本书面对的比较典型的其中之一人。

如果你有以下的困惑，读这本书绝对会对你有帮助：

1.书上说的：你辛辛苦苦做了很多事，老板却不待见你；

2.工作了很多年却依然在普通员工的位子上转悠；

3.不爱 or 不敢跟老板沟通，例如公司会餐或者搞活动什么的一定不会坐在老板身边；

4.不屑 or 不敢 or 不会跟老板提要求，比如不满意自己的薪水、工作内容、工作量；

5.总是没有机会升迁。

拉拉教会我：

1.首先要把自己的事情做好做出色；

2.学会沟通，不论是对同事还是对老板，非常重要；

3.适当的时候，将老板的军；

4.机会来的时候，抓住它。

千万个杜拉拉之其一

Sirenfairy 平生峥嵘意(苏州)★★★★☆

朋友打电话来，问："知道杜拉拉吗？"

我说："没听过。"正寻思这个"杜拉拉"又是什么超女快男或者其他什么娱乐新星的时候，朋友说："刚给你寄了本书，书名叫《杜拉拉升职记》。"

书收到，看了前几页就合胃口，她的职业发展经历和我比较相似，都是从秘书、助理类做起，刚毕业时也都在民企混过几个月。后来咬牙切齿一心要进500强，凭着初出校门的无厘头自信，辞了工作为自己另择高枝，从战战兢兢、踏踏实实的小黄牛开始给帝国主义资本家卖命一直到打飞的住酒店半夜三更准备会议资料一早又精神抖擞 deliver presentation。头一靠上交通工具的椅背，只要不打开电脑，不管是三小时还是三分钟都能马上睡着。

至今记忆犹新的是，朋友去西门子面试时回来的惊喜报告："西门子的写字楼就是气派啊~"我说："虚荣！"未几，自己却也难避"虚荣"地因为接待处桌上的香水百合而对自己的新东家一见钟情。经过英法联军轮番面试，过关斩将成了某公司里的 small potatoes "之一"。

马克思的否定之否定螺旋上升波浪前进式规律，在 e-mail fighting 或者 team building 中不断得到验证。和拉拉一样地努力工作、谨慎细致，在办公室微笑着和每一位同事打招呼，却没有发展任何一位做朋友的打算。时间久了，总还是会不知不觉地进入某个小集体，对组织机构变动开始有职业敏感，身边同事来来去去，有时收到 farewell 或者 say hello 的邮件都是只闻其名未识其人。为协助老板安排"接驾"而忙碌，从compliance review中看到老板对销售或市场总监的好恶……林林总总,杜拉拉仿佛就是我自己,或者是我身边一位可以说说体己话的亲密工作伙伴。不同的是,我虽仍不及拉拉的聪明,却一脚就是直接踏进了核心部门,并且至今傻到或者说幸运到还不用为了个人利益对老大叫板。

当然,500强尚有500之多(即使落户中国的还未过半),各办事处、生产厂枝枝蔓蔓地算起来就可以 K 计了。我,也只是千万个杜拉拉之其一。

以下评论摘自当当网 http://product.dangdang.com/product.aspx?product_id=20032382

喜欢拉拉

发表于 2007-10-25 23:35:29

个人评分:★★★★☆   心情指数:过瘾   阅读场所:床上 书桌旁 沙发

觉得自己就像拉拉,苦干实干的蛮牛,等着被赏识的一天,从来以为谦逊是美德,应当贯彻到底,不懂得捍卫自己的权利,读到拉拉崛起,与不理世事的上司据理力争的时候,心中不免多了几分对自己的鼓励!虽然有失败的可能,但始终就是有争取过自己的利益啊!

很及时的一本书

发表于 2007-11-10 9:41:46

个人评分:★★★★★   心情指数:受益匪浅   阅读场所:床上

最近也有很多工作中想不出头绪的地方,看了书中的某些章节有豁然开朗的感觉,也检讨出很多自己工作中犯傻犯懒的地方,还有以后除了埋头干活,也要抬头多观察和分析周围的人,用拉拉的语言说,自己目前的觉悟还不够档次,呵呵。

记住跌倒就学会成长

发表于 2007-11-20 22:36:30

个人评分:★★★★★   心情指数:开心

阅读场所:床上 公车上 咖啡馆 书桌旁 沙发 办公室

书中的内容和介绍中的一样精彩,看过一点都没让我失望。刚刚走上工作岗位的我,或多或少会有迷茫的时候,并不单纯因为技术原因,更多的是人际交往的学问,看看书中的杜拉拉也是在跌倒中成长的,推荐此书给广大的白领们,不管有没有雄心野虑升职加薪，都不妨看看。

有点意思

发表于 2007-12-30 17:01:51

个人评分：★★★★☆　心情指数：受益匪浅　阅读场所：床上 沙发

有点意思，很多经验不止适用于白领，很多单位的人际交往都会碰到很多相似的问题。

跟现实中的自己很像

发表于 2007-12-25 10:53:44

个人评分：★★★★★　心情指数：受益匪浅　阅读场所：床上

书拿到手中，就迫不急待地看，已经看了一半了。书中的拉拉跟现实中的自己一样，她和老李关于升职的话与现实中我和总裁说的话，基本一致。拉拉是头"倔驴"，我也只能算是"傻牛"，真希望有一天总裁看到我也能晕一把，唉，佩服她的勇气和闯劲，我就是有点孬，觉得越在职场时间长，自己的冲劲越小，被磨得快没棱角了。很喜欢拉拉，从中受益匪浅，希望自己看完书后会有所改变。

恨不得一口气读完！

发表于 2007-12-11 18:24:26

个人评分：★★★★★　心情指数：过瘾　阅读场所：床上 书桌旁

因为有在世界500强工作七年的经历，所以产生了深深的共鸣！看完以后真是百感交集啊，写得非常的真实！

连夜读完哦！

发表于 2007-12-11 16:29:48

个人评分：★★★★☆　心情指数：过瘾　阅读场所：床上

某天临睡前，老公问我要本书，顺手递给他《杜拉拉升职记》。他说："看两页就睡觉。"等我醒来灯还亮着，他说："还有最后两页就看完了。"此时天已发白。用事实证明这本书的可读性吧。